BLAENAU GWENT A BLAENAU'R CYMOEDD

2010

CYFANSODDIADAU

a

BEIRNIADAETHAU

Golygydd:
J. ELWYN HUGHES

Cyhoeddir gan Lys yr Eisteddfod

ISBN 978 0 9530950 4 9

Argraffwyd gan Wasg Gomer,
Llandysul, Ceredigion SA44 4JL

CYNGOR YR EISTEDDFOD GENEDLAETHOL 2010

Cymrodyr
Aled Lloyd Davies
R. Alun Evans
Gwilym E. Humphreys
James Nicholas
Alwyn Roberts

SWYDDOGION Y LLYS

Is-Lywyddion
Jim Parc Nest (Archdderwydd)
Richard Davies (Cadeirydd Pwyllgor Gwaith 2010)
Aled Roberts (Cadeirydd Pwyllgor Gwaith 2011)

Cadeirydd y Cyngor
Prydwen Elfed-Owens

Is-Gadeirydd y Cyngor
Garry Nicholas

Cyfreithwyr Mygedol
Philip George
Emyr Lewis

Trysorydd
Eric Davies

Cofiadur yr Orsedd
Penri Roberts

Ysgrifennydd
Geraint R. Jones, Gwern Eithin, Glan Beuno, Bontnewydd, Caernarfon, Gwynedd

Prif Weithredwr
Elfed Roberts, 40 Parc Tŷ Glas, Llanisien, Caerdydd, CF14 5DU (029 20763777)

Trefnydd
Hywel Wyn Edwards

Dirprwy Drefnydd
Alwyn M. Roberts

RHAGAIR

Fy mraint yw cael cyflwyno i chi gyfrol *Cyfansoddiadau a Beirniadaethau Eisteddfod Genedlaethol Blaenau Gwent a Blaenau'r Cymoedd, 2010.*

O'r 49 o gystadlaethau a osodwyd eleni yn y gwahanol feysydd (Barddoniaeth, Rhyddiaith, Drama, Dysgwyr, Cerddoriaeth, Gwyddoniaeth, etc.), dim ond tair cystadleuaeth, fel y llynedd, a fethodd ddenu'r un ymgeisydd a dim ond ar dri achlysur yr ataliwyd y wobr. Cynhwysa'r gyfrol 53 o feirniadaethau a 23 o gyfansoddiadau (mewn ychydig dros gan mil o eiriau) ac mae'n rhaid nodi i'r rhan fwyaf o'r beirniaid eleni barchu'r dyddiad cau ar gyfer derbyn eu beirniadaethau (sef Mai 15) – wrth gwrs, fel erioed, roedd yn rhaid i ambell un gael bod yn wahanol!

Yn aml iawn, wrth olygu cyfrolau'r *Cyfansoddiadau a Beirniadaethau* dros gyfnod o ryw chwarter canrif, mae un peth wedi fy nharo'n gyson – ac mae wedi digwydd eleni ar fwy nag un achlysur. A hynny yw bod beirniaid, wrth ganmol safon rhai o'r cyfansoddiadau a dderbyniwyd, yn argymell yn gryf y dylai ambell un gael ei gyhoeddi; er enghraifft: '... gobeithio y byddant ... yn gweld golau dydd maes o law, ar ffurf llyfrynnau, neu'n gyfresi mewn cylchgronau ... neu yn y papurau bro' (E. Wyn James); '...dylai pob un a ymgeisiodd ystyried o ddifri anfon eu gwaith at *Y Naturiaethwr* neu *Llygad Barcud*' (Brenda Wyn Jones); 'Mae sawl un o'r cynigion yn haeddu cael eu darllen gan gynulleidfa ehangach' (Siân Sutton); a 'byddai'n wych o beth pe bai sawl un arall o'r portreadau o gymeriadau lleol yn cael eu cyhoeddi ...' (Angharad Mair). Does ond gobeithio y bydd nifer o gystadleuwyr yn gweithredu'n gadarnhaol ar gynghorion ac awgrymiadau adeiladol a chalonogol y beirniaid.

Bu cydweithrediad Hywel Wyn Edwards, Trefnydd yr Eisteddfod, yr un mor effeithlon a pharod ag arfer ac felly, hefyd, effeithlonrwydd a threfnusrwydd Lois Jones yn Swyddfa'r Eisteddfod yn yr Wyddgrug. Diolchaf yn ddiffuant iddynt hwy ac i'r Dirprwy Drefnydd, Alwyn M. Roberts, am fod mor barod i hwyluso fy ngwaith.

Dylan Jones, Cyhoeddiadau Nereus, Y Bala, a gysododd yr emyn-dôn fuddugol a gwnaeth waith rhagorol eto eleni. Gyda gofid y nodaf i ni golli Diana Davies, a arferai fwrw golwg dros y fersiwn sol-ffa, ychydig fisoedd cyn yr Eisteddfod.

Fel yn y gorffennol, cafwyd cydweithrediad parod ac effeithiol Gari Lloyd yng Ngwasg Gomer, a diolchaf iddo am ei gysodi cymen a phroffesiynol.

J. Elwyn Hughes

CYNNWYS

(Nodir rhif y gystadleuaeth yn ôl y *Rhestr Testunau* ar ochr chwith y dudalen)

*   *   *

ADRAN LLENYDDIAETH

BARDDONIAETH

ADRAN DRAMA A FFILM

ADRAN CERDDORIAETH

Ieuenctid

**Cystadleuaeth i ddisgyblion ysgolion uwchradd
a cholegau trydyddol 16-19 oed**

ADRAN DAWNS

ADRAN LLENYDDIAETH

BARDDONIAETH

Awdl mewn cynghanedd gyflawn heb fod dros 200 llinell: Ennill Tir

BEIRNIADAETH ROBAT POWEL

Dewiswyd testun addawol ar gyfer cystadleuaeth y Gadair eleni, sef 'Ennill Tir.' Caniatâ ymdriniaeth lythrennol neu ffigurol ac awgryma mai neges obeithiol a ddisgwylir. Rhyfedd, serch hynny, fod y testun mor debyg i'r 'Tir Newydd' a osodwyd ar gyfer cystadleuaeth 2008. Deg ymgeisydd a fentrodd i'r maes ar y ddau achlysur. Roedd yn galondid fod pob un o'r cystadleuwyr yn medru cynganeddu'n gywir, cynnal awdl a chreu o leiaf ychydig o linellau da. Y prif wendid cyffredinol oedd diffyg eglurder, boed mewn llinell, cwpled neu ddarnau hwy. Rhannaf yr awdlau'n dri dosbarth.

Y TRYDYDD DOSBARTH

Helium 3: Cynganeddwr cywir, a'i thema yw ymdrech dyn i ymddyrchafu trwy ddatblygu dulliau gwyddonol o feddwl a gweithredu. Gwaetha'r modd, ni all fynegi ei syniadau'n glir, a cheir gormod o niwloedd geiriol yn gorchuddio'r tir a all fod yma i'w ennill. Mae'r adran hon yn nodweddiadol o'i harddull:

> Os awn ni o dan swyn nudd
> I mewn i un ymennydd
> A welwn drig cenfigen
> Neu chwant fel pant yn y pen?

Yn y pedair llinell hyn, gwelir pum enw haniaethol, ac argraff annelwig a grëir oherwydd hynny. Awgrymaf iddo geisio llunio cerddi byrrach, uniongyrchol, cyn mentro ar awdl eto. Fodd bynnag, ceir ambell gipolwg ar dir cliriach ganddo yng nghrynoder llinellau fel: 'Ni o wamal resymeg/ Â blas ar ras ac ar reg'.

Taeog: Medr gynganeddu'n rhugl a thrin y mesurau, a hyd yn oed greu ei fesur ei hun. Yn yr awdl hon, gresyna at fateroliaeth yr oes cyn dianc at lonyddwch yr afon. Daw gobaith iddo trwy enedigaeth ei wyres ond yna, fel diweddglo, ceir llinellau annisgwyl o farwnad i'r diweddar Hywel Teifi. Er mor ddiffuant, nid oes gan y rhain unrhyw gyswllt â gweddill yr awdl.

1

Yr 'Ennill Tir' yw dyfodiad yr wyres ond cymylir tirwedd y gerdd gan rannau aneglur a diafael. Er enghraifft, disgrifir effaith prynwriaeth arnom mewn pennill lle collir effaith y ddelwedd gychwynnol addawol, 'gwe o ddyled', yn y traethu cyffredin sy'n dilyn:

> Gwe o ddyled a ddwg ddolef
> A afaelo'n ein cyfalaf
> A fu drwy'r canrifoedd yn fodd
> I fwynhau byw ar fin y bedd.

Talai iddo hefyd osgoi llunio adrannau rhy faith yn yr un mesur rhag iddynt fynd yn feichus. Er hynny, gall lunio llinellau digon effeithiol megis 'Mae'r crychydd llonydd yn nharth ei lli ...' [lli'r afon] a chwpled ag ergyd fel 'Mae'r afiaith ym myw'r afon/ Mor ddi-hid o dymor dyn ...' Mwy o uniongyrchedd felly sydd ei angen.

YR AIL DDOSBARTH

Wedi'r Elwch: Adroddir hanes milwr yn dychwelyd i'w fro Geltaidd wedi deng mlynedd mewn rhyfel. Codwyd dinasoedd estron lle bu caeau ei famwlad, ond mae'n ailgodi tŷ ac yn darganfod rhai o'i lwyth mewn 'cwmwd coll'. Â'r Celtiaid ati i adfer eu cymuned ac felly ennill tir, a diweddir trwy'r gyffelybiaeth fod y '... Gelteg fel caseg hardd/ ar garlam trwy gae irlas ...' Mae dechreuad addawol i'r stori: 'Nos o gwilt sydd dros Geltia ...', ond buan y try'r gerdd yn gymysgfa o ddisgrifiadau gweddol effeithiol a rhannau rhyddieithol iawn. Niwlog, er enghraifft, yw'r syniadau a ganlyn, a cheir camacennu yn y llinell gyntaf:

> Trwy Geltia mae'r treiglo tymhorol
> A'r byd crwn i hwn yn wahanol,
> Drwy'i berfedd rhyfedd o hydrefol
> Yn rymoedd miniog – stormydd mewnol ...

O bosib, byddai stori ffug-wleidyddol yn gyfrwng mwy priodol i weledigaeth y bardd. Fel technegwr, nid yw mor sicr â'r cystadleuwyr eraill a cheir amryw o wallau gramadeg a chynghanedd, a diffyg chwaeth ieithyddol mewn ymadroddion llafar fel '... a striwa'r holl gystrawen'. Er hynny, mae'n codi uwchlaw cyffredinedd ar adegau megis yn y disgrifiad o chwalfa'r hen gartref: 'Trychineb heb ateb yw,/ Nodwydd trwy'i lygaid ydyw'. Nid yw heb ddawn.

Gwalia: Dyma gynganeddwr cadarn ond arddull y gorffennol sydd ganddo. Mae ei waith yn cynnwys pedair adran heb fawr o undod rhyngddynt: molawd i fro'r chwareli, gwerthfawrogiad o'r Wladfa, cwyn am ddyfodiad mewnfudwyr i'r fro Gymraeg, ac anogaeth i'r genedl godi dani. Dim ond yr ail ran a'r olaf sydd yn wir destunol. Ond y pryder mwyaf yw bod y gwaith mor ystrydebol a thinc dreuliedig iddo. Dyma gartref y chwarelwr:

> Ar aelwyd y chwarelwr,
> I'r di-lol, gwerinol ŵr,
> Trysor oedd y gwerthoedd gwâr
> I'w deulu fel i'w dalar ...

Rhamantaidd yw'r ymddiddan rhwng dau lais am Batagonia, ac adlais o awdl Bryn Williams yn gryf. Er bod yr ymadroddi'n ddigon swynol mewn mannau, chwiliais yn ofer am welediad ffres. Yn yr adran am y newydd-ddyfodiaid i Gymru, hoffaf y trosiad am y gog yn ymwthio i'r nyth Cymreig, a chrynhoir trwy gyferbynnu'n fachog: 'Ein heiddo ni'n dyddyn ha'/ a'u harfau ar ein porfa'. Yn yr alwad i'r frwydr genedlaethol mewn hir-a-thoddeidiau emosiynol, clywir tinc awdlau a fu:

> I'r gad, i'r gad, dros Gymru ergydiwn,
> Hen yw'r achos, dros ein hiaith ymdrechwn ...

Er bod y bardd yn gallu mynegi ei weledigaeth ar gynganeddion rhwydd, mae angen iddo chwilio am olwg fwy newydd ac annisgwyl ar bethau.

Tegid: Lluniodd ei ymgais 'er cof am Graham', cyfaill iddo, ond casgliad o gerddi sydd ganddo, mewn gwirionedd. Cân am wahanol fannau yr ymwelodd y ddau gyfaill â nhw, a'r 'ennill tir' yw'r teithiau hyn gyda'i gilydd, mae'n debyg. Disgrifiadol yn bennaf yw'r adrannau, digon taclus, ond heb lewyrch mawr yn y dweud; er enghraifft: 'Hwn yw dwthwn ymdeithio/ Rhag hirlwm trwy gwm hen go''. Ceir gormod o linellau lle nad yw'r ymadrodd neu'r gair unigol yn taro deuddeg, megis '... o afiechyd clyd eu clas ...' (pam 'clyd'?), a'r '... iaith a'i rhin/ yn rhithio fel yr eithin' [ar ben mynydd]. Tueddir i gynganeddu geiriau a gellir rhag-weld llawer o'i drawiadau. Defnyddir un gair – 'brau' – bedair gwaith i gloi llinell acennog englynion. Teimlir mwy o awyrgylch mewn ambell ran, megis y brain uwch Twyn y Beddau, a gwelir cyffyrddiad cynnil yn y llinellau am Ffynnon Iswy: '... Mae clytiau gweddïau gwâr/ Ar bob cangen yn chwennych/ Oeri'u cryd yn y dŵr crych ...' Cryfha'r gwaith yn y rhannau olaf lle mynega'r bardd ei hiraeth ar ôl ei ffrind. Ceir un o englynion gorau'r gystadleuaeth am gân y gog, nad yw bellach ond yn atsain iasoer o'r golled:

> Y llynedd daeth i'n llonni – adduned
> Y ddeunod, eleni
> Craidd ein hunigedd yw cri
> Cog uwch mawnog a meini.

Mwy o ganu felly a byddai *Tegid* yn gystadleuydd i'w wylio.

Sisyphus: Lluniodd awdl ddiddorol am rywun ar gyfeiliorn ysbrydol. Troediodd yr un bardd, dan y ffugenw *Camp Lawn*, lawer o'r un tir yng nghystadleuaeth y Gadair 2005. Ar ddechrau'r gwaith, crëir awyrgylch effeithiol mewn dinas fin nos, 'y ddinas eirias o sŵn ...' Yna, ceir naid sydyn i fynyddoedd ardal Llyn Brianne i chwilio'n ofer am lonydd a phwrpas, er i'r bardd gofio am brofiadau cyfareddol ei blentyndod yno. Yna, fe'i cawn fin nos yn syllu ar y strydoedd ac yn ystyried unigrwydd menyw yn ei thŷ gyferbyn. Yn yr adran olaf fe dyr y wawr '... a daw yr heulwen ar hyd yr hewlydd'. Closia'r bardd at ei gariad i fentro ymlaen, a dyna, mae'n debyg, yr 'ennill tir'. Mae *Sisyphus* yn fardd galluog, ond esgeulus, hefyd. Ceir yma nifer o gamgymeriadau cynganeddol a gramadegol sy'n ei gadw o'r dosbarth cyntaf. Problem arall yw diffyg undod. Nid yw'r naid i'r ail ran yn y mynyddoedd yn eistedd yn esmwyth gyda'r gweddill. Efallai bod unigrwydd y wraig yn adlewyrchu ei ansicrwydd yntau, ond byddai mynegi'r cyflwr trwy ei brofiad ei hun yn fwy trawiadol.

Ceir diffyg eglurder neu letchwithdod mewn nifer o rannau. Mae trwsgleiddwch cystrawennol yn 'Afonydd y gylfinir/ yn fud yn ei gyddfau hir ...', a rhyfedd yw sôn am flodau '... ym mynwes hen emynau'. Er hyn, gwelir dawn *Sisyphus* mewn amryw o ddisgrifiadau cynnil. Disgrifir lluniau du-a-gwyn y fenyw fel '... lluniau llwyd sy'n llawn lliw/ am ryw eiliad amryliw' – daw'r lliw wrth iddynt ddwyn atgofion iddi. Delweddir ei ddiffyg pwrpas fel: 'Yn y nos cymysgwn ni/ â'r niwl sydd ar gorneli ...' Dim ond iddo roi mwy o sylw i gywirdeb ei linellau ac eglurder ei amcan, dylai wireddu ei botensial diamheuol.

Morlo: Stori Eluned Mair Davies a'i gwaith fel cenhades yn y Wladfa a gynigir yn awdl *Morlo*. Ceir ynddi ddigon i'w edmygu yn eglurder y gwaith, a rhwyddineb y gynghanedd, heblaw am un neu ddau o frychau. Adroddir hanes Mair Davies yn derbyn addysg, yn cyrraedd Patagonia, a'r gwaith a gyflawnai yno. Y gwendid mawr yw natur ddi-fflach llawer o'r mynegiant, ac mae gormod o'r gerdd yn gronicl syml o hanes y wraig ardderchog hon:

> A diogel yn Llangeler
> Hithau a fu â'i thaith fer
> I ysgol, yna coleg,
> Oriau taer yr erwau teg.

Ceir ambell ymdrech i bwysleisio arwyddocâd penderfyniadau anhunanol Mair ond ni fynegir y rhain bob amser yn glir. Mae yma ddisgrifiadau digon dymunol o wlad yr Ariannin ond pur draethodol yw darnau fel 'Daeth i'w haf yn Nolafon, yn eirwir/ Llafuriodd yn Rawson ...' Yr hyn sy'n achub yr awdl rhag cyffredinedd digyffro yw'r sôn am angladd Mair Davies a'r deyrnged iddi yn y darn olaf: 'Yn angladd Mair nid offrymwyd geiriau/ Digynnwys a llwm fel gwag deganau ...' Cloir y gerdd gyda chyfres o englynion penfyr lle cyflëir rhywfaint o'r angerdd o golli Mair yn y cyferbyniadau rhwng parhad gogoniant Patagonia a'i habsenoldeb hithau:

> Â'r hen ias, ar siwrnai oesol, i'w heniaith
> Daw'r condor entrychol;
> 'Ni ddaw Mair heddiw i 'morol'.

Mae angen tipyn mwy o'r naws hon i godi'r awdl o ganol yr ail ddosbarth.

Byw: Dyma gaseg arall a redodd yr yrfa hon o'r blaen, dan y ffugenw *Odlau'r Afon* yn Eisteddfod Abertawe yn 2006. Ysgrifennwyd yr awdl hon 'Er cof am Aaron a Rachel Jenkins', sef yr arloeswyr a dorrodd y gamlas gyntaf o Afon Chubut i ddyfrhau tiroedd y Wladfa. Hoffais lawer o'r gerdd. Dechreua'n effeithiol, a'r galarwyr yn canu emynau Pantycelyn wrth gladdu Rachel, a llais Aaron yn nodi'n chwerw na fedrai'r Pêr Ganiedydd ddirnad beth yw gwir anialwch a diffeithwch, er iddo ganu amdanynt, heb weld Patagonia: 'Ni welaist ti'r anialwch,/ Ni weithiaist ti'r diffeithwch ...' Llais Aaron hefyd sy'n canmol rhinweddau'r wraig a galarnadu uwchben marwolaeth mab y pâr, ond clywir llais Rachel hithau mewn tri hir-a-thoddaid teimladwy. Gwêl Aaron farwolaeth ei fab bychan bron fel aberth y gellir seilio dyfodol y Wladfa arno: '... ei wedd/ Yn dawel ryfedd yn odlau'r afon'. Gwaetha'r modd, syrthia'r bardd o'r safon mewn gormod o rannau neu linellau llai eglur neu anaddas, ac mae'r adran o doddeidiau byr braidd yn gymysglyd. Gorffennir yn wan yn niwedd y darn cywydd olaf, ac ni welaf y cyfeiriadau crefyddol terfynol at 'Y Gwas a dry ei gusan ...' yn briodol. Fodd bynnag, dengys *Byw* lygad a thrawiad bardd yn aml hefyd. Disgrifia effaith Rachel ar ei gŵr fel: 'Un wên fach a dyna fi,/ Er y dioddef, ar doddi ...' Portreada unigrwydd Aaron heb ei gymar mewn englyn campus:

> Ar ddihun, a'r bwrdd heno – yn welw
>   Heb dy ddwylo arno,
>   Bydd tristwedd y bedd drosto
>   Ac yn y graen gŵyn [*sic*] y gro.

Chwynnu'r elfennau aneglur ac amhriodol yw'r her i *Byw*. Dylai'r Gadair fod o fewn cyrraedd iddo.

Miragl: Adrodda hanes un ar fordaith trwy Fôr Adria, a hwnnw wedi colli'i ffydd Gristnogol a'i awen yn sgîl damwain angheuol i'w gymar. Ond daw mynach ato o un o fynachlogydd yr arfordir ac egluro nad creu artaith yw ewyllys Duw ond cynnig gwawr gobaith. Pan dyr storm, gwêl y bardd Iesu'n cerdded y don gan ei wahodd ato. Try'r bardd yn ôl at ei ffydd ac ennill y tir '... lle nad oes llesteirio / ar lawenydd y rhai a êl yno ...' Am rannau helaeth o'r awdl, mae *Miragl* yn feistr ar ei gyfrwng. Defnyddir trosiad y llong yn wych i gyfleu diffyg pwrpas y bardd: 'Hen long yn treiglo'i hangor, / heb lyw mwy, ysbail y môr, / wyf fi ...' Cawn gyfres o benillion decsill rhythmig sy'n adlewyrchu symudiad esmwyth y llong. Cyflwynir darlun trawiadol o hebog yn disgyn ar ei brae i symboleiddio diymadferthedd dyn yn wyneb tynged, a chyfeiriadaeth fachog y '... maen ar ddrws f'ymennydd'. Mae i'r gerdd ei rhannau mwy anwastad hefyd. Mae'n gogr-droi yn y canol a byddai'n well heb yr englyn clo diangen. Ond y prif bryder yw'r anghywirdeb neu'r diffyg cynganeddol mewn gormod o linellau, megis '... y glŷn yr awyr arian', '... chwyth uwch ei thir chwa o thus ...', a cheir camacennu mewn llinellau fel: '... i'n swyno ymaith gan swnamïau'. Mae *Miragl* yn or-hoff hefyd o'r 'f' led-lafarog, sef peidio ag ateb yr 'f' yn un hanner y gyfatebiaeth gynganeddol. Pwysleisiodd Syr John Morris Jones mai goddefiad yw'r arfer hwn, nid rheol, a byddwn yn ei gyfrif yn wall.

Nid yw'r thema o dröedigaeth grefyddol yn gafael ynof, rhaid cyfaddef, ond rhaid hefyd dderbyn diffuantrwydd y profiad i'r bardd. Yn fy marn i, gwelir ôl meddwl, crefft a greddf bardd ar yr awdl. Ond erys y gwallau. Yn y pen draw, penderfynais na ellir gwobrwyo cerdd sydd â chynifer o frychau technegol. Mae'r Gadair o fewn gafael *Miragl*, heb amheuaeth, ond nid eleni.

Yr Wylan: Awdl y Ddau Aderyn yw hon, a theyrnged i'r diweddar Hywel Teifi. Nid ar y darlleniad cyntaf y gwerthfawrogir ei chryfderau. Egyr trwy lais hen Gymro sy'n tristáu na ddaw neb mwyach i gasglu calennig ar ddechrau'r flwyddyn, cyn y ceir deialog rhwng y brodor a'r adar. Y cyffylog ysgafn ei fryd a ddaw gyntaf, a hwnnw'n gwrthod y gwahoddiad i ganu. Nid yw'n deall y rhesymau dros ddigalondid y Cymro, a mudo eto dros y môr a wna. Yna, daw'r wylan, a hithau'n gwrthod canu am galennig ond y tro hwn am ei bod yn deall achos y tristwch yn y fro: 'Ond ar awr dd'wedwst, o raid, / Ni chanaf ond ochenaid ...' Mae hefyd yn gwrthod mynd at y dyn '... â naws y nos yn ei wên' i'w holi am gyflwr y genedl gan nad yw am aflonyddu ar hwnnw yn ei waeledd. Yna, mewn cyfres o hir-a-thoddeidiau heriol, mae'n annog y Cymro i fagu'r agwedd a feddai Hywel Teifi at arddel achos y cymoedd a dysgwyr yr iaith, yr '... allwedd i'r tir a enillwn'.

Hwn yw bardd mwyaf gwreiddiol a beiddgar y gystadleuaeth. Cyflea'n iasol wacter y Calan eleni a cholli'r gŵr o Aber-arth, a diflaniad y calennig yn cynrychioli colli iaith a thraddodiadau. Cofia'r brodor arferion a chynhesrwydd y gymdeithas a fu: 'Ond pob dyn, pob un â'i bill,/ a gâi geiniog, ac ennill'. Ingol yw cwestiynau'r brodor i'r wylan: 'Ai byw'r iaith yn Aber-arth?/ Ai heibio'r aeth Deheubarth?', ac mae cyfeiriadaeth yr awdl yn gyfoethog, gan i Ddafydd ap Gwilym ganu cerddi hefyd i'r ddau aderyn hyn. Mae gennyf amheuon am ambell elfen. Cymysgir tafodiaith leol – ''S neb lan?' – â ffurfiau safonol yng ngenau'r un gŵr. Ceir ychydig o fân frychau gramadeg a chamacennu, a dryslyd yw ambell linell, fel 'Wyf faes seithug! Wyf saethwyr!' Bu arwyddocâd y cyffylog yn destun trafodaeth faith rhwng y beirniaid, er nad yw hynny o reidrwydd yn wendid.

Fodd bynnag, *Yr Wylan* biau'r awdl gryfaf ei hapêl a'i hergyd eleni. Mae rhannau grymus iawn ynddi, fel yr englyn i'r golled ar ôl Hywel Teifi:

> Dail ei funudau olaf – a syrthiant,
>   ac os swrth ein gaeaf
>   bydd eto hebddo ein haf –
>   gwae di'r awr! – gyda'r oeraf.

Awdl anghyffredin, yn gwbl deilwng o Gadair y Brifwyl. Gwobrwyer *Yr Wylan* gyda holl anrhydedd yr Eisteddfod.

BEIRNIADAETH ELWYN EDWARDS

Anfonwyd deg o gerddi i'r gystadleuaeth ac, ar y cyfan, mae'r testun wedi gafael yn nychymyg y beirdd er ei fod wedi tynnu un neu ddwy o hen gesig o'u stablau, naill ai wedi cael pedol neu ddwy o'r newydd neu gyda'r un pedolau'n union ag oedd ganddynt pan redasant o'r blaen. Ceir dwy gerdd o'r deg nad ydynt cystal â'r gweddill.

Helium 3: Canu braidd yn llac, ffwrdd-â-hi a geir gan yr ymgeisydd hwn. Tuedda i gynganeddu geiriau'n unig, ond o leiaf mae ganddo syniad am ofynion awdl, a phe byddai'n pwyllo, gan fyfyrio ar y testun, yna fe gaem gân lawer gwell ganddo.

Taeog: Dirwiad cefn gwlad sydd yma, a'r gwyn fwyaf sydd gen i yw ei fod yn carlamu mynd gan ddefnyddio gormod o eiriau haniaethol. Defnyddia amryw o fesurau ond nid oes llawer o newid yn y grefft fel yr â rhagddi. Wedi dweud hynny, byddai yntau'n ymgeisydd dipyn mwy peryglus pe bai'n oedi cyn bwrw iddi.

Gwalia: Mae'r ymgeisydd hwn yn uwch ei safon o ychydig. Canu i Gymru a wna yn rhan gyntaf y gerdd: mynyddoedd Eryri a'r iaith, dioddefaint y chwarelwr ar y creigiau a'i aelwyd ddi-raen. Mae'n agor gyda hir-a-thoddaid; defnyddia yntau amryw o fesurau ac mae ei gynghanedd yn gywir. Yn yr ail ganiad, sonnir am ymfudo i Batagonia, a cheir disgrifiadau o'r hanes hwnnw: y *Mimosa*, y daith ar y môr a rhyddid y paith. Yna, daw'n ôl i Gymru: y tai haf, y mewnfudo a'r dirywiad yn yr iaith, ac yn y caniad hwn fe wêl obaith yn yr ailafael a'r brwydro sydd i adfer ein treftadaeth ac yma y daw'r testun i mewn i'r gerdd. Mae ei gynghanedd yn llithrig, yn rhy lithrig ar brydiau nes bod y canu'n anwastad ac weithiau'n bregethwrol. Cynganeddu geiriau a wna gan amlaf, ond dengys y cwpled gwych hwn bod gobaith am gân well maes o law.

> Gwae fynd y Gymraeg o fod
> A'i harfer wedi darfod.

Wedi'r Elwch: Ymgais ddigon cymysglyd. Edrydd am filwr yn dod adref ar ôl degawd o ryfela a chael bod newid mawr wedi digwydd yn ei wlad ac i'r iaith, sef y Gelteg: 'llynnoedd lle bu perllannau', 'peilonau wedi eu plannu', 'arwyddion estron eu hiaith'. Yna fe ddisgrifia'i hen gartref gwag yn we pry cop a'r 'to fel ei fro yn frau'. Ceir yma ddarnau aneglur ac mae'r llinellau'n herciog. Tua chanol ei gerdd, fe ddaw'r testun i'r amlwg pan dry'r milwr yn adferwr. Gwaetha'r modd, mae'r canu'n llac ar brydiau: 'wedi degawd o wagio/ byr o wynt ydyw ein bro'. Ond mae yma bethau da, hefyd, megis y cwpled hwn lle mae'n disgrifio'i gartref gwag: 'Trychineb heb ateb yw,/ Nodwyddau drwy'i lygaid ydyw', a'r llinellau gwawdodyn hyn: 'Nid oes 'na ddadl â'r mab afradlon,/ Yntau wibia drwy'r holl atebion,/ Taenu golau wna'r tân o'i galon,/ Daw hwnna'n dân i danio dynion'. Byddai yntau, hefyd, yn uwch ei safle pe bai ganddo ragor o bethau cyffelyb ond rwyf yn ffyddiog iawn y cawn awdl well na hon ganddo yn y man.

Morlo: Awdl yw hon i'r ddiweddar Eluned Mair Davies, Bercoed Ganol, yn ardal Llandysul, Ceredigion, a aeth yn genhades i'r Wladfa (ac ar y dudalen gefn ceir nodiadau sydd yn ymwneud â hi). Defnyddia'r bardd hwn, hefyd, sawl mesur ac mae'n hen gyfarwydd â hwy, ond a gafodd o'r awen i droi'r hanes yn farddoniaeth? Yn y rhan gyntaf, edrydd amdani gartref ym Mercoed Ganol ond wedi iddi ymfudo lleolir gweddill yr awdl yn y Wladfa. Braidd yn rhyddieithol neu haniaethol yw'r mynegiant drwyddo draw. Mae'r hanes yn datblygu fel yr â rhagddo ond nid oes ysbrydoliaeth yma sydd yn troi'r dweud yn gelfyddyd. Mae'r gerdd yn weddol wastad ond anaml y cwyd i dir uchel. Nid yw'r llinellau decsill hyn yn gywir: 'Ond amled yno unigrwydd deimlodd' ac 'Yn ei wyll cafwyd enfawr enillion'. Mae'r gwant yn y llinell gyntaf yn dod ar ôl y drydedd sillaf, er mwyn y gynghanedd, ond myn y glust ei fod yn dod ar ôl y gair 'yno' ar y bumed sillaf sy'n gwneud y gynghanedd yn wallus. Yn yr ail linell, daw'r gwant eto ar ôl y drydedd sillaf. Fe ddylai llinellau decsill dorri ar ôl y bedwaredd sillaf o leiaf ac, i fod yn berffaith gywir, dylent dorri ar ôl y bumed. Dyma ddwy enghraifft wahanol iawn i'w gilydd sydd yn nodweddiadol o'r canu:

> Daeth i'w haf yn Nôl Afon, – yn eirwir
>   Llafuriodd yn Rawson;
>   Â'i bythol loyw obeithion,
>   Iesu a hi ddaeth i sôn.

Englyn llac ei fynegiant, ond mae'r bardd yn ei medru hi hefyd, fel y dengys y pennill hwn sydd yn disgrifio angladd y genhades yn y Wladfa:

> Rhoi ei llwch yn llwch llechwedd y Gaiman
>   Ddigwmwl i orwedd;
>   Rhoi benyw gywir bonedd
>   Yn nhrigfan bell, bell y bedd.

Trueni na chafwyd rhagor o ganu fel hyn ganddo.

Sisyphus: Hanes bywyd mewn dinas a gawn yn rhan gyntaf y gerdd ond mae'r llinellau agoriadol yn niwlog i mi:

> Ôl ar wydr fel crisial rhew
> yw oes dyn yn hanes Duw
> a diwedd byd bedydd baw.

Yna cawn bennill llyfn ei fynegiant o fywyd min nos y ddinas, sydd yn codi i dir uwch:

> Dan barasol o olau
> Gleiniau bach yw glan y bae
> Ac ym merddwr harbwr hon
> yn barêd o sibrydion,
> eneidiau uwch diodydd
> yno'n dal diferion dydd
> o hen lanw aflonydd.
> A rhed y prom bordiau pren
> ar ôl pelydrau'r heulwen,
> ar lôn hir yr wylan wen.
> Llwybrau at y golau gwan
> dyddiau hir strydoedd arian.

Ond, gwaetha'r modd, fe gyll ei afael ar y tyndra a rhyddieithol ac anwastad yw darn cyntaf ei gerdd at ei gilydd. Yn yr ail ran, rydym wedi gadael y ddinas ac yn cael ein bwrw i ganol ardal fynyddig Elenydd lle mae'r bardd yn hel atgofion am y fro honno. Braidd yn flêr a llac yw'r canu yma gyda rhai brychau cynganeddol. Yna, yng nghanol y canu hwn, mewn tri chwpled cywydd, rydym yn ôl yn y ddinas ac mae'r darn hwn yn ddigyswllt hyd y gwelaf i. Ni fedraf ddeall beth yw pwrpas yr ail ddarn ond mae amlwg fod y bardd wedi cael llond bol ar fyw yn y wlad.

> Ni rydd mynyddoedd fy mro – ymgeledd.
> Nid oes i'm hedd na gwirionedd yno.

Hyd y gwelaf, yr 'Ennill Tir' yn y gerdd yw'r ffaith fod ei gariad wedi dychwelyd ato, ac edrydd am hynny mewn pennill llyfn iawn:

> Mynnwn lenwi pob munud – i'r eithaf
> ar draethau ein gwynfyd;
> Hel y cregyn gwyn i gyd,
> Mynnu byw mwy na bywyd.

Mae'r ymgais ar y cyfan yn anwastad ac ar chwâl a phan gawn gerdd sydd ar yr un cywair ar ei hyd â'r pethau gorau sydd yma, yna bydd y bardd hwn yn sythu am y Gadair yn sicr.

Byw: Awdl 'Er cof am Aaron a Rachel Jenkins' a ymfudodd ar y *Mimosa* i Batagonia ym 1865 sydd yma. Yn ôl yr hanes, priodolir y syniad o agor camlas o Afon Camwy i'r Wladfa i Rachel Jenkins er bod yr awdurdodau wedi gweld y posibilrwydd ynghynt. Cefais flas ar ei gerdd a chydiodd ynof o'r dechrau. Mae yma ddarnau gafaelgar megis yr un sydd yn adrodd am y daith ar y môr pryd y collwyd Rhisiart, eu mab bychan, a gladdwyd yn y môr.

> Gwên mam ac igian y môr
> Arni'n drem erwin dramor,
> Ac yn ei llais blisgyn llwyd
> Dyflwydd i'r don a daflwyd.

Yr 'Ennill Tir' yw'r Wladfa. Mae'r canu'n rhwydd iawn ac mae yma benillion angerddol sydd yn argyhoeddi. Ond mewn mannau eraill, teimlaf fod y bardd yn troi yn ei unfan yn ormodol, a chwithig i mi yw dweud 'mwy oer' yn lle 'oerach'. Ond does dim dwywaith nad yw *Byw* yn ei medru hi ac mae'n uchel yn y gystadleuaeth gen i. Priodol yw nodi bod y gerdd gyfan, neu ddarnau helaeth ohoni, wedi bod yng nghystadleuaeth y Gadair dan y testun 'Tonnau' yn dwyn y ffugenw *Odlau'r Afon* yn Eisteddfod Genedlaethol Abertawe 2006.

Miragl: Galarnad a gafwyd ar ôl i'r bardd golli ei gariad mewn damwain car. Mae'n mynd ar daith i Fôr Adria i geisio dod dros y golled. Gall amrywio'r mesurau'n ddeheuig iawn ac mae'n gryn feistr arnynt. Egyr y gerdd gyda chadwyn o englynion gafaelgar. Caiff y bardd ei ddadrithio'n llwyr ar ôl ei golled a chyll ei ffydd yn Nuw.

> Amheuaf ffagl a fflam y ffydd a eilw'r
> hygoelus i fedydd.
> Saif maen ar ddrws f'ymennydd:
> nid ydoedd dim trydydd dydd.

Ac er iddo fynd i ffwrdd i geisio anghofio, ni fedr wneud hynny a cheir pennill tawddgyrch cadwynog nerthol yn cyfleu'r boen.

> Ond deil bedlam nos y ddamwain
> i wylofain drwy fy nghlwyfau:
> perlau oeraidd lampau'r lori'n
> bwrw inni'n bâr o ynnau.

Hyd nes yr â i fynachlog lle mae un o'r brodyr yn adfer ei ffydd ac fe glyw lais y Gwaredwr.

> Yna yr adwaen fy Ngwaredwr
> diystwr, di-wast ei eiriau:
> 'Mentra ataf; fi yw'r hafan;
> tyrd dy hunan trwy y tonnau' ...

Cefais flas ar ei gerdd. Ceir ynddi ddarnau sydd yn codi i dir uchel, ond er ei bod yn argyhoeddi mewn sawl man, mae yma ychydig wendidau hefyd sydd yn arwain at wallau cynghanedd a llacrwydd mynegiant. Ond, yn sicr, mae'r Gadair yn estyn ei breichiau tuag at y bardd hwn.

Tegid: Cerdd er cof am Graham – archaeolegwr, cynghorydd bro, llywodraethwr ysgol, cadeirydd neuadd bentref, warden llan a ffrind triw a gaed. Mae'r bardd wedi rhoi enwau lleoedd uwchben y cerddi sydd wedi eu lleoli ym Mhowys ger y ffin â Lloegr. Mae'r enwau hyn yn ein tywys o fan i fan. Amrywia'r bardd ei fesurau i gyfleu'r hanes: cywydd, englyn unodl union, englyn milwr, gwawdodyn byr deg sillaf, a hir-a-thoddaid. Mae'n hyderus yn y mesurau hyn ac mae'r gerdd yn dechrau'n addawol. Ond braidd yn anwastad ei fynegiant a chymysglyd yw'r dweud yma ac acw yng nghorff y gerdd; tuedda'r bardd i gynganeddu geiriau gan ddefnyddio'r gair cyntaf a ddaw i'w feddwl yn hytrach na phwyllo i gael hyd i'r union air. Dyma enghraifft o'r canu hwnnw:

> Unwaith byddai'r iaith a'i rhin
> Yn rhithio fel yr eithin.

Ond eto, mae'n ei medru hi hefyd, ac un o'r pethau gorau yn fy marn i yw'r pedair llinell am farwolaeth ei ffrind sydd yn profi bod yma ddawn ddiamheuol dim ond iddi gael ei meithrin yn ofalus.

> Un dydd hawliaist ddarn o dir
> Yn gyndyn ar y gweundir.
> Un darn lle'r ymunaist ti
> Â daeareg y deri.

Yr Wylan: Teyrnged i'r gwladgarwr hoffus, Hywel Teifi, a gafwyd yma. Cydiodd y gerdd ynof o'r cwpled cyntaf ac ni laciodd ei gafael. Mae'r bardd yn feistr corn ar y gynghanedd a'i gyfrwng ac mae'r gerdd yn gyson ei safon drwyddi draw. Bûm uwch ei phen yn hir er ceisio gweld rhediad meddwl y bardd yn gliriach, a bu fy nghyd-feirniaid a minnau yn ei thrafod yn ofalus. Mae'n gerdd amserol, angerddol ac yn newydd ei mynegiant.

Brodor o Landdewi Brefi, Aber-arth, sydd yma yn galaru ar ôl yr hen draddodiad o hel calennig, ac mae diflaniad ein traddodiadau'n adlewyrchu'r dirywiad diymwad yn sefyllfa'r iaith, ein hunaniaeth a'n harwahander yn dilyn y mewnlifiad. Mae'r bardd yn hollol gyfarwydd â chanu'r hen feirdd ac wedi ei drwytho'i hun yn eu techneg, ac mae ei ganu i'r cyffylog a'r wylan yn ein hatgoffa am Ddafydd ap Gwilym. Aderyn sydd yn dod i Gymru i aeafu o'r Cyfandir yw'r cyffylog fel arfer; yma caiff ei gymharu â'r mewnfudwr o Sais, sy'n dod yma dros dro i'w dŷ haf, sydd yn groes i arferiad y cyffylog, ac fe'i cymherir hefyd â'r Cymro taeog. Ond mae'r wylan, ar y llaw arall, yn aderyn sydd yma'n barhaol, a cheir deialog rhyngddi â'r brodor; dwêd yr aderyn wrtho fod yna obaith ac iddo gydio ynddi i frwydro dros y pethe. Nid yw'r sefyllfa gynddrwg, gan fod dadeni yn y de gydag ysgolion Cymraeg yn ffynnu a llawer iawn yn dysgu'r iaith. Ceir yma ddarluniau gwironeddol afaelgar a chaf yr awydd i ddyfynnu'n helaeth ond does dim diben gan y bydd yr awdl yn ymddangos yn ei chyfanrwydd yng nghyfrol y *Cyfansoddiadau a Beirniadaethau*. Mae ei safon yn uchel ac mae'r awdl ymhell ar y blaen i'r gweddill yn y gystadleuaeth. Bu'r gwaith o ddewis y gerdd orau yn un rhwydd iawn ac wedi siom y llynedd yn y Bala mae'n bleser mawr cael cadeirio *Yr Wylan*.

BEIRNIADAETH IDRIS REYNOLDS

Denwyd deg o awdlwyr i geisio 'ennill tir' ac mae'n dda cael dweud bod pob un ohonynt yn medru'r gynghanedd. Wele fy sylwadau arnynt gan ddechrau ar y gwaelod a dringo tua'r brig.

Helium 3: Nid yw pennill agoriadol saith llinell mewn gwers rydd gynganeddol yn addo'n dda. Ar ôl hynny mae'n glynu at y mesurau traddodiadol ond nid oes, ysywaeth, fawr o welliant yn ansawdd y brydyddiaeth. Mae'n ymwybodol o reolau'r gynghanedd ond yn fyddar i'w miwsig wrth iddo draethu'n wasgarog am oresgynwyr yr oesau. Pe bai'n adrodd ei linellau'n uchel, gallai fynd ati i'w hystwytho.

Taeog: Mae'r gynghanedd yn feistres corn arno yntau hefyd. Rhaid ei ganmol, er hynny, am fod mor arbrofol yn ei ddewis o fesurau. Ceir yma ddefnydd helaeth o odlau proest ac o linellau wythsill a nawsill ynghyd â chyfres o benillion pum llinell ar fesur tyn ei wead. Ond mae'r mynegiant yn garbwl, yr eirfa'n hynafol ar brydiau a'r deunydd ar chwâl.

Mae gan yr wyth arall dipyn gwell dealltwriaeth o ofynion cystadleuaeth fel hon.

Gwalia: Cawsom awdl sydd yn 'canu' o'r dechrau i'r diwedd. Mae'r bardd yn cynganeddu'n rhwydd a diymdrech a chawn ein tywys ganddo o fro'r chwareli i ennill tir ym Mhatagonia. Yna dychwelwn i'r Gymru gyfoes i warchod ein treftadaeth rhag rhaib y mewnfudwyr. Eto y rhwyddineb ymadroddi hwn yw ei brif wendid hefyd a chaf y teimlad y gallai fod wedi cyfansoddi'r gerdd gyfan yn ei gwsg gan fod tinc mor gyfarwydd i'r llinellau. Nid oes yma ddigon o ôl chwilio am well gair. Ar ben hynny, ceir gormod o neidio disymwyth dros dair canrif a dau gyfandir.

Wedi'r Elwch: Bu'n ddigon hyderus i ddefnyddio mesurau llai cyffredin, fel y cyhydedd nawban, a cheir ganddo hefyd wyth toddaid o linellau decsill yng nghlwm wrth yr un brifodl. Mae'n ben crefftwr sy'n ymhyfrydu mewn cynganeddion cysylltben ac odlau cudd. Cawn ein tywys gan y ffugenw at frwydr Catraeth. Ond synhwyraf mai cerdd am ryfel y canrifoedd yw hon gan fod yna Somme a bomiau mwy cyfoes fyth yn ffrwydro yn yr awdl; bröydd Celtaidd ein dyddiau ni yw maes y gad, mewn gwironedd. Mae hon yn awdl uchelgeisiol ac mae hynny i'w ganmol ond er bod yma ddarnau swynol, ceir hefyd, yn enwedig yn y cywyddau, ormod o frawddegau hirion, aml-gymalog sy'n cymylu'r ystyr a chefais hi'n anodd dilyn rhediad meddwl y bardd ar adegau.

Miragl: Mae ei englyn cyntaf yn llawn addewid ac yn ein denu i wrando.

> Ym Môr Adria mae'r hydre'n euro â'i waed
>   lanw'r hwyr, a chragen
>   o leuad fel afrlladen
>   yn lliwio'i wydr â'i llaw wen.

Gŵr, neu wraig o bosib, sydd yma wedi colli cymar bywyd mewn damwain ffordd ac wedi dianc ar fordaith i Fôr yr Adriatig i geisio dod i delerau â'r profiad. Collodd ei ffydd, hefyd, a mynegir y dicter sy'n cronni yn yr enaid yn groyw:

> Saif maen ar ddrws f'ymennydd:
> nid ydoedd dim trydydd dydd.

Ond mewn mynachlog ar un o ynysoedd Albania, daw'r bardd yn wyrthiol i gysylltiad â mynach sy'n llwyddo i adfer ei ffydd ac o hynny ymlaen cenir clodydd y Duw newydd hwn i'r cymylau. I'm chwaeth i, mae'r dröedigaeth hon yn or-sydyn ac yn rhy eithafol, ond eto rhaid cofio mai *Miragl* yw'r ffugenw a ddefnyddiwyd. Defnyddir amrywiaeth o fesurau ac mae'r bardd yn barod i droi at y rhai llai cyfarwydd. Ceir ganddo gyfresi o benillion awdl-gywydd ynghyd â phum pennill o doddeidiau decsill ar yr un patrwm. Lluniodd hefyd ddwy gadwyn o englynion. Syndod, felly, yw darganfod cynifer o gynganeddion gwallus ac amheus yn y gwaith. Nodaf ddwy ohonynt yn unig: 'y glŷn yr ewyn arian' ac 'ond os yw'n Dduw anfoddog'. Mae'n dueddol iawn hefyd i hepgor ateb yr 'f'' yn ei linellau. Y brychau crefft hyn, ynghyd â thuedd i bregethu tua'r diwedd, a gadwodd *Miragl* rhag bod dipyn uwch yn y gystadleuaeth cans mae ganddo lawer i'w gynnig.

Morlo: Mae llawer i'w ganmol yn awdl y cystadleuydd hwn hefyd. Cerdd goffa ydyw i Eluned Mair Davies a fu farw'r llynedd. Magwyd hi yn ardal Llandysul ond ymfudodd yn ifanc i'r Wladfa lle bu'n gwasanaethu fel cenhades am bron i hanner canrif. Y paith ysbrydol hwn oedd ei thir hi. Mae'r grefft yn gywir, y dweud yn ddiffuant a'r cofio'n dyner. Hoffais yn arbennig yr englynion penfyr yn y caniad olaf lle mae Patagonia i'w glywed yn y canu.

> Dyfal ei cham ym mro Camwy, tyner
> At weiniaid yn tramwy;
> 'Ni ddaw Mair i'n noddi mwy.'

Ond eto, traethodol yw'r arddull ar y cyfan a cheir yma ormod o ansoddeiriau llac megis 'bore cain', 'oriau taer' ac 'erwau teg'. Cerdd uniongyrchol ar yr un gwastad ydyw heb fod yn codi i dir uchel na disgyn yn isel 'chwaith.

Tegid: Symudwn ymlaen at farwnad arall. Cofio Graham, archaeolegydd, gŵr gweithgar yn ei gymdeithas, a ffrind triw, a wna'r bardd a chawn ein tywys ganddo i'r mannau hanesyddol y bu'r ddau yn ymweld â hwy gyda'i gilydd dros y blynyddoedd. Ceir yma ganeuon i Gwm Banw, Y Rhos Dirion, Twyn y Beddau, Blaen Digedi, Capel y Ffin, Crog Cwm-iou, Twyn y Gaer a Ffynnon Iswy. Mae yna arwyddocad arbennig i'r lleoliadau hyn ar daith yr atgofion. Gellid dadlau bod y cynnig yn fwy o ddilyniant o gerddi nag o awdl, yn enwedig o gofio bod y cystadleuydd wedi teimlo bod angen is-deitl daearyddol ar bob caniad er mwyn rhoi ystyr i'r cyfanwaith. Ond, wedi dweud hynny, onid dilyniant o gerddi unigol yw cynifer o'n hawdlau gorau? Er bod angen twtio ychydig ar y mynegiant mewn ambell gywydd lle mae'r brawddegau'n rhy hir, fe all *Tegid* ar ei orau ganu'n hyfryd:

> Ger olion hafod mae blodau – yn wych
> Eu llewych a'u lliwiau
> A daeth Gorffennaf braf, brau
> I lasu dros hen loesau.

Mae'n cryfhau wrth fynd yn ei flaen ac mae'r diweddglo lle cawn ailymweld â Chwm Banw yn hynod afaelgar ac yn deyrnged ddiffuant i ffrind o ddaearegwr.

Sisyphus: Daw at ei destun drwy ddyfynnu geiriau gan Albert Camus sy'n ymwrthod â hunanladdiad fel cyfrwng dihangfa. Ac erbyn hyn yr ydym yng nghwmni bardd talentog. Hyd y gallaf weld, myfyrion llanc sydd yma nad oes iddo mwyach unrhyw ddiddanwch yn nhawelwch cefn gwlad ei fagwraeth yng Nghanoldir Cymru. Cawn ein harwain ganddo tua'r dref ac i fro'r cysgodion sy'n bodoli rhwng llawenydd a thorcalon yn nosau'r ddinas ddrwg. Gall ganu'n hudolus a chonsurio awyrgylch gyda'i gyffyrdiadau tyner a'i eiriau dethol. Wele'i ddisgrifiad gwych o gysgod gwraig a welwyd drwy lenni ffenestr olau o'r tywyllwch y tu allan.

> Yn ei llaw mae cannwyll wêr
> o hafau aeth yn ofer.

Yn sicr, mae'n gofiadwy gan fy mod yn cofio dod ar ei draws am y tro cyntaf wrth feirniadu cystadleuaeth y Gadair yn Eisteddfod Casnewydd yn 2004. Dotiais ato y pryd hwnnw ac fe'i dyfynnais yn fy meirniadaeth swyddogol. Y tro hwnnw, gofynnwyd am gasgliad o gerddi ar y testun 'Tir Neb' ac y mae o leiaf ddwy o'r cerddi hynny wedi eu cynnwys yn eu crynswth yn yr awdl hon. 'Ennill Tir' oedd y testun y tro hwn a thebyg fod y bardd wedi gweld digon o orgyffwrdd rhwng y ddau destun i gyfiawnhau'r ailgylchu. Rhaid nodi, hefyd, fod awdl debyg iddi yng nghystadleuaeth y Gadair yn 2005. 'Gorwelion' oedd y testun y flwyddyn honno ac mae'r ddau ddarn helaeth a ddyfynnir ohoni yn y feirniadaeth gyfun yn y *Cyfansoddiadau* yn awgrymu'n glir mai'r un yw'r awdur. Dyma, felly, y trydydd cynnig i'r Cymro hwn. Gallaf gydymdeimlo'n llwyr â *Sisyphus*. Ar ôl dod o hyd i linellau sy'n plesio, mae'r demtasiwn i'w hailddefnyddio'n gryf. Ac yn yr achos hwn, yr oedd gan y bardd berffaith hawl i wneud hynny gan nad oedd wedi eu harddel na'u cyhoeddi. Eto, carwn awgrymu iddo fynd ati y tro nesaf gyda meddwl ffres a thudalen lân canys prif wendid ei gân y tro hwn yw fod gormod o ôl ailwampio arni; nid

15

yw'r darnau unigol yn syrthio i'w lle yn gyfanwaith llwyddiannus. Er hynny, yr oedd ei awen yn felys a'i ddawn yn ddiamheuol.

Byw: Fel rhai o'r cystadleuwyr eraill, troes tua'r Wladfa i chwilio am ei dir newydd. Awdl ydyw er cof am Aaron a Rachel Jenkins o ardal Aberpennar a hwyliodd gyda'u dau blentyn bach ar y *Mimosa* am Batagonia ym 1865. Bu'n fordaith anodd a chollwyd un o'r meibion cyn cyrraedd Porth Madryn. Yn ôl un hanes, claddwyd ei gorff yn nyfroedd aber afon Camwy rai diwrnodau cyn cyrraedd tir. Bu'r blynyddoedd cyntaf ar ôl glanio yr un mor argyfyngus; nid ffermwyr oeddynt ac yr oedd y tir newydd yn sych a diffaith. Eto, yn ôl y chwedl, sylweddolodd Rachel Jenkins, yn anad neb, y byddai modd ei ddyfrhau pe gellid sianelu gorlif afon Camwy a'i droi tua'r diffeithwch. Aed ati, felly, i dorri rhwydwaith o ffosydd at y pwrpas ac ym mhen tair blynedd yr oedd y sefydlwyr yn cynaeafu gwenith yn yr anialwch. Ymhen tair blynedd, hefyd, yr oedd Aaron Jenkins yn claddu ei wraig ac fe leolir yr awdl ar lan ei bedd wrth i'r galarwyr ganu emyn. Mae'r dechrau'n hynod drawiadol (os maddeuir y defnydd o 'mwy oer' yn hytrach nag 'oerach'). Aaron Jenkins sy'n llefaru fan hyn:

> Dyw hi ddim yn dywydd emyn. Mwy oer
> Na'r meirw yw'r dyffryn.
> Ciliet ti Bantycelyn.
> Celet dy wedd rhag gweld hyn.

Byddai'r anialwch hwn y tu hwnt i ddychymyg y Pêr Ganiedydd! Ond er nad oedd cân yng nghalon y gŵr gweddw, mae nodau'r emyn yn cynnal y freuddwyd a daw llais ei wraig mewn tri hir-a-thoddaid o'r tu hwnt i'r bedd i atgyfnerthu ei anian benderfynol. Mae hon yn awdl gadarn, gyson ei safon a glân ei chynghanedd. Ceir ynddi amrywiaeth o fesurau, gan gynnwys un pennill o saith toddaid o linellau decsill ar yr un brifodl. Hwn, er hynny, yw man gwan yr awdl cans gor-gaethiwyd y bardd gan ofynion y mesur ac o ganlyniad aeth yr ystyr yn niwlog a'r mynegiant yn gymysglyd. Ar wahân i hynny, adroddir saga arwrol-drist Aaron a Rachel Jenkins yn gelfydd i gyfeilant llif yr afon. Mae i Gamwy ran ganolog yn y stori; yr un yw'r dyfroedd a dderbyniodd gorff y mab bychan a'r dŵr a fu'n fodd i arbed y cant a hanner o Gymry a fentrodd allan ar y *Mimosa* rhag llwgu o newyn. Mae deuoliaeth yr afon, a'r emyn hefyd, yn cyfoethogi cerdd sy'n talu gwrogaeth i ddewrder yr eneidiau hynny a roes y cyfan i geisio gwireddu breuddwyd Michael D. Jones. Yn fy marn i, mae *Byw* yn curo'n galed ar ddrws teilyngdod.

Yr Wylan: Erbyn hyn yr ydym wedi cyrraedd bardd a chynganeddwr gorau'r gystadleuaeth. Hawlia ein sylw o'r cwpled agoriadol:

> 'Ddaw 'na neb? 'Fyn 'na neb 'nawr
> galennnig ddygwyl Ionawr?

Cynhesais ati o'r darlleniad cyntaf; hoffais ei ffresni a'i harddull ystwyth sy'n gyfuniad o Ddyfedeg llafar ein dyddiau ni ac o iaith urddasol canu mawl yr Oesoedd Canol gyda'i gwestiynau rhethregol. Defnyddir technegau Beirdd yr Uchelwyr i bwrpas wrth i'r bardd hiraethu ar ôl y Cymro mawr hwnnw, Hywel Teifi Edwards, a gollwyd ddechrau'r flwyddyn eleni. Mae'n gerdd sy'n apelio at y galon, yn amserol ac yn oesol hefyd. Yr hyn a welais i yma, ac rwy'n fodlon cael fy nghywiro, oedd drama lle mae dau aderyn, y cyffylog a'r wylan, yn ymateb i ymson drist brodor o Gymro. Unwaith eto, wele'r bardd yn ddefnyddio un o gonfensiynau set y cywyddwyr cynnar gan gwmpasu'r canrifoedd yn gelfydd o fewn fframwaith ei gerdd gyfoes. Lleolir y cyfan yn Llanddewi Aber-arth ar droad y flwyddyn eleni. Hiraethu am y dyddiau gynt a wna'r pentrefwr gan resynu nad oes yno bellach blant yn mynd o ddrws i ddrws drwy'r ardal ar ddechrau blwyddyn i hel calennig. Mae pawb mor ddigonol a'r hen draddodiadau, fel y Gymraeg ei hunan, yn prysur ddiflannu o'r tir. Yn hyn o beth, mae'r llais hwn yn ein cynrychioli ni, y Cymry llugoer, cysurus, a gyflyrwyd gan ganrifoedd o israddoldeb i dderbyn ein tynged yn dawel. Yr ydym yn barod i deimlo'n hunandosturiol ac i weld bai ar eraill am eu difrawder ond yn anfodlon gwneud dim byd ein hunain i adfer y sefyllfa. Fel y dywedai Hywel Teifi ei hunan, ni yw'r bobl sydd yn hollol analluog i godi oddi ar ei tinau i wneud dim.

Y cyffylog yw'r aderyn cyntaf i ymddangos ond nid oes ganddo fawr o gysur i'w gynnig i daeogion pruddglwyfus Aber-arth a Chymru. Cymeriad mynd-a-dod ydyw ac mae'n hedfan i ffwrdd yn fuan iawn dros y dŵr tua'r Ewrop newydd i chwilio am fröydd gwell. Caiff aderyn ffôl y pluf amryliw ei hudo'n rhy rwydd i'r man gwyn man draw. Mae'n anodd ei ddal ac yn dwyll i gyd. Cofier nad wrth ei big y mae prynu cyffylog. Yr wylan yw'r nesaf i lanio ac fel aderyn a arhosodd yn driw i'r glannau, gall hi gydymdeimlo â dyheadau'r brodor. Ond unwaith eto fe'i siomir gan yr ymateb. Nid yw'r wylan yn fodlon cydsynio i gludo'r neges gwynfanllyd at wely cystudd Hywel Teifi. Gwyddai hi'n reddfol na fyddai'r fath hunandosturi llipa yn dderbyniol i'r ymgyrchwr a'r ymladdwr di-ildio. A chloir yr awdl yn orfoleddus wrth i'r wylan aileirio athroniaeth gadarnhaol Hywel Teifi gan ein hannog ni oll ar drothwy blwyddyn newydd i godi o'n gwelyau a mynd ati i ailennill y tiroedd a gollwyd.

Teimlaf fod yr awdl hon yn deyrnged hardd i gawr o ddyn a roes gymaint i'r Eisteddfod ac i'r genedl. Nac anghofiwn 'chwaith ei her amserol. Mae'n alwad i bob un ohonom fynd ati o'r newydd i sefyll yn y bwlch gyda balchder yn ein calonnau. Cadeirier *Yr Wylan* gyda phob anrhydedd yng Ngŵyl Gwalia.

Yr Awdl

ENNILL TIR

'Ddaw 'na neb? 'Fyn 'na neb 'nawr
galennig ddygwyl Ionawr?

Twt! 'Does na chrwt na chroten
â sill o bennill o'i ben.
Neb â'i fryd ar hybu'i fro.
Neb â iaith i obeithio.
Ni ddaw'n rhwydd inni'r flwyddyn.
Ni fyn neb ddod i fan hyn.

'S neb 'lan? Nac oes neb 'leni.
'Fyn 'na neb ofyn i ni
euro'i law ar ŵyl a oedd
ddoe'n bennill, heddiw'n bunnoedd.
'Ddaw 'na neb. 'Fyn 'na neb 'nawr
galennig o law Ionawr.

Ai heb wyneb yw Ianws?
Onid yw'r wawr wrth y drws?
Ac eira fel y garreg
onid yw dwy fil a deg
yn gri ac ynddi hen goel
am fargen lem ofergoel?

Yn Aber-arth, do bu 'rio'd
galennig, fel gwylanod:
drwy'r plwyf fe raeadrai'r plant
yn firi o lifeiriant,
a'u chwerthin yn golchi'n gân
ddyddiau celyd, ddydd Calan.

Dylifent, drwy'r tai, nentydd
o fawl i'r fordaith a fydd,
a rhoi ym min pentre'r môr
forégan dros fyw ragor.
(Os hŷn na gras ein hen gri,
hŷn ein goddef na'n gweddi.)

Y cyntaf draw i'n cyntedd
yn glyd ei glod a gâi wledd.
A châi côr neu denor da
droi atom i ladrata!
Ond pob dyn, pob un a'i bill
a gâi geiniog, ac ennill.

Rhyfedd o fyd! Hyd yn hyn
fe lwyddwyd bob un flwyddyn.
Llanc y llynedd – lle heddiw?
Lle egni'i droed? Lle'i gân driw?
'Fyn 'na neb ofyn i ni?
Bwceidiem ei bocedi.

* * *

Mae rhywrai'n stw'rian. Mi glywaf ganu,
ac o'r ardd farwaidd gerdd i yfory:
twrw adenydd yno'n trydanu
a gwawr y flwyddyn yn gorfoleddu.
Af i'r ardd at yr adar fry. – Canant
i ni ein haeddiant a'n hadnewyddu.

* * *

Duw a ŵyr mai aderyn
purgan yw hoff degan dyn.
Ho! Gyffylog, fy hoff un!

A geni di'r fargen deg
eleni, fy nhelyneg?
Ni phoenwn pe bai'n Ffinneg!

Ergydiaist draw o'r goedwig,
ti'r araith berffaith o big,
a glanio yma'n g'lennig.

Wyt deml nos, wyt ymlaen 'nôl,
wyt ail daith, wyt le dethol,
wyt wib hast, wyt apostol.

'Taw â'th sôn, tithau y sydd
yn fawl dof: wyt fel Dafydd.
Dynion a dynn adenydd!

Wyf 'wib hast' rhag brecwastwyr!
Wyf saig ar eu gwefus sur!
Wyf faes seithug! Wyf saethwyr!

Nid yw'r awen fel drywod!
Ni chanaf fi. Ni chawn fod
yn un llef er mwyn defod.

Pa raid wrth dy wep brydu?
Heddiw a fydd. Ddoe a fu.
Da feuryn, daw yfory.'

Ho! Gyffylog ffraeth a ffôl,
gwermod dy dafod deifiol.
Ond was dewr, bydd dosturiol!

Bydd ddydd dedwydd! Nid ydwyf
yn henwr iach, henwr wyf
a hun fy ngwlad yn fy nghlwyf.

Llynedd yw yn Llanddewi.
Gan daeogion diogi,
ai gormod disgwyl codi?

Nhw wlad fy nhraddodiadau,
nhw'n segur y bur hoff bau,
yn Galan lond eu gwelyau!

'Ti'r arth swrth! Taw 'wir â'th sôn,
y gwely gwag o galon.
Pwy a gân wep o gwynion?

Ni chanwn i na chân wych
na 'thhh' neidr a thi'n edrych.
Wyt foesgarwch surbwch, sych.

Wyt dŷ'r rhoi, wyt ar wahân,
wyt siarad â'th bwtsh arian,
wyt big oer, ac wyt heb gân!

Ti a ffromi, ond ffarwél!
Daw'r mudwr i ymadel:
mynd o orfod, myn d'oerfel!'

*   *   *

Ac mae'n mynd! Mynd dros y môr
am ei damaid, am dymor!
Y big oedd heb egwyddor! – Yn cega,
gwnaeth dwrw yma gan nythu dramor!

Y diawliwr! Pam y dylwn
ar fy nhir ofyn i hwn
regi'r henwlad a gadwn? Gwaeth na Sais
rhochian ei falais a'i frychau'n filiwn!

Yn wepdwp o'i Ewropdir
a gâr hwn â'i big oer, hir
gawell y Gymru gywir? Boed i'r brith
nyth ddrwg o fendith ar ei gyfandir!

*   *   *

Yr wylan wen ar lôn ardd,
a gwae y sawl a'i gwahardd!
Palas o urddas y sydd
ym mloneg ei threm lonydd,
ac eto mae'r glanio'n glòs,
fel llygaid cyfaill agos.

Siwan yw neu Senana,
osgo o Dduw a gwisg dda,
a chyrch â'i llewyrch bob llys
yn darian glân, hyderus;
a gerbron gair y brenin
wele fellt un loyw o fin!

O! 'r wylan deg, ar lan dydd
o g'lennig, o lawenydd,
a fwri di, Fair y don,
wedyn reg wydn i'r eigion?
Neu a wnei di, i ni'n dau,
ddwyn 'nawr y flwyddyn orau?

'Da ŵr o dŷ,
cymrawd Cymru,
da y gwn nad yw dy gais
yn hurt nac yn anghwrtais,
ac fel rheol mi folwn
deyrn y tŷ y diwrnod hwn.
Ond ar awr dd'wedwst, o raid,
ni chanaf ond ochenaid.

Anaddas heddiw'r noddi.
Mae 'na un ohonom ni,
Aber-arth o dan garthen,
â naws y nos yn ei wên:
henwr o frawd, un o'r fro
na lwyddwn i'w eilyddio.

Dail ei funudau olaf – a syrthiant,
ac os swrth ein gaeaf
bydd eto hebddo ein haf –
gwae di'r awr! – gyda'r oeraf.'

Och! wylan, na chân, na chais
am funud ddim a fynnais,
ond cyn nos, dos at y dyn
a chan gyfarch hwn, gofyn –
lle'n awr ein penillion ni,
lluniau ddoe ein Llanddewi?

Ai byw'r iaith yn Aber-arth?
Ai heibio'r aeth Deheubarth?
Ai'n dlos o hyd y *Wales* hon?
Ai'n oes oesoedd y Saeson?
Och! wylan na ddychwela,
a'th wib ar daith, heb air da.

'Da'r galw brwd o'r galon.
Ond hwyr, mor hwyr yw'r awr hon:
awr y gwylied, awr gwaeledd,
ac awr ei fyw ger ei fedd.
Gad iddo gyda'i weddi
lanw'i awr a'n gadael ni.

Erfynni di ond nid af
at wely'r test'ment olaf,
canys gwn na allwn i
heddiw mo'i argyhoeddi
fod yr iaith yn fud a'r iau
yn *filingual* fel angau.

Fe wêl o'i awydd wlad o gyfleoedd
a llym y gwarchod drwy'r llu ymgyrchoedd.
Yn fawr ei ryfel dros leiafrifoedd,
daw'n llew dewr i adennill ei diroedd.
Camodd fel cawr i'r cymoedd – a hawlio
i'r Gymraeg yno wir Gymry gannoedd.

Y nhw anghyfiaith, ni a'u hanghofiwn
ond ef a arddel dreftadau fyrddiwn;
y llaw agored, y llyw a garwn,
ac araith finiog yr iaith a fynnwn.
Un hawl ddi-ildio yw hwn: – amynedd
yn troi'n allwedd i'r tir a enillwn.

Tithau'r cilio, dan gawod d'ormodiaith,
ni weli di neb yn niwl d'anobaith,
ond dere, chwilia ac edrych eilwaith,
gwêl yr un hwn, datglöwr ein heniaith.
A ymuni di â'i daith – a dysgu
calonnau i ganu Calan ganwaith?

O! Gaer glud, agor y glwyd
a chana'r gân na chanwyd.
Bydd waith dy iaith, bydd o'th dŷ,
bydd folwr, bydd ddyfalu.
O! dwg at dy gymdogion
lwydd ein hiaith y flwyddyn hon.

Bydd ddysgwyr, bydd eu hysgol,
bydd blant gwych yn edrych 'n ôl,
bydd ar gael, bydd awr o'u gwers,
bydd eu hwyl, bydd eu heilwers.
Bydd naid dros ein beddau ni,
bydd dwf a bydd o Deifi!'

Yr Wylan

Nodyn gan y Golygydd

Dim ond dwy feirniadaeth ar Gystadleuaeth y Goron a gynhwysir eleni yng nghyfrol y *Cyfansoddiadau a Beirniadaethau*. Bu farw'r Prifardd Iwan Llwyd cyn cael cyfle i gyflwyno'i feirniadaeth ysgrifenedig ond mae'n briodol nodi bod y tri beirniad wedi cynnal cyfarfod i drafod eu dyfarniadau a'u bod eu tri'n gytûn.

Casgliad o gerddi heb fod dros 200 linell: Newid

BEIRNIADAETH MERERID HOPWOOD

Sut mae pwyso a mesur chwaeth? Mae'n anodd iawn gwybod. Nid oes tafol sy'n wyddonol absoliwt ar gyfer y dasg. Felly, cofied y beirdd na dderbyniodd ffafr y tro hwn, mai chwaeth rhywrai eraill fydd yn trefnu'r fantol y tro nesaf a pheidied â digalonni.

Gyda thema mor eang â 'newid', go brin y gellid dadlau bod unrhyw un o'r cerddi a ddaeth i law yn annhestunol. Dyna un broblem nad oedd yn ein hwynebu ni eleni. Fodd bynnag, ar ôl agor yr amlen, buan y daeth hi'n amlwg fod problem arall wedi dod yn ei lle. Er bod sawl cerdd unigol yn taro deuddeg, ni ellid dweud yr un peth am y casgliadau ar eu hyd. Dyna fyddai'r her: dod o hyd i gasgliad oedd yn cynnal safon teilyngdod drwyddo draw, a chasgliad a chanddo rywbeth i'w ddweud.

Gosodaf y cerddi mewn tri dosbarth (ac un dosbarth arbennig ychwanegol), ond o fewn y dosbarthiadau fe'u gosodaf, ar y cyfan, yn ôl y drefn y'u derbyniais.

Y TRYDYDD DOSBARTH

Coed y Rhyd: Cân o fawl i'r Eisteddfod, i Lyn Ebwy ac i Gymru. Credaf y byddai'r gerdd lawer cryfach pe byddai ynddi fwy o awgrymu drwy ddelweddu na disgrifio plaen. Rwy'n siŵr y dylai'r bardd feddwl mwy am gyfleu ei deimladau'n gynnil yn hytrach na'u hadrodd yn llythrennol.

Cwch Gwenyn: Cafwyd un o nifer o gerddi tafodieithol y gystadleuaeth gan yr ymgeisydd hwn. O ddewis ysgrifennu yn y cywair hwn, yna ni welaf fod angen defnyddio llythrennau italaidd ar gyfer y geiriau tafodieithol. Yn gyffredinol, teimlaf y gellid cryfhau'r dweud yn y casgliad hwn drwy docio. Ys dywed Ceri Wyn Jones yn ei awdl: 'Y dwedyd llai sy'n gwneud llên'.

Burum neu Abergofiant: Wedi darllen ei waith dro ar ôl tro, rhaid imi gyfaddef nad wyf wedi llwyddo i'w ddeall. Mae'n dilyn trywydd y dyn camera, ac yn gorffen ei gerddi gyda'r 'clic' pwrpasol. Fe'n cymer o fyd y Mwslim, a gweddi ar Allah, i Foel Famau a'r Alpau, cyn gorffen gyda 'Gwibdaith Olaf y Muhadin'. Mae'r geiriau'n ddwys iawn; efallai bod angen eu 'goleuo' fan hyn a fan draw.

Henfardd: Tybiaf mai gormod o eiriau yw'r rhwystr yma – e.e. mewn llinell fel 'Yng nghiliau'i chalon serenna torchau o iâ', credaf y byddai hepgor 'ciliau' neu 'torchau', neu efallai'r ddau, yn ychwanegu at y llinell. Yn y llinell glo wedyn, tybed a fyddai hi'n well newid: 'Y mae hi'n angor amser ym moroedd bywyd' yn 'Mae amser wedi bwrw'i angor ym moroedd bywyd'?

Gardri: Yr argraff a ges i yw fod ganddo rywbeth i'w ddweud, er nad wyf i'n gwbl sicr beth. Mae cyffyrddiadau da yn 'Y Golled' ac mae'r syniad o frithyll yn 'tynnu'n daer / Ar lein ein gobeithion' yn drawiadol, er nad yw'n gwbl glir beth mae'r brithyll yn ei gynrychioli.

Nero: Casgliad tywyll iawn, ac nid yw pregeth y cerddi 'gwyrdd' hyn yn gwbl eglur, er fy mod i'n synhwyro bod yma neges o bwys. Credaf y byddai rhoi berfau yn ei frawddegau yn goleuo'r dweud.

Y Ddynes Goch: Gwaith anwastad ond, yn sicr, mae yma dameidiau da. Rwy'n hoffi'r syniad a fynegir yn y clo: 'A siwrne yw ein siwrnai', ac rwyf wrth fy modd gyda neges yr heddychwr. Fodd bynnag, mae'n pwyso gormod ar yr 'ynom' treuliedig ac yn llunio llinellau clogyrnaidd sy'n annheilwng o'i (d)dawn, fel 'Cyn y pydredd mewn beddau bu hwyl a serch'.

Lleisiau Mewn Cragen: Ni chredaf y gallai calon neb lai na chydymdeimlo gyda'r bardd hwn. Ceir yma bortread o'r hyn sy'n weddill ar ôl i rywun annwyl farw. A fyddai hi'n syniad mynd nôl i dynhau ychydig ar y dweud? Pan sonnir fod perchen 'ar erw sgwâr o gysur / ger aber y dwfwn, / yn enfys', oni fyddai hi'n well datblygu trosiad yr enfys? Pam enfys? Ble mae'r lliwiau? Mae cyflwyno darlun mor bwerus yn gofyn am ddatblygiad. Heb hynny, mae'r darllenwr yn cael ei adael ar goll.

Bardd Gwawr: Credaf fod gan y cystadleuydd neges ond ofnaf nad yw wedi treulio digon o amser yn myfyrio am y ffordd orau i gyfleu'r neges honno. Fe'n gwêl ni i gyd fel rhan o'r un patrwm, a gweld ein harhosiad ni ar y ddaear fel 'benthyciad dros dro'. Yr unig gais sydd gen i yw iddo/i roi mwy o amser i ddatblygu delwedd. Pan mae'n sôn am 'ddiadell wyllt', yna rhaid cofio y bydd y darllenydd wedyn yn disgwyl rhyw gyfeiriad pellach at ddafad neu fugail a.y.b.

Garmon: Rhaid ei ganmol am amrywiaeth ei fesurau. Mae'n cyflwyno sonedau rhwng cerddi yn y wers rydd a hynny'n ddigon effeithiol. Fodd bynnag, yn y sonedau hyn, ofnaf ei fod o dan ormes yr odl fan hyn a fan draw. Serch hynny, ceir cyffyrddiadau cofiadwy ganddo, e.e. wrth sôn am yr 'awel ddiog/ yn troi dalennau/ fesul un a dau'. Mae'n gorffen gyda filanél ddigon swynol, ond yn hon ni allaf lawn ddirnad ei neges. Eto i gyd, rwy'n gobeithio y cawn glywed mwy gan *Garmon* gyda hyn.

Cae'r engan: Aeth i'r afael â themâu dyrys amser, bywyd a marwolaeth. Gan wau islais y cloc yn 'tic-tocian' drwy'r gerdd, llwyddodd i greu cyfanwaith sy'n cynnig ambell linell gofiadwy: 'Wrth i'r nos frathu ei dannedd/ Ar groen fy modolaeth'. Ond, ar y cyfan, twmpathog yw'r dweud.

1958: Casgliad arall sy'n tueddu i bentyrru geiriau'n ormodol i'm chwaeth i. Mae yma nifer o fân wallau iaith ond y broblem fwyaf yw nad yw'n rhoi digon o le anadlu i'r syniadau da sydd ganddo. Ym mhennill agoriadol 'Tywydd', er enghraifft, mae'n cyflwyno'r syniad o briodas rhwng y byd a rhywbeth, ond nid yw'n glir beth. Ai'r tywydd? Ai'r bardd? 'Fe briodais ti pan grëwyd fi/ Myfi yw'r byd / A chyda thithau / Yn rhannu gwely'. Mae diffyg berf gyflawn yn cymhlethu'r ystyr ymhellach.

Y DOSBARTH ARBENNIG

Ap Syd: Mae hwn yn haeddu dosbarth iddo fe'i hunan. Dosbarth Diolch. Diolch am wneud i mi chwerthin ma's yn uchel. Diolch am fod yn feistr ar gymaint o wahanol fesurau ac ar y parodi. Fel hyn mae'n dechrau: 'Dwi isio bod yn Ffrancwr/ efo enw fel François/ dwi isio'r *joie de vivre* a'r *ésprit de corps*/ a dwi isio'r *je ne sais quoi*'. Mae'r gerdd 'Mynd yn hen' yn gorffen gyda gwên: 'Ac wedyn mi ga' i lonydd/ ac wedyn mi ga' i barch/ ac wedyn mi ga' i edrych mlaen/ at ddewis lliw fy arch'. Fodd bynnag, er fy mod i'n siŵr y byddai Cynan wedi mwynhau'r parodi a geir ar ei gân 'Aberdaron', rhyw feddwl ydw i y byddai'n troi yn ei fedd pe byddai *Ap Syd* yn dod o'r Eisteddfod gyda'r goron ar ei ben, ac y byddai wedi teimlo rheidrwydd i ddod â siswrn y sensor at ambell air dethol.

YR AIL DDOSBARTH

Paco: Swynodd ei gerddi fi gyda'i ddisgrifiadau lliwgar o Batagonia, lle mae'r haul yn 'satsuma' a lle 'mae'r enwau wedi ffoi o'r tir,/ Eu clirio fel chwyn,/ Gan adael map gwag o atgofion'. Ond weithiau, mae yma or-ymdrech rywsut, fel yn y gerdd sy'n disgrifio 'Waldo, y ffermwr balch' lle mae'n cynnwys llinell ddiangen rhwng cromfachau: '(Yn wahanol i'r Waldo arall, oedd yn ofni pridd)'. Mae'r darllenydd yn cael ei demtio i hedfan gyda'r adar a gweld adlewyrchiad y byd 'yn llygaid yr aderyn mawr/ ar retina y condor'. Ond rwy'n ofni mai cael fy hudo gan y geiriau Sbaeneg fel 'alamos' a 'salinas' a 'golondrinas' yn hytrach na chan weledigaeth y dweud a wnes i, er bod y llinellau clo wedi tynnu tipyn ar fy nghalon wrth iddo ddisgrifio'r 'cof am adar,/ A'r awel yn ochain/ Fel anadl'.

Shoni Hoi: Rŷm ni i gyd yn adnabod y cymeriad sy'n siarad yng ngwaith y bardd hwn. Dyma un sy'n gwybod ei fod yn heneiddio am ei fod yn 'troi at y meirwon (yn y papur dyddiol)/ cyn tsieco a yw gyrfa Henson/ yn fyw'. Drwyddi draw ceir sylwebaeth graff ar ein cymdeithas ni heddiw wrth ddilyn hanes Tracy a Rachel a'u tebyg ar y trên o Ferthyr. 'I'r rhain mae cyrraedd 'fory'n/ ddigon o her./ Anghofiwch dragwyddoldeb'. Mae'r dychan yn ddeifiol yn y gerdd 'Gwlad yr Addewid', wrth i *Shoni Hoi* ein rhybuddio ni am ddiffygion gor-fiwrocratiaeth heddiw. Gwrandewch:

> Fydde Gwrthryfel Casnewydd
> ddim wedi digwydd. Dim cworwm.

> Fydde Terfysg Merthyr ddim wedi bod.
> Signal y ffôn symudol yn wael.

> Fydde'r Siarter ddim wedi llunio.
> Y cofnodion ddim yn gywir.

> Yng Nghaffi Nero
> arhoswn am y chwyldro
> wrth iddo ganmol rhinwedde coffi Americano.

Elis: Drwy gofio cyfres o wynebau, mae'r bardd yn ein tywys ar hyd llwybr ei atgofion. Mae ganddo ddawn tynnu llun fel y gwelir yn y gerdd 'Cymydog', lle mae'n disgrifio henaint: 'arafodd olwyn bwli ei lein ddillad hir/ yn atalnod llawn'. Ceir myfyrdod diddorol ar y gair 'Tad' hefyd, pan mae'n dweud fel hyn: 'Unsill sy'n hen ac yn ifanc,/ yn fawr ac yn fregus./ Enw unigol sy'n fe i gyd / ac eto'n fi hefyd.' Eto, nid wyf i'n argyhoeddedig mai 'Nhad' fyddai ei air 'cyntaf oll' – pa sawl babi sy'n treiglo'n drwynol, tybed? Yn hyn o beth, mae'r gerdd yn colli ychydig o'i diffuantrwydd. Teg dweud bod y salmydd yn newid o'r trydydd person i'r cyntaf yn Salm 23, ond mae rhywbeth yn chwithig am yr un math o newid yn y gerdd 'Nai', a'm cred i yw bod angen gweithio'n fwy gofalus ar ambell ddarn yn y casgliad diddorol hwn.

Dolferchen: Rwy'n synhwyro mai nofelydd yw'r cystadleuydd hwn yn ei hanfod, a chafwyd dechrau gwych i stori yn ei gerdd agoriadol lle mae'n sôn am yr allt 'gyfyng ei hanadl yn prysuro i fyny,/ i fyny at wartheg gwyllt y gorwel'. Fodd bynnag, o ran creu cerdd, hoffwn i fod wedi ei weld yn tocio ambell air – e.e. doedd dim angen cynnwys 'diplomatigrwydd' yn y llinellau 'Prin bod y tai yn siarad â'i gilydd/ yn niplomatigrwydd yr ystâd fodern'. Rwy'n argyhoeddedig y byddai'r ergyd yn llawer mwy heb y gair hwnnw. Clywais dinc o 'Gwm Tawelwch' yn ei gerdd 'Croesi'r Sticil' ond nid yw'n cyrraedd yr un gyfaredd rythmig â gwaith Gwilym R. Jones. Cyflwynodd un arall o gerddi 'gwyrdd' y gystadleuaeth, ac mae ei gennad i ni fod yn fwy gofalus o fyd natur yn daer. Dyma sut mae'n cloi ei gasgliad gyda llun o'r coed yn gwaedu 'diesel/ ar ein hallorau seciwlar'.

Barry Castagnado: Cefais flas ar gerddi tafodieithol eraill a ddaeth i law gan y bardd hwn. Mae gweledigaeth yn ei gasgliad ar brydiau ac mae ynddo syniadau gwreiddiol. Yn y gerdd 'Rhagbrawf', mae'n dweud yn syml ond yn drawiadol fod angen yr un faint o amser ar blentyn i ddatgan cerdd mewn 'steddfod ag sydd i derfysgwr chwalu'r byd. Cerdd gryfaf y casgliad i mi yw 'Y Ffordd Ymlaen' lle mae'n disgrifio'i daith dros bont Hafren i Wlad yr Haf ac yn cofio am ei dad-cu yn cerdded i'r cyfeiriad arall tua'r Clondeic.

Wyneb yn y Dorf: Bu'n rhaid i mi fynd yn ôl droeon at gerdd *Wyneb yn y Dorf* a gyflwynwyd mewn tafodiaith ystwyth. Mae'r gerdd 'Rhofio' yn enigmataidd – yr eiliad rwy'n meddwl fy mod i wedi ei deall hi, mae'n llithro o'm gafael. Pwy yw'r dyn 'mewn siwt barchus' ac o ba drosedd 'o'dd neb yn euog'? Ceir fflach o weledigaeth yn y gerdd 'Lladd Amser', ond nid yw cyrraedd Glanyfferi i chwilio am yr iaith a'i chael hi'n fyw ar gerrig beddi yn cyrraedd digon o uchafbwynt i'r casgliad yn fy marn i.

Rybelwr Bach: Mae'n dechrau'n addawol: 'Erstalwm, a'r lle yn gnawd o gwmwd/ ar 'sgerbwd hen gynefin'. Archwilio ystyr perthyn a hiraeth sydd yma wrth i'r mewnlifiad darfu ar yr hen ffordd o fyw. Er ei fod yn medru trin amrywiaeth o fesurau, teimlaf ei fod hefyd yn or-hoff o gimics, ac weithiau mae'n rhoi mwy o sylw i siâp y gerdd ar y papur nag i sŵn y gerdd i'r glust. Yma eto, credaf y byddai cynnwys berf mewn brawddeg yn llyfnhau tipyn ar y dweud.

Arran: Aeth ar ôl cyfres o wahanol enwogion, o'r bardd Wilfred Owen i'r artist Gwen John. Yn eu plith mae ymson un a fu'n dyst i grogi Ruth Ellis, ac mae'r disgrifiad ohoni'n mynd i'r grocbren 'fel geneth yn mynd i'w hoed' yn drawiadol. Teyrnged i Yogi, yr arwr rygbi o ardal y Bala, yw'r gerdd olaf sy'n cloi'r casgliad gyda'r thema mai gêm yw bywyd: 'a byw yn gêm sy'n rhaid ei chwarae hi'.

Elin: Yng nghasgliad *Elin*, cawn wahoddiad i fynd ar siwrne Elin Preis yn ôl i'r hen gynefin. Nid cerdd hiraethus, ddolefus a geir yma ond, yn hytrach, hanes cignoeth ieuenctid a henaint. Mae gan y bardd ddawn creu llinellau cofiadwy: 'Efo gwn yn ei law/ mae pawb yr un oed./ Yn ddigon hen i ladd/ yn rhy ifanc i farw'. Yna, wrth wyrdroi llinell ryw damaid lleiaf, mae'n llwyddo i ddweud pethau mawr: 'Be wnaiff Mam o hyn?'/ 'Be wnaiff hyn o Mam?' Ceir yr un math o fflach wrth droi teitl y gerdd olaf yn gwestiwn: 'Dal efo ni?' sy'n ein harwain at ddirgelion afiechyd Alzheimers.

Hafgan: Hwn yw gwyddonydd y gystadleuaeth. Egyr ei gasgliad gyda soned i'r 'Cynhwysydd' sy'n cyffelybu'r capel i 'dun sardîns' – lle a fu unwaith yn orlawn ond nad yw'n awr yn cynnwys o'i fewn 'ond marblis rhydd'. Cawn fynd wedyn i'r Babell Wyddoniaeth ar faes Eisteddfod y Bala'r llynedd, lle mae'r ddaear fel 'marblen las' yn rholio ar ei thaith, a'r arddangosfa'n cynnig i'r ymwelydd gyfle i gyffwrdd 'rhywbeth a gyffyrddodd wyneb Duw'. Dydw i ddim yn siŵr am y diweddglo-un-gair, 'Waw!' Gall y bardd hwn gael ei ysbrydoli gan amrywiaeth eang o ffynonellau. Ar ôl gwylio ras geffylau lle'r oedd ceffyl o'r enw 'Sea the Stars' yn rhedeg yn erbyn 'Mastercraftsman', mae'n esgor ar gerdd i goffáu'r Cyn-Archdderwydd Dic yr Hendre. Dro arall, mae marwolaeth Michael Jackson yn dihuno'r awen, a hanes terfysg yn arwain at soned i 'Abdelbaset al Megrahi'. Daw'r casgliad i ben gydag anogaeth i ni i gyd chwilio am ystyr bywyd gyda chriw Star Trek yn ein 'Beibl Klingon'.

Gwibdaith: Fel ffan i'r grwpiau Gwibdaith (Hen Frân) a Coldplay ac i lais Leonard Cohen (a Steve Eaves, er bod y cyfeiriad at hwnnw'n fwy cynnil), cefais flas ar rai cerddi yn y casgliad hwn. Roedd hi'n braf iawn cael bod yng nghwmni un sy'n gwerthfawrogi rhythm llinellau. Y cerddi mwyaf llwyddiannus yn fy nhyb i yw 'Arddegyn' a 'Cymunwr' ac mae 'Galarwr' hefyd yn dal ei thir. Ond mae yma ddiffygion hefyd ac nid wyf i'n gweld bod brawddegau hirion cerdd fel 'Tlodion' yn deilwng o ddawn *Gwibdaith*.

TIR UWCH YN YR AIL DDOSBARTH

Neb o bwys: Heb os, fe fydd gan y bardd hwn gyfraniad o bwys i'w wneud gyda hyn. Ganddo fe/hi y cafwyd un o agoriadau gorau'r gystadleuaeth, mae'n creu awyrgylch sy'n denu sylw'r gwrandäwr:

> Mae'r pentre'n dawel heno,
> yn hyll o dawel;
>
> mae injan pob car yn dawel
> wrth i'w teiars hymnian [*sic*] eu ffordd ar hyd yr hewl.

Ond nid yw'n cynnal yr un safon ac, yn annhebyg i un o'm cyd-feirniaid, credaf fod y deunydd dirdynnol sydd ganddo yn ei gerdd 'heno, heno hen blant bach' yn galw am fwy o waith ar ran y bardd. Gobeithio y caiff nerth i fynd yn ôl at hon – mae'n wirioneddol werth gwneud hynny.

Un o'r darluniau o 'newid' sydd ganddo yw'r academydd sydd bellach yn llai cysurus ei fyd. Mae'r gerdd hon yn gorffen yn effeithiol wrth iddo gyfuno gosodiad gyda chytgan o fath:

Ni chawsom erioed sgwrs;
roedd ymgom ei allu y tu hwnt i mi.

Cyfnewid grym sefydliad
am gyfoeth rhyddid dan y lloer
a stwmps y noson cynt yn gwmni
rhwng slabiau'r palmant oer.

Blodau'r Foel: Mae'n canu'n ddeallus ac yn ddiog am yn ail. Defnyddia balet lliwiau'r artist yn bwrpasol yn y gerdd agoriadol 'Ifaciwî', o'r 'esgus o haul / Yn hongian yn fudr felyn' i draeth Aberdaron sy'n 'fwa gwyn o haf'. Ceir hefyd ddarlun trawiadol yn 'Adlais' lle mae'n gweld yn ffigwr y fam 'adlais' o'r nain na welodd erioed. Mae'r darlun o'r 'Odeon' a'i 'neon beiddgar / Yn trywanu'r nos' hefyd yn gafael, a byddai'r gerdd 'Yr Harbwr' wedi cyrraedd y lan oni bai am y cwpled clo sydd, rywsut, yn un cwpled yn rhy bell. Un o'r cyffyrddiadau mwyaf trawiadol yn ei waith yw'r darlun o gadair plentyn a welodd ar werth mewn siop ail-law. Mae'r pennill yn drwm o awgrymiadau:

Yn cuddio fel cywilydd,
Mae cadair fechan,
Bren,
Na welodd wên
Na dagrau plentyn chwaith,
A 'Nearly New'
Yn eilio gwarth
Neu golled dau.

Mr Robaits: Am yr eildro yn y gystadleuaeth, mae Leonard Cohen yn cael lle anrhydeddus – y tro hwn, fe sy'n rhoi'r epigraff i gasgliad diddorol *Mr Robaits*: 'There is a crack in everything / that's how the light gets in'. Cawn ein tywys at ddarlun hudol Teresau Zen wrth i'r eira grynhoi. Mae'r gerdd wedi ei saernïo'n grefftus, a'r geiriau'n creu sŵn tawelwch. Teithiwn wedyn i Pessinos yng Ngwlad Twrci sy'n alarnad i ieithoedd diflanedig. Dyma un o'r cerddi a roddodd y wefr fwyaf i mi yn y gystadleuaeth. Rwy'n dwlu ar y darlun o eiriau'n syrthio 'gerfydd glannau cwsg' ar glustiau plantos, a'r darlun wedyn o gariadon yn rhannu geiriau fel 'lladron yn didoli trysorau'. Gwn fy mod i'n anghytuno gydag un o'm cyd-feirniaid wrth i mi weld uchafbwynt y gerdd yn y pennill clo. I mi, mae'r syniad o 'odre'r clyw' yn athrylithgar. 'Heno, / dim ond adlais hen ieithoedd / sy'n cymalu ar odre'r clyw, / dim ond cynffonnau hen gerddi / yn cosi'r cof ar yr awel hwyr'. Dydw i ddim yn teimlo bod 'Protestio' wedi cyrraedd yr un tir, ond mae 'Gwenoliaid' yn dechrau dringo i'r uchelfannau'n ôl, a phennill clo'r gerdd olaf 'Y Wawr – Barclodiad y Gawres' yn fendigedig: 'Ac wrth i'r byd / ddadebru'n ysgafn, fel hyn, /

roedd y gwair o dan ein cyrff/ yn dechrau/ chwysu gwlith'. Trueni na fuasai mwy o fflachiadau fel hyn yn y casgliad. Fy nheimlad i yw bod yna ddawn dweud arbennig ar waith fan hyn.

Di Kastis: Cododd awydd mawr ynof i godi pac yn y fan a'r lle a dianc i Agistri, er bod cefndir yr ysgrifennu'n ddirdynnol o drist ar brydiau wrth i ni weld cancr yn cael y gorau ar glaf. Un o artistiaid y gystadleuaeth sydd ar waith yn y casgliad hwn. Edrychwch ar y llun sydd ganddo yn y gerdd 'VI':

> A thithau.
> Fe'th welaf di nawr
> yn crymu fel marc cwestiwn yn y tes
> rhyngom a'r haul,
> dy draed yn bracsi'n y dŵr
> fel crëyr hirgoes
> a'th sigâr yn Fesiwfaidd fygu
> rhwng bys a bawd,
> yn arogldarthu'n nadreddog
> rhwng brigau brau hen bren.

Mewn mannau eraill, fodd bynnag, nid yw'n cyrraedd yr un safon. Un gwendid, o bosib, yw'r gor-gyflythrennu ac mae angen tocio fan hyn a fan draw. Eto i gyd, dyma fardd sy'n gallu deffro'r synhwyrau i gyd, a diolch am y gwahoddiad i fynd ar y daith i 'ynys sy'n efeilles/ i Afallon'.

Pendil: Cefais gryn flas ar rai cerddi yng nghasgliad *Pendil*, casgliad sy'n cynnig is-deitl pwrpasol: 'amser a ddengys ...'. Ond ofnaf, weithiau, fod y casgliad ei hun yn pendilio rhwng llinellau ysbrydoledig a rhai hytrach yn ddi-fflach. Yn y gerdd 'Cyfrinach', er enghraifft, mae'r ail gwpled yn amharu ar ddelwedd y cwpled cyntaf:

> Agor drws yw gwrando
> ar guriad calon y concrid,
> fel papur newydd o dan garped,
> neu drwch gwe rhwng distiau'r atig.

Mae'n hawdd gweld beth yw'r meddyliau sydd ar waith fan hyn, ac maen nhw'n syniadau da ond ni chredaf mai 'fel' yw'r gair a ddylai eu cysylltu. Ni allaf ddeall sut y gellir cyffelybu 'gwrando ar guriad calon y concrid' â'r 'papur newydd o dan garped'. Yn y gerdd 'Ellers' wedyn, un o gerddi mwyaf angerddol y gystadleuaeth, torrwyd y llinellau'n annaturiol heb ddilyn rhythmau iaith. Mae hyn yn amharu ar ddiffuantrwydd y dweud ac mae rhywun yn ofni bod mwy o bwyslais ar y ffurf nag sydd ar y neges. Cyfyd yr un broblem, ond i raddau mwy, yn y gerdd 'Pen-blwydd'. Nid wyf yn poeni gymaint am y torri anarferol sydd ar linellau'r ddwy soned, gallaf ddeall beth yw ystyr hynny, gan fod rhoi llinellau byrrach yn y gerdd 'Slofi' yn awgrymu bod y cloc yn cloffi, ac yn 'Stori' mae'n awgrymu'r ffordd y daw cwsg i gael gafael yn y plentyn. Mewn gwirionedd, rwyf wrth fy modd gyda'r sonedau hyn ac maen nhw'n dangos dawn arbennig *Pendil*. Yn y cerddi hyn, ac yn symlrwydd trawiadol y gerdd 'Trip', cawn glywed llais sy'n gallu ein hudo i wrando arno.

Coeca: O'r amryw gasgliadau mewn tafodiaith a gafwyd eleni, gan *Coeca* y daeth yr un mwyaf diddorol. Casgliadau o bortreadau o ardal y De diwydiannol a geir ganddo, a'r cyfan wedi eu fframio rhwng dwy gerdd sy'n dangos y bardd fel athronydd. Siomedig iawn yw'r gerdd agoriadol. Rhoddwyd y teitl 'Gwirebau' iddi, ac rwyf wedi bod yn tybied ai dyma pam y lluniwyd hi yn rhestr mor gras o syniadau wrth iddo annerch y bardd o Lydaw, 'Guillevic'?

> Brifardd, gymrawd, nid wyf yn cytuno:
> hylif anhygoel o syml yw gwaed;
> mae i'w weld ar frest yr eneth ifanc
> yn ystod traserch y weithred gnawdol
> fel prawf ei bod ym mlodau'i dyddiau.

Gall y bardd hwn drin mesurau'n fedrus, o'r soned i'r faled i'r wers rydd. Gall hefyd lunio delwedd yn grefftus, ac mae sŵn y geiriau tafodieithol yn hudolus ar brydiau. Un o'm hoff gerddi yn y casgliad yw 'Y Gŵr Gwyrdd', lle cawn chwedl, neu ddameg o gerdd, wrth i Mr Green ddod o'r 'lotment' a'i 'wilbar greclyd':

> Ac fel 'na da'th y Cwnsherwr i'n plith,
> Gan drawsnewid rhigola bowyd ein siort ni'n aur
> Trwy arfer bripsyn o'i hud cyntefig
> I atgoffa plant y mwg, y lluwch a'r llaca
> Bod 'r hen, hen ddaear, er gwitha popeth
> Ro'n ni wedi'i wneud i'w gwyrddni brau,
> Yn haelionus o ffrwythlon wedi'r cyfan.

Cerdd arall sydd wedi gadael ei heffaith arnaf yw 'y gair olaf', lle ceir darlun o farwolaeth naturiol wedi ei gyfosod â hunanladdiad. Mae'r motiff 'bob yn bwt' yn arswydo wrth gael ei ailadrodd dro ar ôl tro, felly hefyd y gair 'heblaw'. Fel hyn y daw'r gerdd hon â'r casgliad i ben:

> heblaw dy fod yn barod
> i ysgrifennu ar y pared
> yn dy waed dy hun
>
> dyma fy ngair olaf.

Ond mae gen i un anhawster gyda gwaith *Coeca*, ac un a rannaf gyda'm cyd-feirniad Iwan Llwyd. Am ryw reswm, rwy'n teimlo pellter anghysurus rhwng y bardd a'i wrthrych. Ar ochr pwy y mae'r bardd wrth ddarlunio 'Jeanie Rees'? Ofnaf fy mod yn clywed llais sy'n edrych ar y fenyw 'biwr ddigynnig' yn ormodol o'r tu fa's. Rwy'n cydnabod bod pellter a dieithrio weithiau'n cymedroli ac yn gwella'r dweud, ond weithiau hefyd, mae'n creu diffyg cydymdeimlad a thosturi. Beth yw ergyd yr ymadrodd 'whedl Jean' yng nghwpled clo'r soned? A yw'r bardd yn awgrymu nad yw e'n rhannu barn Jean ac nad yw e'n ei weld fel ei chyfle mawr? Dyma fel mae'n sefyll:

> dros hawlia menwod ma' hi'n wmladd nawr
> a dyma, whedl Jean, 'i Chyfle Mawr.

Cwestiwn tebyg sydd gen i am y gerdd 'Miwsig', pan mae'n cyfeirio at y dyn 'gorflewog 'da'i gi ar ddarn o dwein' sy'n canu 'tu fa's i ASDA'. Mae tair llinell gyntaf yr ail bennill yn dangos, falle, yr anhawster wrth i mi synhwyro ei fod yn gwyro'n ormodol o ganu *o'r* profiad i ganu *am* y profiad. Mae'r defnydd o gromfachau, ac ymadroddion fel 'bid siŵr' ac 'yn hytrach', yn cyfrannu at hyn:

> (Er, bid siŵr, dyma fodd i leddfu rhywfaint
> Ar 'r hyn sy'n weddill o gydwypod ryddfrytig),
> Ond yn hytrach am 'i fod yn dwyn ar gof Nhat-cu ...

Am y rhesymau hyn, ofnaf na allaf osod y casgliad trawiadol hwn yn uwch ar fy rhestr eleni.

Y DOSBARTH CYNTAF

Erin: Ar drothwy'r dosbarth hwn rwy'n rhoi gwaith *Erin*. Cynigiodd gasgliad amrywiol o gerddi sy'n cwmpasu galarnadau teimladwy yn ogystal â cherddi ac iddynt neges 'werdd' ac ymsonau ar henaint. Gŵyr *Erin* yn iawn beth yw gwerth cynnal delwedd, a gwna hynny'n effeithiol ar ddechrau'r gerdd 'Cymydog', wrth ddisgrifio hen ŵr 'fel coeden gnotiog/ yn bwrw'i gwreiddiau o flaen y tân./ Roedd ei lais mor arw â rhisgl,/ a'i ddwylo yn geinciau i gyd'. Mae yna gyffyrddiadau teimladwy iawn yn 'Marwolaeth y Gerdd', ac mae clo'r gerdd 'Fy Nhad' yn drawiadol syml lle mae'n disgrifio'r planhigion yn yr ardd:

> Ac maen nhw yma i gyd
> yn sbloet afradlon o liw:
> y nhw, y nhw, ond nid fy nhad.

Yr un symlrwydd sy'n mynnu sylw yn ail bennill 'Ward y Plant':

> Heddiw, a'r gaeaf yn gafael,
> rwyt ti mor agos â f'anadl,
> mor bell â thragwyddoldeb.

A dyma'r gerdd glo ddirdynnol:

> Mae rhywun arall yma yn llercian
> rhwng plygion cynfasau,
> yr ymwelydd powld diwyneb hwn
> sy'n eich gwthio chi'n ddwy fach
> yn nes at yr erchwyn.
>
> Cyn mynnu y gwely i gyd.

Gwaetha'r modd, nid yw'r un fflach i'w gweld mewn digon o'r cerddi unigol i osod y casgliad cyfan yn uwch y tro hwn.

Branwen: Cerddi pen-crefftwraig a geir yng nghasgliad *Branwen*. Cerddi glân, di-lol, sylwgar. Mae gan *Branwen* ddawn nodedig i ddelweddu mewn iaith uniongyrchol. Dro ar ôl tro, cefais fy swyno gan linellau fel: 'Hen aeaf oedd Mehefin', neu 'Yr haul yn diflannu / fel sŵn fan hufen iâ / yn grug gan drymder glaw'. Yn y gerdd 'Aderyn trwy ffenest liw', cawn olwg ar ddawn ddigamsyniol *Branwen*. Portreadir bedydd baban wrth i big aderyn grafu ar ffenestr liw: 'coch y gwydr gwaed / trwy'r baw'. Yna daw'r pennill trawiadol hwn:

> Ond mae yntau'n dal i syllu
> ar y geiriau chwil yn fy mhen
> sy'n disgyn yn blu trwm
> i'r llawr.

Try'r weithred o gerdded trwy ddŵr y môr yn gyfle i fyfyrio ar natur perthynas rhwng dau gariad:

> Syllwn ar y sgwrs
> yn farw yn y dŵr...

Chwerthin am na allaf weld fy nhraed ...

> Taflu'r jôc i'r awyr,
> a'i golli [*sic*].

Yna mae'n cloi fel hyn:

> Ond rhywsut,
> a minnau'n chwalu cregyn bach yn wynt,
> rwyf heb gân
> ac mae sawl llaw
> yn tynnu
> ar fy llaw i heddiw.

Drwyddi draw, ceir yr argraff o lais didwyll yn canu yn y casgliad hwn. Ond efallai fod angen aros nes daw'r gân iawn at *Branwen* cyn i ni ei chlywed ar ei gorau.

Botwm Corn: Fe'i gosodaf yn y dosbarth hwn ar sail rhai cerddi unigol sydd wedi apelio'n fawr ataf i. Mae'r gerdd 'Llen' yn darlunio peth mor gyffredin â'r weithred o dynnu'r haenen blastig i lawr dros goets baban er mwyn ei gadw'n sych rhag y glaw. O'r weithred hon, mae'r bardd yn rhoi i ni bortread o gariad di-ben-draw mam at blentyn. Hoffwn ddyfynnu'r gerdd hyfryd hon yn ei chyfanrwydd:

> Â'r glaw yn pigo bwrw ar y traeth
> Mae hi'n gosod y lawlen,
>
> yn rholio'r plygion plastig clir
> dros gwfl y bygi,
> ac wrth iddi eu sythu
> mae'n chwarae gêm â'r mab bach;
> ei llaw yn cyffwrdd â'i anadl ar y llen,
> ei law yn seren fôr sy'n ateb nôl.
>
> Y glaw yn cipio ei gwynt
> a sglefren noethlymun ei chariad bron â'i mygu –
> y teimlad tryloyw hwn
> sy'n mynnu ei golchi yma a thraw, ar drai
> heb angor na glanfa.

Defnyddia *Botwm Corn* sbardun gweledol yn aml; gweld Patrwm y Pren Helyg ar blât, gweld darlun gan Meindert Hobbema neu ffilm Cowbois. Mae perygl yn hyn, wrth gwrs, i'r ysbrydoliaeth fynd yn ail-law, wrth i'r gerdd roi mewn geiriau'r hyn a fynegodd yr artist gwreiddiol mewn paent gan adael dim ond sylwebaeth gan y bardd. Ond credaf fod *Botwm Corn* yn llwyddo i osgoi'r duedd hon. Rwyf wrth fy modd gyda llinell glo bwerus 'Willow Pattern, 1979', wrth i'r teulu yn y parlwr syllu ar y llestri ar y seld, lle mae'r 'stori, bob amser, ar ei hanner'. Mae diweddglo 'Coedlan ym Middelharnis' yn gafael yn yr un modd, wrth i'r bardd ddisgrifio'r llun fel 'y dim, sy'n digwydd/ drosodd a throsodd a thro'. Mae'n gosod y gerdd fawr hon yng nghyd-destun gweithredoedd mân bob dydd. Fydda' i fyth eto yn gallu gwthio'r harn dros y dillad heb feddwl amdani, a gwn y bydd y casgliad arbennig hwn yn aros gyda mi am hir. Diolch.

Barcud fyth: O'r llinell gyntaf mae llais treiddgar y bardd hwn yn mynnu gwrandawiad. Dyma fardd a chanddo rywbeth i'w ddweud, ac un sy'n gwybod sut i'w ddweud e. Mae'n ein gwahodd ni i edrych ar botel wydr sy'n 'llestr gloyw-lân' ac:

> … yn ddrych o'r creu diderfyn
> sy'n ffurfio bydoedd a bodolaeth
> yn batrymau cymhleth
> o niwloedd anhrefn.

35

Ac yn sydyn, mae'r botel yn chwalu –
ysgyrion yn tasgu'n ddinistr
i bellafion byd,
yn ddadfeilio ysgytwol
mor anorfod â'r creu.

Yna, er bod pennill clo'r gerdd gyntaf hon, ar y cyfan, yn teimlo braidd fel
rhyw ôl-nodyn diangen, mae'r llinell olaf un yn arwain ein meddyliau
gyda'r gosodiad enigmataidd: 'digyfnewid yw terfynau ein bod'. Dyna'r
canu a'r athronyddu wedi dechrau.

Nid yw'n colli gafael yn llinellau agoriadol y gerdd nesaf, 'Cenaist gân':

Bu'r gerdd yma'n hir yn dod.
Islais mewn llynnoedd llonydd
yn brwydro i gyrraedd glan.

Credaf mai taith dysgwr sydd yma, un sydd wedi adfeddiannu'r Gymraeg,
ac yn hon gwelwn ei ddawn i dynnu llun mewn geiriau. Edrychwch ar y
darlun o'i fodrybedd Senghennydd 'a ddeuai a'u hetiau'n gymanfa o
flodau / a'u tafodau'n trydar iaith hen ddiwygiadau'. Nid yw'r barcud hwn
yn ofni hedfan ymhell chwaith. Mae'n cyrraedd Havana, ac yn rhoi ger ein
bron ddilema 'ynys y paradocsau' – a ydym ni am ochri o blaid neu yn
erbyn 'Orlando Zapata Tamayo'? A yw'n droseddwr cyffredin ynteu'n
arwr? Ond mae'r athronydd yn y bardd yn gwybod mai amser yn unig a
ddengys, a'n bod, am nawr, yn ddall i'r patrwm 'digyfnewid', y patrwm a
ddaw'n amlwg yn y dyfodol:

Yn nau fyd dy Havana – mae 'na rai
sy'n ofni'r dyfodol,
a rhai'n ei herio,
ond fawr neb nad yw'n ei weld
yn rhythu trwy bosteri'r gorffennol
ar strydoedd y dadfeilio crand.

Ac unwaith eto, fel mor aml yn ystod y casgliad, mae'n gwahodd y goleuni
i ddatgan y gwir:

Ac wrth i'r ysgrifen wthio'i düwch hyd eu dwylo,
pan godir y ddalen i'r goleuni
bydd llythrennau d'enw
i'w gweld yn glir.

Wrth edrych yn ôl at y darn agoriadol, cawn gliw mai un o 'gerddi'r
breuddwydion' a geir yn y gerdd dywyll 'Esgidiau coch'. Yn sicr, collais i'r
allwedd i ystyr y freuddwyd yn rhywle ar y daith ond mae'r delweddau'n

ddigon dengar i'm hannog i barhau i chwilio amdani, wrth i mi gydymdeimlo gyda'r fam, 'y nico ym marchnadoedd Prâg', sy'n lapio'r esgidiau coch

> ... a'u hanfon, ar neges fach i Gymru,
> lapio gwrid ei hymddiheuriad
> ac anfon ychydig bach ohoni'i hun
> ac o'i thorcalon.

Mae rhyw naws breuddwyd yn perthyn i'r gerdd 'Y rhith ger Gellilydan' hefyd, wrth iddi ddisgrifio cyfarfyddiad â rhyw 'Hen Ŵr Pencader' o gymeriad. Ond nid yw'r proffwyd hwn yn cynnig geiriau. Ei bresenoldeb yw'r broffwydoliaeth wrth i'r bardd holi:

> Ynteu ai surni'r Atomfa
> oedd wedi fferru ei waed?

Cerdd sensitif, ddiwastraff yw 'Dau ben-blwydd' sy'n galaru'r golled a ddaw gydag Alzheimers. Mae nifer o'r cystadleuwyr wedi troi i'r cyfeiriad hwn, ond neb mor grefftus â *Barcud fyth*. Mewn cyfnod o naw mlynedd rhwng dau ben-blwydd, mae'r diffyg cof wedi gafael: 'Ac er holi/ o ble daeth y maen/ i dagu ffrwd yr hanes,/ ni ddaw ateb./ Er ceisio codi'r llen, ni welwn y lluniau'.

Rhy eglur o lawer yw'r lluniau yn y 'Trên i Ravensbrück', gwaetha'r modd – lluniau o greulondeb dynoliaeth a'r ddawn sydd ganddi i dwyllo. Defnyddir eira fel symbol o'r twyll hwn. Daw cawod wen i greu darlun glân o'r brynti pennaf, ac wedi cael cip eisoes ar arwyddocâd 'goleuni' fel ffrwd glendid yn y gwaith, mae'r eira hwn yn peri loes ddofn i'r bardd.

> Pam mae eira'n wyn?
> A golau o ran hynny?

Trasiedi ein sefyllfa ni heddiw yw bod gwyngalchu troseddau'n dal i ddigwydd drwy'r byd i gyd 'Lle mae'r eira'n wyn o hyd'.

Nid wyf i'n hollol argyhoeddedig fod angen newid trefn naturiol enw ac ansoddair hyd yn oed er mwyn rhoi'r pwyslais yn y teitl olaf: 'Y glanaf newid', ond mater bach yw hynny fan hyn, oherwydd daw'r gerdd hon â ni at uchafbwynt. Byd a ragluniwyd yw byd y bardd, byd â'i derfynau wedi eu pennu, er mor dragwyddol yr ymddengys y terfynau hynny. Byd ydyw, hefyd, lle mae'r gwych a'r gwachul yn cyd-fyw. Ond yn y gerdd glo, mynegir gweledigaeth y bardd o'r patrymau hyn yn cael eu crisialu mewn pelydryn o olau gwyn, wrth i ryw rin sy'n 'hŷn na genynnau'r hil' droi'r cyfan 'yn llafn o gariad' buddugoliaethus. Dyma fardd y byd real sy'n gallu ein gweld ni i gyd â'i lygad barcud, ac un sy'n gwybod mai ein gobaith mawr ni yw cariad.

Wedi cael y fraint o dreulio wythnosau yng nghwmni'r 34 bardd, nid wyf fawr nes at allu ateb y cwestiwn oedd gen i ar ddechrau'r feirniadaeth hon. Ond yn ôl fy chwaeth i, credaf fod *Barcud fyth*, er gwaethaf ambell lithriad, wedi cynnal y safon. Dyma gasgliad sy'n gofyn am fyfyrdod ac sy'n rhoi boddhad. Dyma gerddi sy'n datgan llais un sydd â rhywbeth i'w ddweud. Cyfareddodd Iwan Llwyd ar y darlleniad cyntaf, fe'm denodd i fesul tipyn, ac rwy'n falch i ddweud ei fod hefyd wedi perswadio T. James Jones i hedfan gydag e.

Peth braf iawn yw gallu cyhoeddi ein bod ni ein tri yn cytuno bod *Barcud fyth* yn deilwng o Goron yr Eisteddfod hon.

BEIRNIADAETH T. JAMES JONES

Drwyddi draw, braidd yn siomedig yw'r safon. Ar ôl dadleuon llosg ynglŷn â phriodoldeb defnyddio'r gynghanedd yng ngherddi'r Goron y llynedd, disgwyliwn weld ymateb cryf gan feirdd a fyddai'n awyddus i ddangos cryfderau'r canu rhydd yn Gymraeg. Yn fy marn i, nid felly y bu. Ac ni fentrodd neb gynnig ar ennill â chasgliad o gerddi cynganeddol 'chwaith, er na waherddid hynny gan eiriad y gystadleuaeth. Rhannaf y cystadleuwyr yn dri dosbarth ond ni chyfeiriaf atynt mewn unrhyw drefn o deilyngdod o fewn y dosbarthiadau.

Y TRYDYDD DOSBARTH

Lleisiau mewn cragen: Wele enghreifftiau o dri bai mewn pedair llinell: camsillafu, camdreiglo a chymysgu delweddau: 'gwylanod yn crochlefain uwch fynwent / berw'r môr. / Damsgel ar enaid y berw / mae hoelion y gwynt ...'

Burum neu Abergofiant?: Ceir gwallau gramadegol mewn cerddi tywyll o ran thema ac ystyr.

Cae'r engan: Mae 'Oddi tan flew fy llygaid / Erys aflonydd-der, / A chysgodion bysedd / I araf-droelli, / Cyn mynd ati, fesul tipyn, / I gloffi ar wyneb cloc ...' yn datgelu'r safon.

Coed y Rhyd: Arddull rethregol a'r neges wleidyddol yn arwynebol heb fawr o ddelweddu.

Paco: Cyfres ddi-fflach o ddarluniau o Batagonia.

Nero: Ni lwyddwyd i drosi'r ymchwil manwl yn gerddi gorffenedig.

Henfardd: Eir â ni i draeth Cwmtydu ar wahanol ddyddiau. Mae'r arddull ddisgrifiadol yn llafurus ac yn undonog.

Bardd Gwawr: Yn y bumed gerdd, cenir yn drawiadol am air yn llithro 'i'r dychymyg fel sarff / gan droi a throi / yn y tywyllwch cynnes'. Ond ni welir fflach debyg yng ngweddill y gwaith.

Ap Syd: Gŵyr werth synnwyr digrifwch ac fe wna gais i ddychanu ond datgelir safon y gwaith yn gyffredinol mewn llinell megis, 'a heuwyd hadau yno wnaeth fy ngwneuthur i yn fardd'.

Gardri: Mae darllen cwpled megis 'Daeth Moses y pumdegau / I bladurodd ger y cloddiau' yn peri dryswch; ac fe gollir pob hyder yn y gwaith wrth weld cymysgu delweddau mewn cymal megis 'gweddillion hen ffyddlondeb / Yn dal i chwynnu'r llwybr ...'

Garmon: Ymgeisydd uchelgeisiol yn cynnwys yn y casgliad, sonedau, cerddi yn y wers rydd ac un filanél. Yn gyffredinol, mae gofynion y mesurau'n llyffetheirio'r mynegiant.

Dolferchen: Arddull farddonllyd yw prif wendid y gwaith. Dyfynnaf un enghraifft ymhlith amryw o rai tebyg: 'Mae cerbydau'r ffydd / wedi eu sgleinio i ruthro / ar gyfundebol daith i'r De / ar ffordd osgoi'r nefoedd'.

Cwch Gwenyn. Mae'r ymgais yn debycach i bryddest nag i gasgliad o gerddi. Er gwaethaf cynnwys rhestr o ystyron y geiriau tafodieithol, tywyll iawn yw ystyr amryw o gymalau megis: 'Cysur galar cwsg / hafan cwsg heddwch ...' neu 'Yn y gwyll dan yr hanner sêr / gwêl hwythau edifarhau eu trais'.

1958: Dewiswyd rhoi'r mwyafrif o'r cerddi ar fesur ac odl ac y mae gofynion y mesurau odledig yn ormod o rwystr i'r canu. Ond hyd yn oed yn rhyddid cymharol y wers rydd, ni chodir y safon – e.e. 'Fe briodais ti pan grëwyd fi, / Myfi yw'r byd / A chyda thithau / Yn rhannu gwely'.

Shoni Hoi: Ymgeisydd â digon i'w ddweud ('Wy'n ... bolaheulo ar leilo'r Wladwriaeth Les') ond bod ei ddweud, gan amlaf, yn un 'bant-â-hi', heb lawer o ymgais i'w saernïo'n gofiadwy. Eto, nid yw'r gerdd 'Gwlad yr Addewid' yn haeddu bod yn y trydydd dosbarth. Trueni na chafwyd cerddi tebyg iddi yn y casgliad.

Y Ddynes Goch: Ceir ymgais yn y gerdd gyntaf a'r olaf i ymddisgyblu i ganu'n rhannol ar fesur odledig. Ond diffyg disgyblaeth yw prif wendid gweddill y casgliad. Bydd diffyg atalnodi clir yn tywyllu'r mynegiant o dro i dro. Ac fe dry'r neges yn rhethreg anghelfydd mewn ambell gerdd.

YR AIL DDOSBARTH

Wyneb yn y Dorf: Y mae yn y casgliad hwn amrywiaeth dychmygus o destunau a phynciau ac mae addewid am bethau gwell i ddod. Mae'r ymadroddi'n llac ar brydiau. Rhoddir yr argraff fod nifer o'r cynigion yn debycach i nodiadau ar bwnc neu stori yn hytrach nag yn gerddi gorffenedig. Dim ond iddo weithio'n galetach, rwy'n siŵr y gwelir gwaith diddorol gan yr ymgeisydd hwn maes o law.

Barry Castagnado: Dyma waith bardd â rhywbeth i'w ddweud. Mae'r arddull yn llafar a lliwgar, ond ambell waith yn llac a diafael. Datgelir esgeulustod hefyd mewn llinell megis 'Ma' wedi bod yn bwrw eira'. Pe ceid mwy o fflachiadau megis sôn am fam ar draeth 'wrth anadlu'r heli,/ yn dyfalu/ beth oedd rhif y tywod mân', byddai'r casgliad hwn yn llawer uwch yn y gystadleuaeth.

Elin: Pe bai wedi cynnal y fflach a'r dychymyg a ddatguddiodd yn y llinellau agoriadol, byddai'r gwaith yn llawer nes at y brig. Mae'n werth dyfynnu agoriad y gerdd gyntaf: 'Mewn mynwent heulog sy'n goleuo'r blodau/ gollyngwyd/ y fam nad oedd yn adnabod ei phlant'. Wedyn, fe geir ambell gymal dychmygus megis 'gwrychoedd a chloddiau/ wedi eu botymu â briallu' ond eithriadau rhy brin yw cymalau o'r fath.

Elis: Dyma fardd sy'n ceisio mynd dan groen cymeriad neu sefyllfa ond sydd heb feddu eto ar yr adnoddau i greu cerddi crefftus, gorffenedig. Mae'r iaith, ar y cyfan, yn gywir, ac fe geir, hwnt ac yma, linell neu gymal effeithlon, e.e. yn y gerdd i ddathlu geni nai, mynegir cyfrolau'n syml fel hyn: 'Rwy'n drwm am glywed ei gwmni/ a'r ysfa am gwtsh gan grwtyn bach/ yw ystyr hiraeth mwyach'. Ond mae'r safon yn gostwng pan geir cymal fel 'awdurdodol-isel i dyner-sgwrio' neu linellau ansoddeiriog fel 'Yn Air i drefnu'm gwyddor flêr,/ i dreiglo'm seiniau cras/ a'm tiwnio'n bêr â churiadau dyrniadau'i Dad/ a'i udo dilafar ei hun'.

Hafgan : Dyma fardd sy'n ymwybodol o bwysigrwydd rhythm ac ystwythder ymadrodd ac o gynnig amrywiaeth o fesurau yn y casgliad. Mae yma hefyd hiwmor iach. Ond o dro i dro, bydd yr ystwythder yn dirywio'n llacrwydd di-afael: e.e. yn y gerdd i Michael Jackson, gwelir diffyg saernïo yn y llinellau ystrydebol hyn: 'Mae'r llwyfan yn wag/ a'r cymbac chwedlonol yn Hanes./ Ond wrth wylio'i braidd o ffans/ yn casglu fel defaid digyfeiriad / heb eu bugail, / clywais lais sylwebydd / yn datgan yn y cefndir: / "D'yw marwolaeth yn ddim rhwystr / i yrfa lwyddiannus; yn wir, fe allai fod yn hwb ..."' Ond y gerdd wannaf yn fy marn i yw'r olaf, pan dry cynnal y mesur a'r odl yn ormes, e.e. 'Dod â'i neges oddi uchod / Ble mae fanno ond y gofod?'

Rybelwr Bach: Mae yma amryw o gerddi digon cymen. Mae 'Llun Ysgol' yn deimladol, gynnil ac 'Wybrnant 1588 / 2010' yn creu llun trawiadol er bod y mynegiant yng nghlo'r gerdd yn llac ac yn dywyll. Gwendid arall yw'r gorddefnydd o'r 'o' genidol; e.e., 'yn gnawd o gwmwd', 'hafan o hwyl', 'Eden / o ddiniweidrwydd', 'eiconau o belydrau', neu 'atsain o hen sgyrsiau, / yn gur o hiraeth'.

Branwen: Mae safon y gwaith yn anwastad. Trueni yw hynny gan fod rhai cerddi'n dangos addewid pendant. Y cerddi gorau yw 'Aderyn trwy ffenest liw' a 'Barafundle', cerddi dychmygus a chynnil eu mynegiant. Cyffredin yw safon y gweddill; diffyg hunanddisgyblaeth yw'r prif wendid; rhoddir yr argraff i'r bardd gael ei (d)thwyllo fod y wers rydd yn fesur hawdd; e.e. mympwyol o anghelfydd yw pennill fel hwn: 'Ein geiriau amdanynt / nawr / yn ddiarth / a di-wyneb. / Steroteips / hawdd / cyfforddus. / Eira'n cuddio pridd'.

Neb o bwys: Mae'r ffugenw'n un addas am fod y cerddi'n adlewyrchu gwyleidd-dra'r bardd. Ceir yma ddewis diddorol o bynciau ac esgorodd un ar gerdd ddirdynnol, sef 'heno, heno hen blant bach'. Mae "ow about a game of bingo?" yn gerdd gofiadwy hefyd. Ond ni chynhelir yr un safon yn y cerddi eraill. Dyma fardd arall a swynwyd gan hawstra tybiedig y wers rydd; gan amlaf, mae'r mynegiant yn rhy rwydd ac annisgybledig. Mae'r ymgeisydd yn ansicr o amserau'r ferf ambell dro ac yn euog o gymysgu delweddau – e.e. 'a thrugareddau oes dy bocedi'n / sibrwd llwybrau'r daith'.

Di Kastis: Marwolaeth cymar neu ffrind yw pwnc y gerdd; a cherdd ac nid casgliad o gerddi a geir yma. Mae gan yr ymgeisydd afael ar iaith gywir ac idiomatig ond y mae'r arddull ar brydiau'n ansoddeiriog. Ac y mae'r bardd yn or-hoff o gynghanedd sain nes bod dod ar draws cynghanedd groes megis 'lemonau euraid Limenaria' yn hwyr yn y gwaith fel chwa o awyr iach.

Mr Robaits: Egyr y casgliad â cherdd dywyll ei hystyr. Yn 'Terasau Zen yn yr hydref', fe'i cawn yn ceisio creu darluniau â chwpledi tyn megis 'Terasau llwyd, / gro llonydd / Sawl draenen gudd, / ambell rosyn swil'. Gwyddys mai math arbennig o bensaernïaeth yw Terasau Zen, un a gwyd adeiladau sy'n creu awyrgylch tangnefeddus. Ond gan fod arddull y cyfansoddi mor dynn, rhaid i mi gyfaddef na allaf ddirnad neges y gerdd. Y newid a awgrymir ynddi yw glaw'n troi'n eira yn yr hydref, ond ni ddatgelir beth yn union yw arwyddocâd hynny. Yn yr ail gerdd, 'Pessinos', mae'r sôn am eiriau rhwng cariadon mor gyfrinachol 'â lladron yn didoli trysorau' yn hyfryd ond fe'i gwanheir â chlo mor farddonllyd â hyn: 'Heno,/ dim ond adlais hen ieithoedd/ sy'n cymalu ar odre'r clyw,/ dim ond cynffonnau hen gerddi/ yn cosi'r cof ar yr awel hwyr'. Mae 'Y Wers Feicio' yn gweithio'n well am fod y mynegiant yn gynnil, awgrymog. Felly hefyd y gerdd glo.

Arran: Casgliad am bersonau enwog a chyffredin, ac mae iddo ei rinweddau. Mae'r gerdd i'r 'milwr o fardd' Wilfred Owen ac i'r arlunydd Gwen John yn uwch eu safon na cherddi'r mwyafrif o'r dosbarth hwn. Braidd yn ystrydebol yw 'Thomas Rowland', cerdd i henwr yn wynebu diwedd oes; felly hefyd 'Ruth a Myra', sef Ruth Ellis, y fenyw olaf i ddioddef y gosb eithaf yng ngwledydd Prydain, a Myra Hindley. Mae'r gerdd olaf ar fesur ac odl, a rhethregol yw ei harddull.

Blodau'r Foel: Mae safon y gwaith yn anwastad, gydag ambell gerdd yn well na'i gilydd. Ond hyd yn oed yn y cerddi gorau mae angen golygu. Yn 'Yr Harbwr', dylid bod wedi osgoi'r ystrydeb 'Ar gryman o draeth'. Esgeulustod sy'n gyfrifol am amryw o'r gwendidau – e.e. yn 'Adlais', sy'n gerdd ddymunol, mae angen acen grom ar 'gwen'; yn 'Beth sydd mewn enw', mae angen acennu 'pel' ac 'a wyr'. Gwn y gellid cywiro'r rhain i gyd wrth olygu ond y mae gweld toreth ohonynt yn peri i rywun golli hyder yn y cystadleuydd. Wedyn, yn fy marn i, yn 'Pethau Ail Law', dylid hepgor y tair llinell olaf. Yn 'Claddu'r Haf', dylid ailedrych ar y clo oherwydd y mae cloffni'r mesur yn gwanhau cerdd dda. Ambell dro, ceir cynildeb hyfryd yn y canu. Gyda gwell gofal am fanion, byddai'r casgliad hwn yn llawer uwch yn y gystadleuaeth.

Pendil: Mae naws delynegol, hyfryd i amryw o'r cerddi. Agorir gydag atgofion am hen gartref teuluol: 'llond drôr o foreau Sadwrn/ fel bwrlwm Corona,/ fel cyffro'r ceiniogau cynnes/ a geid wrth ddychwelyd/ y botel wag'. Yn yr ail gerdd, 'Cyfrinach', sonnir am y profiad o dreulio'r noson gyntaf mewn cartref newydd ac mae'r clo'n drawiadol oherwydd ei gynildeb. Nid wyf yn siŵr pwy a gyferchir yn 'Ellers' – mwy na thebyg mai Iesu Grist ydyw, oherwydd y cyfeiriad at Emaus. Soned yw 'Slofi', a'r chwechawd am ryw reswm wedi ei dorri'n llinellau tebyg i'r wers rydd. Mae 'Sadwrn yn Salem' yn sôn am ymarfer côr mewn festri capel ac fe gyflwynir moment ddramatig gofiadwy: 'Ar y muriau/ mae'r wynebau'n syllu arnom,/ gan fygu hanner gobaith/ fod rhagor o bechaduriaid/ wedi eu dwyn i'r gorlan./ Ond fe'u gadawn yn siom y festri ...' gan nad dod fel addolwyr defosiynol y mae aelodau'r côr. Mae'r syniad yn un dychmygus ac fe'i cyfleir yn grefftus yn y pennill olaf: 'Ac wrth gloi'r piano,/ gadawn i'r llwch ddisgyn drachefn/ fel tafodau euog,/ a throi clust fyddar/ ar gynffon gweddi yn nhro'r allwedd'. I minnau, 'Trip', wrth wylio hen ffilm ddi-sain o rai o'r tylwyth, yw cerdd orau'r casgliad. Mae ôl brys ar y tair cerdd sy'n dilyn ac mae clo 'Camau' i mi'n ddirgelwch llwyr. Mae'r gerdd glo, 'Stori', yn soned â'i llinellau, am ryw reswm, y tro hwn wedi'u torri yn yr wythawd yn ogystal ag yn y chwechawd. Dyma gasgliad sy'n agos at y brig.

Gwibdaith: Cerdd goffa i Henry Allingham a Harry Patch, dau filwr yn y Rhyfel Byd Cyntaf a fu farw yn 2009, yw 'Goroeswyr'. Mae'r arddull lafar yn gweddu i'r amryw o gwestiynau a ofynnir iddynt, er y dylid tynhau ambell frawddeg er mwyn cryfhau'r mynegiant a chynnal y tyndra. Yn 'Comoditi', ceir ambell gymal ymdrechgar megis 'gwasgaru anthemau angst/ â phupur dy rywioldeb,/ taenu ffantasiau'th wyrdroadau yn drwch dros faledi cyffuriau'. Mae ergyd 'Tlodion' yn aneglur i mi. Pwy sy'n haeddu ein cymorth cyntaf? Ai'r 'fegerwraig sy'n ceisio hel pres casgliad/ gyda chwpan blastig McDonald's' ynteu'r 'Mwslim gyda'i Feibl ar ei lin' ynteu'r 'bysgars gwych a gwael sy'n britho Grafton Street'? Ni chaf ateb boddhaol. Mae neges 'Alltudion' yn hollol glir. Mae 'Claf' yn un o gerddi gorau'r casgliad, cerdd gynnil a dychmygus; ac fe gynhelir yr un safon uchel fwy neu lai yng ngweddill y cerddi. Dyma ymgeisydd arall sy'n agos iawn at y brig.

Y DOSBARTH CYNTAF

Erin: Casgliad o gerddi graenus gan fardd â chanddo neges i'w dweud. Yn y gerdd gyntaf, 'Ci Dŵr', mae'n drist oherwydd bod llyn a fu unwaith yn gynefin glân i'r ci dŵr bellach wedi ei lygru. Diflannodd y ci dŵr 'fel barrug unnos,/ gan adael y cof yn unig/ i buro a glanhau'r dŵr'. (Pam 'puro' a 'glanhau'? Oni roddai'r naill neu'r llall glo cryfach?) Yn yr ail gerdd, 'Cymydog', portreadir gwladwr â'i 'lais mor arw â rhisgl,/ a'i ddwylo yn geinciau i gyd,/ a phridd ei gynefin/ o dan ewinedd ei fodolaeth.' (Oni fyddai 'o dan ei ewinedd' yn gryfach?) Ond bellach mae'r cymydog wedi'i gloi mewn cartref henoed 'a thrwy wydr yn unig/ y gwêl o y byd gloyw hwnnw/ oedd iddo unwaith yn bod'. Er cryfed y delweddu, mae'r thema'n dreuliedig. Sonia 'Blwyddyn', mewn mesur ac odl, am Fardd yr Haf yn symud o Feirionnydd i Forgannwg. Mae gan y bardd afael ar y mesur ond trueni iddo gael ei orfodi i roi'r ansoddair o flaen yr enw a bodloni ar ystrydebau megis 'ysgubol nerth' ac 'anychwel hynt' er bod y rheini'n adleisio arddull Bardd yr Haf. Ceir dwy gerdd am drais Medi'r unfed ar ddeg yn Efrog Newydd a'r newid mawr yn ei sgîl: 'troes strydoedd dieithrwch ac annibyniaeth/ yn strydoedd adnabod pawb'. Mae'r delweddu'n effeithlon yn y gerdd 'Ysgol dau ddeg pedwar': 'Gwŷr cyfarwydd â dolur/ fel hen bedolau/ yn fwaog gan ofid'. Y gyflafan yn sgîl ymweliad llwynog â'r ieir yw pwnc 'Llwynog Ionawr'. Yma eto mae'r delweddu'n drawiadol wrth sôn am olion traed y llwynog fel 'print' ar y 'gwynder didostur'. Agorir 'Cneifio' yn gampus: 'Y mae rhaeadrau o ddefaid/ yn rhuthro dros esgair y foel/ cyn iddynt lonyddu/ ar lyfnder y ddôl'. Ni ellid gwell disgrifiad o grynhoi'r defaid i'w cneifio. Ond mae clo'r gerdd yn haeddu gwell na'r sôn am 'fflamau'n marw/ yn nüwch rhyw ddiffodd'. Oni ellid bod wedi rhoi unoliaeth i'r gerdd wrth ddychwelyd at ddelwedd y rhaeadr, a chyfleu bod hwnnw wedi peidio â bod? Mae ambell enghraifft o fynegiant barddonllyd – 'ar glustog y cymylau', 'y wên ar ddeurudd y wyneb' – yn gwanhau'r gerdd 'Marwolaeth y Gerdd'. Caf anhawster i ddeall y cymal '(g)lesni'r gwaed', ac nid yw'r newid, y sonnir amdano'n ymdrechgar, braidd, yn y pennill olaf, yn fy argyhoeddi: 'Rhewodd y wên ar ddeurudd yr wyneb,/ boddodd fy ngweledigaeth/ ym meiriol fy nagrau/ ac nid ydyw hi mwyach'. Mae'r newid yn ogoneddus o amlwg yn 'Fy nhad', sy'n rhestru'r blodau a'r planhigion yng ngardd y tad: 'Ac maen nhw yma i gyd/ yn sbloet afradlon o liw;/ y nhw, y nhw, ond nid fy nhad'. Aderyn yn ymweld ag oedfa, ac yna'n diflannu yw pwnc 'Eryr y Môr' ond, yn fy marn i, gellid bod wedi gweithio'n galetach ar y syniad. Mae 'Ward y Plant' yn gerdd ddirdynnol ac os yw'n mynegi profiad go iawn y bardd, ni ellir ond edmygu dewrder ei chyfansoddi.

Botwm Corn: Mae'r gerdd gyntaf yn un anodd ei deall. Awgrymir yn yr agoriad fod ffynnon yn rhoi cychwyn i'r nant ddechrau ffrydio cyn cyrraedd yr afon. Ai sôn sydd yma am barabl cychwynnol iaith elfennol sy'n arwain at leferydd aeddfed? Ond beth yw arwyddocâd 'y noson ddu ddiffiniau, a'r halen/ yn grwst ar dy wefus'? Credaf mai sôn y mae 'Cadwraeth' am dynnu colur oddi ar wyneb ond ni ddeallaf ystyr y teitl. Ceir yn 'Llen' fynegiant o berthynas glòs rhwng rhiant a phlentyn ond bod y berthynas honno dan ryw fygythiad. Mae delweddu llaw'r mab y tu mewn i len y bygi fel 'seren fôr' yn gampus. Cerdd sy'n ymateb yn hynod o ddychmygus i un o ddarluniau Meindert Hobbema yw 'Coedlan ym Middelharnis'. Caf anhawster i dderbyn bod 'Hydrangeas' yn gerdd destunol. Ble mae'r newid ynddi? Mae 'Cowbois' yn cyfleu darlun byw, iasoer o unigrwydd gŵr gweddw. Fe ddychwel natur aneglur y canu yn 'Imbolc', a cheir anghysondeb gramadegol yn y cwpled 'sy'n estyn yr haul i'th dwymo,/ yn tywallt blithged i dy gwpan de'. Mae 'Willow Pattern, 1979' yn gerdd drawiadol sy'n cyfleu tyndra refferendwm 1979. Yn 'Llawdriniaeth', gwelir darlun annisgwyl o dad yn cael llawdriniaeth ar ei galon. Cerdd glo mewn mesur ac odl yw 'Rhwng Dau Olau' a rhaid oedi'n hir dan ei chyfaredd cyn dechrau ei deall a'i gwerthfawrogi. Ni theimlaf fod hon, 'chwaith, yn gorwedd yn esmwyth mewn casgliad o gerddi ar thema 'Newid'. Ond, ar y cyfan, dyma waith bardd hynod ddawnus.

Coeca: Mae'r rhan fwyaf o'r cerddi yn hen dafodiaith gyfoethog y Gloran ac yn gofnod pwysig ohoni. Braidd yn draethodol yw arddull y gerdd gyntaf ond, wedi cyrraedd y gerdd olaf, gwelir mai ymgais yw'r gerdd agoriadol i roi'r casgliad mewn ffrâm. Mae'n syndod i gynifer o gystadleuwyr anelu at wneud casgliad thematig er nad oedd geiriad y testun yn gofyn am hynny. Ac fe niweidiodd *Coeca* safon y casgliad wrth ymdrechu'n rhy galed i roi'r cerddi tafodieithol rhwng cromfachau cerddi sy'n trafod gwaed. Edmygaf fenter y bardd wrth gynnig agoriad mor anghonfensiynol ond ni chaf fy argyhoeddi ganddo. Ond yn y cerddi sy'n dilyn, down ar draws dawn debyg i un D. J. Williams, portreadwr enwog 'Hen Wynebau'. Mae cerddoriaeth y dafodiaith i'w chlywed yn hyfryd yn 'Tom Mosco', sy'n bortread crwn o farbwr Tyla-bach. Mae'r bardd, ar ymweliad â'r barbwr, yn disgwyl clywed pregeth wleidyddol, gomiwnyddol ganddo ac yntau wedi agor y sgwrs â 'Ma' 'na lot weti newid ffor' 'yn', cyn dechrau beirniadu'r drefn gyfalafol yn 'Caead cyrtre'r heno'd neu'r clinig drygs,/ Y post, y neuadd bingo, neu hyt 'n o'd/ Y siop ych-a-fideos ar bwys y Cwop ...' Ond gofid cwbl wahanol sydd gan y barbwr gan ei fod mewn galar ar ôl claddu'i wraig ym mynwent y 'Llethar-ddu'. A cheir tyndra dramatig effeithiol yn y cwpled nesaf: 'Ro'dd 'i law raser yn crynu'n ddansherus/ A gwelais 'i liced prepsog yn y glas'. Rwyf hefyd yn dwlu ar glo cynnil y gerdd: 'Wetais i ddim gair, er 'y mawr gwiddil,/ A'r shiffad nesa' rown i'n 'i gwanu hi/ O'r siop a'r Tyla-bach a'r Cwm, gan scapo/ Bod y cap ar y Rhicos y bore hwnnw/ Yn gra'n o law – os nad w'i'n camgymryd'. Dyma i mi un o gerddi unigol mwyaf trawiadol yr holl gystadleuaeth. Soned dafodieithol yw 'Jeanie Rees' sy'n bortread crwn o'r fenyw 'biwr ddigynnig' sydd 'wedi c'el 'i siâr o hapsi'r byd'. Roedd 'hapsi' yn air dieithr i mi ac i Eiriadur Prifysgol Cymru, ond daw'r ystyr yn olau yng ngweddill yr wythawd:

> Y cryts mewn trwpwl prysur 'da'r polîs
> A'i phartner pwtwr ar y clwt o hyd.
> Didoreth yw'r gair ffeinda 'bothdu hi
> A'r aelwd yn annipan yn ddiau;
> Lled graplyd fu 'i thynged, tybiais i,
> Heb fawr o gyfle, spo, i ymryddhau.

Ond wrth ddyfynnu'n helaeth fel hyn, fe ddatgelir un gwendid: onid geiriau llanw er mwyn yr odl yw 'yn ddiau' a 'tybiais i'? Ac eto, ceir clo cryf i'r soned wrth sôn am y newid dyrchafol yn hanes Jeanie Rees (newid sydd, gobeithio, yn gyffredin i amryw o fenywod 'y Cwm') ar ôl iddi 'benderfynu mynd, yn stiwdant hŷn,/ I ddosbarth nos yr Iwni lawr y Cwm./ Dros hawlia menwod ma' hi'n wmladd nawr/ A dyma, whedl Jean, 'i Chyfle Mawr'. Baled yn nhraddodiad baledi Morgannwg yw 'Cân yr Henwr', sy'n dathlu adferiad amgylcheddol yr hen gymoedd diwydiannol yn ogystal ag adfywiad y 'Gwmrêg'. Yn 'Miwsig', mae rhyw 'foi gorflewog' sy'n 'biligiwganu ar 'i declyn trytan' y tu fa's i Asda yn haeddu gwrandawiad y bardd am ei fod yn ei atgoffa o'i dad-cu. Yn 'Y

Gŵr Gwyrdd' – cerdd arall arbennig ei safon – fe'n cyflwynir i'r garddwr, Mr Green, cymeriad tebyg i'r Gŵr Gwyrdd ar 'almanac yng nghecin Bopa Bet'. Yr ergyd yng nghlo'r gerdd yw iddo 'atgoffa plant y mwg, y lluwch a'r llaca / Bod 'r hen, hen ddaear, er gwitha popeth / Ro'n ni wedi'i wneud i'w gwyrddni brau, / Yn haelionus o ffrwythlon wedi'r cyfan'. Mae 'y gair olaf', y gerdd glo, yn ddirdynnol. Mae moelni'r arddull yn hynod effeithiol wrth drafod marwolaeth – 'bob yn bwt / mae rhywun yn marw'. Cerdd goffa yw hi i'r llenor B. S. Johnson, un a arbrofodd ag arddulliau llenyddol anghonfensiynol. Mae arddull y gerdd hon, hefyd, yn fwriadol anghonfensiynol, ac yn glo ysgytwol i gasgliad a agorodd, yn aflwyddiannus, yn fy marn i, drwy geisio ymdrin â 'chymhlethdod gwaed'. Daw'r casgliad i fwcwl wrth ysgrifennu'r gair olaf â gwaed. Hon i mi yw cerdd unigol orau'r gystadleuaeth.

Barcud fyth: Mae'r gerdd agoriadol, drawiadol yn adrodd hanes creu a chwalu potel; mae'r creu a'r chwalu, fel ei gilydd, yn anorfod, ac yn ddrych o natur bywyd. Ond nid yw'r gerdd heb ei gwendidau. Byddai iddi agoriad cryfach pe hepgorid yr ansoddair 'gwydr' yn y llinell gyntaf a chredaf y lluniwyd y pennill clo er mwyn cynnwys themâu'r cerddi eraill. O'r herwydd, ymddengys y diweddglo fel atodiad. Mae 'Cenaist gân', cerdd ddychmygus wedi ei chanu mewn arddull storïol, yn adrodd hanes dyrys oedolyn yn dysgu Cymraeg. Agorir â llinell dwyllodrus o syml sy'n crynhoi'r hanes yn hynod o effeithiol: 'Bu'r gerdd yma'n hir yn dod'. Ac fe'i hailadroddir mewn gwedd newydd yn agos at y diwedd gan arwain at uchafbwynt cofiadwy:

> Bu'n hir yn dod, y gân hon;
> a hir yn dychwelyd i'r mannau hyn,
> i lannau Llwyd ac Ebwy.
> Ond gwyddet y câi ei chanu yma hefyd, maes o law,
> yn nhir anghyfiaith dy blentyndod,
> yn nhir y newid byd,
> tir newid tiriogaeth Teyrnon,
> tir tanchwa, tir dirwasgiad,
> tir trawsacenion y gobaith briw.

O dan wyneb y naratif syml, ceir ambell gyfeiriadaeth gywrain, gyfrwys sy'n datgelu gweledigaeth a chrefft y bardd. Teyrnon Twrf Liant oedd arglwydd Gwent Is Coed yng Nghainc Gyntaf y Mabinogi; ef a feithrinodd Pryderi, mab Pwyll a Rhiannon. Cyfeiria 'Twrf Liant', hefyd, at sŵn llif y llanw yn afonydd Gwy a Hafren. Tua chanol y gerdd, ceir y llinell: 'er gwaethaf twrf lliant dy ddyddiau cynnar', sy'n fynegbost cyfrwys a chrefftus i'n cyfeirio at yr ardal hon o Gymru. Ond rhaid nodi dau wendid yn y gerdd. Gan mai'r iaith Gymraeg yw'r gân a fu'n 'hir yn dod', pam

Enillwyr Prif Wobrau Eisteddfod Genedlaethol Cymru Blaenau Gwent a Blaenau'r Cymoedd, 2010

Dyma gyfle i ddod i adnabod
enillwyr gwobrau mawr
yr Eisteddfod

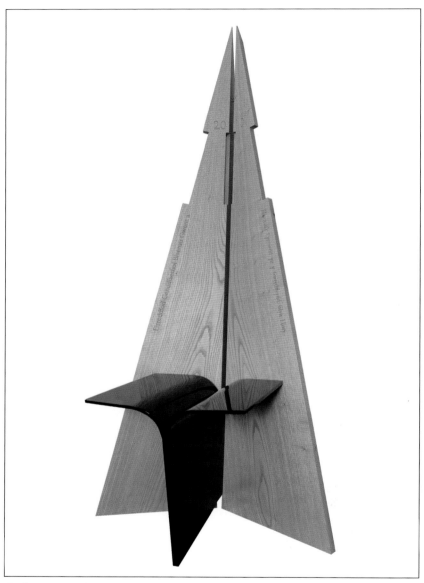

Cyflwynir Cadair yr Eisteddfod gan Brifysgol Morgannwg. Rheolwyd y prosiect gan ddau o staff Cyfadran y Dyniaethau a Gwyddorau Cymdeithasol, Jeremy Spencer a Richard Randall. Fe'i lluniwyd gan Alex McDonald, Sir Benfro.

TUDUR HALLAM
ENILLYDD Y GADAIR

Yn Nhreforys, Abertawe y ganed Tudur Hallam, ac yn Abertawe y mae'n gweithio. Y mae'n uwch-ddarlithydd Cymraeg yn Academi Hywel Teifi, Prifysgol Abertawe. Cafodd ei fagu ym Mhenybanc, Rhydaman, yn fab i Peter a Glesni Hallam ac yn frawd i Gwion a Trystan. Mynychodd Ysgol Gymraeg Rhydaman, ac yna Ysgol Gyfun Maes-yr-Yrfa, Cefneithin. Wedi sawl blwyddyn hapus yn ardal Brynmill, Abertawe, y mae heddiw'n byw ryw filltir o Faes-yr-Yrfa ym mhentref Foelgastell. Ei gariad oes, ers dyddiau ysgol, yw Nia, ac mae ganddynt ddau fab, Garan a Bedo.

Ym Maes-yr-Yrfa, tasg anodd oedd dewis rhwng y Gwyddorau a'r Celfyddydau, ond o ddeall bod chwarae â geiriau yn ddisgyblaeth o bwys, trodd at y Celfyddydau a chael ei ysbrydoli gan ei athrawesau Cymraeg, Saesneg, Hanes a Drama. Yn y chweched dosbarth y dechreuodd farddoni, a derbyn gan gyfeilles o athrawes ei chopi personol o lyfr John Morris-Jones, *Cerdd Dafod*, i'w dywys ar ei daith gynganeddol. Aeth i'r Brifysgol yn Aberystwyth ac enillodd y Gadair ddwywaith yn yr Eisteddfod Ryng-golegol. Yn 1995, enillodd y Fedal Lenyddiaeth yn Eisteddfod Genedlaethol yr Urdd, a Chadair yr Urdd yn 1999. Y flwyddyn honno, fe'i penodwyd i'w swydd academaidd yn Adran y Gymraeg, Abertawe. Cwblhaodd yno ddoethuriaeth a dros ddegawd bellach bu'n cyfrannu at ddiwylliant ymchwil yr Adran. Boddhad mawr iddo yw gweithio ymysg myfyrwyr y Gymraeg a bod yn rhan o dîm o ysgolheigion a enillodd fri i astudiaethau'r Gymraeg ym Mhrifysgol Abertawe. Ar hyn o bryd y mae'n cyfarwyddo myfyrwyr ôl-radd ym maes llenyddiaeth ddiweddar, hunaniaeth genedlaethol a chyfieithu. Enillodd ei lyfr *Canon Ein Llên* Wobr Goffa Ellis Griffith yn 2009, ac ef yw deiliad presennol Ysgoloriaeth Goffa Saunders Lewis. Derbyniodd yn ddiweddar wahoddiad i gyd-olygu'r gyfres nodedig, Ysgrifau Beirniadol. Fe'i siarsiwyd gan yr Athro Hywel Teifi i ennill y Gadair i'r Adran y bu ef yn bennaeth arni yn Abertawe. Dyma, eleni, ufuddhau i'r gorchymyn hwnnw.

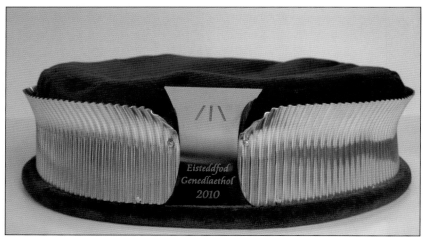

Mae'r Goron yn rhoddedig gan Gymdeithas Goffa Islwyn a chafodd ei chynllunio a'i gwneud gan Suzie Horan, Caerdydd.

GLENYS MAIR GLYN ROBERTS
ENILLYDD Y GORON

Yn Nyffryn Ceiriog y ganed hi ond symudodd y teulu i Fôn pan oedd yn ddeunaw mis oed, ac yno y magwyd hi. Dilynodd gyrsiau safon Uwch yn y Gymraeg, Saesneg a Hanes yn Ysgol Gyfun Llangefni, cyn mynd i Goleg Prifysgol Cymru, Aberystwyth, ac ennill gradd Dosbarth Cyntaf yn y Gymraeg ac yna M.A. am astudiaeth o Fytholeg Geltaidd yn Llenyddiaeth yr Ugeinfed Ganrif.

Wedi cyfnod yn athrawes yn Ysgol Gyfun Tonyrefail, bu'n gweithio am rai blynyddoedd i Gyd-bwyllgor Addysg Cymru yng Nghaerdydd cyn penderfynu mentro ar ei liwt ei hun fel cyfieithydd. Bu'n gweithio fel cyfieithydd a golygydd hunangyflogedig ers bron i ugain mlynedd bellach, ac mae'n aelod o fwrdd arholi Cymdeithas Cyfieithwyr Cymru. Ychydig flynyddoedd yn ôl, dechreuodd ddysgu Sbaeneg.

Mae'n byw yn Llantrisant, Morgannwg, yn briod â Guto, yn fam i Dafydd, Mari ac Elen, ac yn nain i Gwenno ac Ifan. Mae'n aelod o ddau gôr – Côr Merched y Garth a Chôr y Mochyn Du – a bydd y ddau'n cystadlu ar lwyfan yr Eisteddfod yng Nglyn Ebwy eleni.

Bu darllen a dehongli barddoniaeth yn un o'i diddordebau pennaf erioed, ond yn lled ddiweddar y dechreuodd farddoni ei hun. Dyma'r tro cyntaf iddi gystadlu am Goron yr Eisteddfod.

JERRY HUNTER
ENILLYDD Y FEDAL RYDDIAITH

Ganwyd Jerry Hunter yn Cincinnati, Ohio, Unol Daleithiau'r America. Astudiodd Saesneg ym Mhrifysgol Cincinnati a chafodd gyflwyniad i lenyddiaeth Gymraeg fel rhan o'i gwrs gradd yno. Wedi'i ysbrydoli gan gyfoeth yr iaith a'i llenyddiaeth, penderfynodd ddod i Gymru. Aeth yn gyntaf i Lanbedr Pont Steffan er mwyn ymdrochi yn yr iaith am wyth wythnos cyn ymdaflu i fywyd Cymraeg Aberystwyth, lle'r aeth i ddilyn MPhil yn y Gymraeg.

Ar ôl cyfnod yn chwarae mewn bandiau roc yng Nghymru ac yn Llundain, aeth yn ôl i Cincinnati. Bu'n athro mewn ysgol yng nghanol y ddinas, yn weithiwr cyflogedig i Greenpeace ac yn gweithio ar fferm ei dad. Aeth wedyn i Brifysgol Harvard i astudio Ieithoedd a Llenyddiaethau Celtaidd. Ar ôl graddio'n ddoethur, bu'n ddarlithydd yn Harvard am gyfnod byr cyn troi am Gymru unwaith eto. Ar ôl cyfnod yn darlithio yn Ysgol y Gymraeg, Prifysgol Caerdydd, symudodd i Brifysgol Bangor ac mae bellach yn ddarllenydd yn Ysgol y Gymraeg y brifysgol honno.

Mae wedi cyhoeddi pedwar llyfr academaidd, ac enillodd un ohonynt – *Llwch Cenhedloedd* – wobr Llyfr y Flwyddyn yn 2004. Cyhoeddodd nofel fer i blant, *Ceffylau'r Cymylau*, yn gynharach eleni.

Mae'n byw ym Mhenygroes, Dyffryn Nantlle, gyda'i wraig Judith Humphreys a'u dwy ferch, Megan a Luned.

GRACE ROBERTS
ENILLYDD GWOBR DANIEL OWEN

Ganed ym Mhenysarn, Môn, ac addysgwyd yn Ysgol Gynradd Penysarn, Ysgol Syr Thomas Jones, Amlwch, a Choleg y Brifysgol, Bangor, lle graddiodd mewn Cymraeg. Mae'n byw yn y Felinheli ers wyth mlynedd, ar ôl dau ddegawd yn Nefyn a blwyddyn yn yr Wyddgrug. Bu'n llyfrgellydd am ddeng mlynedd, yna ar ôl cyfnod yn wraig a mam lawn amser i Dennis, Gronw ac Endaf, ailgydiodd yn niddordeb ei hieuenctid, sef ysgrifennu. Enillodd Fedal Ryddiaith Eisteddfod Môn Bro'r Frogwy 1988, a gwobrwywyd hi yng nghystadleuaeth y stori fer yn yr Eisteddfod Genedlaethol deirgwaith. Bu'n sgriptio i *Pobol y Cwm* am ddeng mlynedd. Cyhoeddodd gyfrol o'i sgyrsiau radio (*Sgyrsiau Hogiau yn Bennaf*), cyfrol o'i storiau byrion (*Dyddiau Teisen Bwdin*), a dwy nofel (*Rhodd o Ferch* a *Drysfa*). Hefyd cyhoeddodd storïau ac erthyglau mewn cylchgronau a chasgliadau. Yn ystod cyfnod o salwch meddwl a'i gwnaeth yn analluog i ysgrifennu'n greadigol, bu'n chwilota i hanes ei theulu, yn cynnwys yr awdures Eingl-Gymreig, Megan Glyn. Erbyn hyn, mae wedi llwyddo i ddechrau ysgrifennu eto. Gadael i'r nofel bresennol redeg yn wyllt i dir ffantasi byw'n-ddedwydd-am-byth fu'r hwyl a'r therapi gorau a gafodd!

CHRISTOPHER PAINTER
ENILLYDD TLWS Y CERDDOR

Tynnwyd y llun uchod
pan enillodd
Dlws y Cerddor
yn
Eisteddfod Genedlaethol Eryri 2005

chwalu'r ddelwedd hyfryd ar ddechrau'r ail bennill trwy ddatgan: 'Nid yn yr iaith honno/ y canet yn eisteddfodau'r fro dy drebl pur ...'? Yn ail, ystrydeb farddonllyd yw 'a'th felys lais' sy'n gwanhau'r clo. Gwrthrych y gerdd nesaf yw Orlando Zapata Tamayo, brodor o Giwba, protestiwr yn erbyn llywodraeth Fidel a Raul Castro, a fu farw yn 43 oed yn Chwefror 2010 yn sgîl streic newyn. Honna llywodraeth Ciwba mai troseddwr cyffredin a gam-ddyrchafwyd yn ferthyr ydoedd. Mae'r gerdd yn trafod yr amwyster sy'n perthyn i'w yrfa: 'Ar ba ochr i ddalen y dyfodol/ y gwelir dy enw di ...? Ac fe ehangir y cwestiwn i gynnwys dyfodol Ciwba ei hun. Awgryma'r clo mai amser yn unig a ddengys y gwir am Orlando Zapata Tamayo. Ceir carcharor yn gymeriad yn y gerdd 'Esgidiau Coch', hefyd, cerdd y mae'n rhaid i mi gyfaddef nad yw ei hystyr yn eglur i mi. Ai rhywun o wlad Siec a garcharwyd yng Nghymru yw'r gwrthrych? Pwy a gyferchir? Ai cariad neu wraig y carcharor? Ac ai honno yn hytrach na'r fam sy'n teimlo euogrwydd wrth 'lapio gwrid ei hymddiheuriad'? Ofnaf hefyd fod rhaid tynnu sylw at y cymysgu delweddau yn y llinell glo: 'Na theimlo crechwen yn sathru'r petalau coch'. Ynglŷn â'r gerdd nesaf, 'Y rhith ger Gellilydan': er gwaethaf cymalau barddonllyd megis 'glesni newydd ddail' ac 'ynteu frawd o'r Ddinas a'i fras fyd/ yn deilchion o'i ôl', edmygaf gynildeb celfydd yr ergyd glo. Mae 'Dau ben-blwydd' yn trafod dirywiad cof drwy gymharu ogof â thrysor i'w agor ynddi â'r un ogof wedi'i chau gan faen anghofrwydd. Llygad bardd a welodd ogoniant delwedd yr ogof. Ysgogwyd y gerdd obennol, 'Trên i Ravensbrück', gan y ffilm odidog o daith Heini Gruffudd a'i ferch, Nona Gruffudd-Evans, i'r carchar lle bu farw mam-gu Heini, Kathe Bosse. Hola'r gerdd gyfres o gwestiynau: 'Pam mae eira'n wyn?/ A golau o ran hynny?/ A marwolaeth./ Ai gwyn yr eira y Tachwedd hwnnw/ pan gyrhaeddodd trên y gaethglud,/ y trên aeth â'r golau o'r byd?' Gofynnwyd yr un cwestiynau yn y ffilm ond 'rhy brin [oedd] yr atebion'. Fy nheimlad i yw na lwyddodd y bardd, wrth gyfansoddi'r gerdd, i wneud mwy nag ailadrodd stori'r ffilm. A fanteisiwyd yn ormodol, felly, ar wychder y ffilm, heb gynnig, yn y trosi o'r sgrin i'r gair, weledigaeth gofiadwy newydd ar brofiad dirdynnol y teulu? Ac eto, mae'r llinell glo yn un dwyllodrus o syml ac yn peri i ni ofyn pam y mae'r eira o hyd yn wyn yn Rwanda, Srebrenica a Ravensbrück. Mae'r gerdd olaf, 'Y glanaf newid', yn uchafbwynt i'r casgliad. Ceisir ei chlymu wrth 'Patrymau' drwy sôn am 'y rhin sy'n troi patrymau'n byd a'n bod'. Ond nid creu a chwalu potel fel drych o natur bywyd a geir yn hon ond clodfori perthynas gyfriniol, gariadus rhwng rhiant a phlentyn. Y berthynas hon a ddaeth â'r newid mwyaf a glanaf i brofiad y bardd.

Yn fy marn i, mae dau ymgeisydd yn y dosbarth cyntaf yn haeddu eu coroni. O drwch blewyn, gosodaf *Coeca* ar y blaen ond parchaf farn fy nghyd-feirniaid ac rwy'n hollol fodlon i *Barcud fyth* wisgo'r Goron eleni.

Y Casgliad o Gerddi

NEWID

Patrymau

Mae 'na lun o botel wydr ar y sgrin,
a'r llais yn egluro'n hamddenol
sut y'i crëwyd
o wydr, a'r gwydr hwnnw
o silica, soda a chalch;
sut y'i chwythwyd i fodolaeth
i greu llestr gloyw-lân
yn ddrych o'r creu diderfyn
sy'n ffurfio bydoedd a bodolaeth
yn batrymau cymhleth
o niwloedd anhrefn.

Ac yn sydyn, mae'r botel yn chwalu –
ysgyrion yn tasgu'n ddinistr
i bellafion byd,
yn ddadfeilio ysgytwol
mor anorfod â'r creu.

Yn y Gellilydan, Havana, Ravensbrück,
yng ngherddi ein breuddwydion
ac ym mudandod ein hogofâu,
digyfnewid yw terfynau ein bod.

Cenaist gân

Bu'r gerdd yma'n hir yn dod.
Islais mewn llynnoedd llonydd
yn brwydro i gyrraedd glan.
Pryd tybed y clywaist ei nodau cyntaf?
Ai ar lin y fam a gollaist yn chwe blwydd oed
a'i hatgofion am fodrybedd Senghennydd
a ddeuai â'u hetiau'n gymanfa o flodau
a'u tafodau'n trydar iaith hen ddiwygiadau?
Neu ai ar neges dros dy dad at reolwr y gwaith
a'th geryddai am na fedret iaith dy gyndeidiau?

Bu'n hir yn dod. Nid yn yr iaith honno
y canet yn eisteddfodau'r fro dy drebl pur,
yn y Fenni, Brynbuga, yng nghwmni dy dad.
Ond câi'r alawon faeth,
a chwyddai eu harmonïau
er gwaethaf twrf lliant dy ddyddiau cynnar.

Chwyddo'n felodïau yng ngwawr y cyfnewid,
ond aros eu tro.
Cryfhau'n geinciau yng nghwmni'r llanciau o'r Tŷ-croes a Llangrannog,
ac ar lannau Dyfrdwy a Cheiriog,
ac aeddfedu ym Môn yn gytganau teulu a chymdogaeth,
wrth iti feddiannu'r gerdd a holl orfoledd ei symudiadau.

Bu'n hir yn dod, y gân hon;
a hir yn dychwelyd i'r mannau hyn,
i lannau Llwyd ac Ebwy.
Ond gwyddet y câi ei chanu yma hefyd, maes o law,
yn nhir anghyfiaith dy blentyndod,
yn nhir y newid byd,
tir newid tiriogaeth Teyrnon,
tir tanchwa, tir dirwasgiad,
tir trawsacenion y gobaith briw.

A heddiw, byddet yma
a'th felys lais
yn hawlio rhan o'i hetifeddiaeth.

Orlando Zapata Tamayo
1967 – 2010

'… gweld y dyfodol trwy amser, fel gweld ysgrifen ar gefn dalen o'i chodi
i'r goleuni.'

Gabriel García Márquez, *Cien años de soledad*

Ar ba ochr i ddalen y dyfodol
y gwelir dy enw di,
Orlando Zapata Tamayo
a'th ympryd dros ryddid cydwybod?
Nid ar dudalen anfarwolion y Chwyldro
gyda Marcos, Alejandro, Miguel a Dario
y torrir dy enw mae'n siŵr,
di ŵr hepgoradwy.

Blinaist ar ddwy dudalen
ynys y paradocsau,
yr 'Ambos Mundos' lle clywodd Hemingway
sŵn y clychau'n canu cnul.
Blino ar siantio'r *son* a'r *salsa*
sy'n cuddio mudandod llafar y *mujeres de blanco*
a'u gwrthdystio dieiriau.

Yn nau fyd dy Havana – mae 'na rai
sy'n ofni'r dyfodol,
a rhai'n ei herio,
ond fawr neb nad yw'n ei weld
yn rhythu trwy bosteri'r gorffennol
ar strydoedd y dadfeilio crand.

Ac wrth i'r ysgrifen wthio'i düwch hyd eu dwylo,
pan godir y ddalen i'r goleuni
bydd llythrennau d'enw
i'w gweld yn glir.

Esgidiau coch

Doedd rhosod cochion ddim yn ddewis
o Nadolig cyntaf ei gaethiwed;
prin y dewis i lanc o garcharor.
Ei fam, y nico ym marchnadoedd Prâg,
a'u gwelodd,
a'th ddychmygu'n hardd
yn lledr paentiedig
esgidiau coch ei serch.
Dy ddychmygu'n dawnsio i ddyfodol dianaf,
gan goleddu petalau ei edifeirwch.

Eu lapio, a'u hanfon, ar neges fach i Gymru,
lapio gwrid ei hymddiheuriad
ac anfon ychydig bach ohoni'i hun
ac o'i thorcalon.

Parsel y ffarwel olaf
o dan goeden ffug y dathlu.

Ni chlyw yntau rwygo'r papur
Na theimlo crechwen yn sathru'r petalau coch.

Y rhith ger Gellilydan

Ar wib trwy'r Gellilydan yr aem
ar fore gwlyb o Fai,
ac wele hwn ar fin y ffordd,
a glaw'r gwanwyn yn oeri'i waed.
Ai rhith a welwn o'm cerbyd clyd?
Un o glerwyr yr hen fyd
wedi camu eto i hel ei damaid
hyd lonydd y dwthwn hwn?
Llipryn Llwyd o ddyn
mewn clogyn llwytach
a chwfl dros ei glustiau,
llwydni ym mhob plyg,
a glesni newydd ddail yn ffrwd
o wanwyn gwlyb o'i amgylch.
Ai un o Frodyr Llwyd ap Gwilym a ddaeth
a'i fryd ar suro hwyliau ymwelwyr gŵyl y banc?
Ai ynteu frawd o'r Ddinas a'i fras fyd
yn deilchion o'i ôl?

Ynteu ai surni'r Atomfa
oedd wedi fferru ei waed?

Dau ben-blwydd

Yn ogo'r pedwar ugain
    roedd 'na stôr, roedd 'na stad
'rôl hir gywain;
roedd trysor i'w agor yn hon.
Seiat o leisiau'n atsain
a lluniau a rhithiau teulu ac ardal eang;
storïau fu'n stwyrian wedi'u casglu'n gymen
a'u gosod mewn cistiau hyd y parwydydd.
Hithau'n rhannu balchder diferion
ei hanes, ac yn goleuo'r llwybr
i gâr a dieithryn
at leiniau'r gorffennol.

Ond heddiw, at enau'r ogof
y deuwn. Ac er holi
o ble daeth y maen
i dagu ffrwd yr hanes,
ni ddaw ateb.
Er ceisio codi'r llen, ni welwn y lluniau.

Er bod y trysor yno o hyd
a'i leiniau mor loyw iddi hi ag erioed
yn ogof fud y naw a phedwar ugain.

Trên i Ravensbrück

Ar ôl gweld y rhaglen am daith Heini Gruffydd a'i ferch Nona Gruffydd-Evans i'r
gwersyll garchar lle bu farw mam-gu Heini, Käthe Bosse, fis Rhagfyr 1944, chwe
wythnos wedi iddi gyrraedd.

Daethoch yma i'r un fan â hithau
ar y daith anorfod i gwrdd â'ch gorffennol,
a ias oer yn eich calonnau.
Ac roedd hi'n wyn gan eira.
Yn rhy bert o wyn.

Pam mae eira'n wyn?
A golau o ran hynny?
A marwolaeth.
Ai gwyn yr eira y Tachwedd hwnnw
pan gyrhaeddodd trên y gaethglud,
y trên aeth â'r golau o'r byd?
Ai gwyn wedi troedio'r miloedd diniwed
tua'r cytiau a'r babell enfawr
y gaeaf iasol hwnnw,
a hithau'n dyheu am y diwedd?

Roedd cwestiynau'n brathu eich calonnau chithau,
am y newyn, yr oerfel, y caledwaith.
'Mae llu o gwestiynau:
rhy brin yr atebion.'

A chwestiynau eraill,
yn nhawelwch y trên wrth ddychwelyd,
cwestiynau a ofynnir hyd byth,
am Rwanda, Srebrenica,
Ravensbrück.

Lle mae'r eira'n wyn o hyd.

Y glanaf newid

Mae'n edrych arnaf
â golau diwrnod newydd yn ei lygaid,
a gwn fod yno rin
sy'n hŷn na genynnau'i hil,
glanach na chân y gwanwyn,
taerach na tharo'r don ar draethau'r cof –
y rhin sy'n troi patrymau'n byd a'n bod
yn llafn o gariad.

Barcud fyth

Englyn: Dysgwr

BEIRNIADAETH TUDUR DYLAN JONES

Derbyniwyd 52 o englynion i'r gystadleuaeth, a'r rhan fwyaf wedi dewis canu i ddysgwr y Gymraeg. Ychydig iawn oedd wedi dewis delweddu'r testun, neu ganu i ddysgwr mewn maes ar wahân i iaith.

Roedd gwall neu wallau mewn deuddeg englyn. Mae gan *Canhwyllbren* dri englyn ond nid yw hyd yn hyn wedi meistroli'r gynghanedd. Gresyn nad oedd *Tadcu* wedi sylweddoli mai chwe sillaf sydd yn ei linell: 'A mi'n hen nawr mae nhw'. Byddai 'minnau'n' yn cywiro'r nam, ac mae angen 'maen nhw' ar ddiwedd y llinell. Mae gan *Iori* wyth sill mewn llinell, ac rwy'n siŵr mai 'fynnu' oedd *Twm* wedi'i fwriadu yn lle 'fynni' yn y llinell: '... fynni cael dysgu, a do ...'. 'A fynnodd' ddylai fod gan *Dai* yn lle 'y mynnodd' yng nghyd-destun ei englyn. I'r llygad, mae cynghanedd lusg yn y llinell 'A thrilliw efaciwi,' gan *Castell Nain* ond mae'r acen yn dod ar y sillaf olaf, sef efaciwî, ac felly'n ei gwneud hi'n anghywir. Mae'r toriad yn anffodus ar ôl y chweched sillaf yn y llinell gyntaf gan *Iolo* a *Petrus*, sef amrywiad ar yr un englyn gan yr un bardd. Mae'r acen ar y bedwaredd sillaf yn ail linell *Nantyfydfa 2*. Enw benywaidd yw 'cail', yn golygu corlan neu braidd ac felly onid 'y gail' a ddylai fod yng ngwaith *Hen Fugail* yn lle 'y cail'? Byddai hynny'n amharu ar y gynghanedd. Mae gwall technegol yng ngwaith *Ceiri*, sy'n drueni mawr gan fod ganddo englyn da. Gwaetha'r modd, yn y llinell: 'Ond rhannu â lladrones', mae 'rh' yn caledu 'd' fel y mae 'h' yn ei wneud.

Mae'r englynion nesaf yma wedi'u cynganeddu'n gywir ond efallai y byddai angen sicrhau mynegiant tynnach neu ddyfnach gweledigaeth i gyrraedd yn uwch yn y gystadleuaeth. Yr un bardd yw *Caleb* ac *Aron*, ac mae'n ganmoliaethus iawn tuag at y dysgwyr, ond efallai y gellid dod o hyd i ffordd fwy cynnil o drosglwyddo'i neges. Mae gan *Dalati* ddau englyn hefyd ac mae'n amcanu'n dda yn y ddau. Ei linell orau yw: 'Llym yw'r dasg, llwm yw'r dysgwr'. Hoffaf y ffordd y mae *Dŵr* yn cynnal y ddelwedd yn ei englyn ond nid yw 'byw nwyd' yn talu am ei le. 'Nwyd' yw'r unig air gwan yn englyn *Yr wyf fi* hefyd. Mae englyn *Ceris* yn rhedeg yn rhwydd ond hoffwn fwy o awgrym yn hytrach na dweud. Mae nifer wedi taro ar y trawiad 'dysgwr ... dysgu ... dasgau', ac yn eu plith *Ar y Dalar* ac *Wlpan*. Byddai englyn *Owen* yn gryfach eto heb y geiriau haniaethol 'her' a 'hwb' a 'gobaith'. Hoffais newydd-deb englyn *Cadell* ac mae'n amcanu'n uchel. Trueni am y gair 'hoen' yn y llinell 'daw'r hoen i'th gystrawennau'. Ceir delwedd gref gan *Ag asgwrn yn ei cheg* ond nid wyf yn siŵr mai 'wendid' yw'r union air sydd ei angen yn y llinell: 'i hen wendid llong landeg'. Byddai englyn *Llyffant y gors* yn gryfach heb yr arfer o roi'r ansoddair o flaen yr enw, 'ein pur iaith'. Mae englyn cadarn gan *Disgybl am byth* ond nid yw'n glir at beth y mae'r rhagenw'n cyfeirio yn y geiriau 'o droi'i hafn'. Mae englyn *Pensiynwr* yn dechrau'n dda ond trueni am yr aceniad yn y llinell 'ar gae y we y mae modd', ac nid wyf yn siŵr o briodoldeb y cyfeiriad at 'jihad' yn englyn *Dyn dŵad*. Yn addas iawn, mae englyn *Rhaid cropian* yn dechrau'n dda ond erbyn iddo ddod i gerdded, mae'n baglu ychydig yn y llinell olaf. Mae syniad hyfryd gan *Caru Bach* yn sôn am blentyn yn dysgu iaith ond gwendid yr englyn yw'r 'aie gair' ar ddechrau'r drydedd linell. Cryfder englyn *Noa* yw'r esgyll: 'Gwibio â deilen gobaith/ o' fry mae colomen fraith', ac mae llinell glo *Sesame* yn gadarn iawn 'â'r Gymraeg, mae ar agor'. Ceir delwedd estynedig gref o'r dringwr yng ngwaith *Sherpa* ond nid wyf yn siŵr o addasrwydd y trawiad 'Alpau'r Wlpan. Mae syniad hyfryd yn englyn *Gwyddfid* ond nid yw'r ail linell, 'ar gwrs cael ei arddel', yn gwbl glir i mi.

Mae rhai llinellau unigol gwych yng ngwaith ambell un: 'Hwiangerddi ar gerdded' (*San Mamés*); 'Ledio wna i wlad newydd' (*Wiliam*); 'Camau mân a'u cymwynas' (*Dringwr*); 'roedd 'na ŵyr i'w ddynwared' (*O Enau Plant*); '... y ffordd hon / ffwrdd-â-hi ...' (*Prentis*). 'Agor i ragor o hyd' (*Nantyfydfa 1*); 'Yn dal i hel gydol oes' (*Casglwr*).

Englyn mwyaf gwreiddiol y gystadleuaeth yw eiddo *Didier Drogba*. Go brin fod y peldroediwr hwnnw wedi dysgu'r Gymraeg yng nghanol ei brysurdeb. Mae'i ddiffyg treiglo yn ychwanegu at ddoniolwch yr englyn: 'Ca'i dweud fy dalek-speak dwl,/ Wy'n dysgwr be ti'n disgwl?'

Mae'r englynion nesaf yn cyrraedd yn uwch am eu bod yn llifo'n haws ac, ar yr un pryd, yn trosglwyddo'r neges yn gofiadwy. Beio Ewrop a wna *Rowliwr* am geisio ein cael ni i gyd yn debyg, gymaint felly nes bod yr hen ffordd Gymreig o rowlio'r 'r' dan fygythiad hyd yn oed! 'Ofer i'r un pendafad/ warafun im 'R' fy nhad'. Fesul gair y mae adennill y wlad yw neges *Seisyll*: 'Fesul sill, adennill dôl ... a dwyn i ni wlad yn ôl'. Efallai ei fod yn ymestyn y ddelwedd ychydig yn rhy bell yn y llinell, 'Rhyw greigle ymhob rheol'. Parhad y cenedlaethau sydd gan *Brenig*. Gobaith sydd ganddo y bydd, i'r dysgwr, y geiriau'n dod '...i barhau/ yn antur i'w blant yntau'. Englyn teyrnged i Dic Jones sydd gan *Griff*: 'O gam i gam fesul gair – am goron/ ymgyrraedd yn ddisglair; ond y gost? Fyddi ond gwair/ yn sgidiau Rhos y Gadair'. *Rhos y Gadair* oedd ffugenw Dic Jones pan enillodd y Gadair ym 1976 ac mae'r syniad nad yw rhywun 'ond gwair' yn ei 'sgidiau yn drawiadol iawn. Serch hynny, pam 'coron', gyda Dic yn cael ei gysylltu gymaint â chystadleuaeth y Gadair? A beth yn union yw ystyr 'Ond y gost?' Manion mewn englyn y des i nôl ato dro ar ôl tro. Englyn sy'n rhedeg yn ddiymdrech yw englyn *Pererin Wyf*, a'r esgyll yn cloi'r englyn yn daclus: 'I hyfrydwch fe rodiaf/ o niwl nos i heulwen haf'.

Mae pedwar englyn ar ôl:

> Daw i ganfod, os myn godi – ei gaer
> a'n geiriau yn feini,
> na wêl ein cymdogaeth ni
> yn estron trwy'i ffenestri.
>
> *Bro Brawdgarwch*

Mae 'na gyfoeth yn yr englyn hwn. Mae'r gair 'gaer' yn annisgwyl gan mai codi 'caer' y byddai estron fel arfer yn ei wneud er mwyn bod ar wahân. Ond mae'r dysgwr hwn yn codi caer gyda'n geiriau ni. Caer o Gymreictod fyddai'r gaer hon ac nid caer i'n dymchwel ni fel cenedl.

Yna:

> Yn betrus, fesul cusan, daw o hyd
> i'w hyder a chyfran
> o eiriau, sy'n troi'n ara'n
> goflaid, â'i enaid ar dân.
>
> *Tafod y Ddraig*

Mae ôl saernïo celfydd ar yr englyn hwn. Mae'n dechrau'n betrus, gyda'r gusan, ond wrth ddod yn fwy cartrefol yn yr iaith, mae'r gusan yn troi'n goflaid, hyd yn oed dim ond â 'chyfran o eiriau'.

Wedyn:

> Hyd lôn yr iaith a'i theithi, – a'i geiriau'n
> droadau, yr ei-di
> nes daw'r 'L, o'i meistroli,'n
> rhan o daith llythyren 'D'.
>
> *Eilis*

Dw i ddim yn gefnogwr brwd o'r lusg wyrdro, ond mae *Eilis* yn cael maddeuant am y llinell gyntaf gan fod yr englyn mor newydd ei syniad. Cofied bod rhaid dweud 'eL' er mwyn y gynghanedd, a byddai rhai mae'n siŵr yn awgrymu nad yw'r ffordd Gymraeg o ynganu 'D' yn odli gyda'r brifodl, ond naw wfft, mae'n englyn da. Y nod yn y pen draw i'r dysgwr yw cael gwared â'r llythyren 'D' hyd yn oed.

Yn olaf:

> I fyd iaith, ef a deithiodd â hyder
> ac wedyn gafaelodd
> mewn cystrawen a gwenodd
> ar y rhai a'i gwnaeth yn rhodd.
>
> *Ffrind*

Dyma englyn yn llawn anwyldeb – a gwedd wahanol ar y testun, sef diolch y dysgwr i'r rhai sydd wedi trosglwyddo'r iaith iddo. Gallen nhw fod yn deulu, yn athrawon neu'n rhai sy'n barod i sgwrsio yn Gymraeg pan fyddai nifer o Gymry'n ei gweld hi'n haws troi i'r Saesneg. Cryfder pellach i'r englyn yw y gallai fod yn englyn am faban yn dysgu iaith. Mae'r gair 'gwenodd' yn awgrymu'r diolch y byddai'n ei roi i'w rieni, heb ddeall yn iawn eto'r fath gyfoeth y mae wedi'i dderbyn. Mae'n englyn cynnes, englyn ymddangosiadol syml, ac yn englyn sy'n llwyr deilyngu'r wobr.

Yr Englyn

DYSGWR

I fyd iaith, ef a deithiodd â hyder
    ac wedyn gafaelodd
    mewn cystrawen a gwenodd
ar y rhai a'i gwnaeth yn rhodd.

Ffrind

Pum englyn milwr: Englyn yr un i bum rebel

BEIRNIADAETH CERI WYN JONES

Mae gan y rebel le annwyl iawn yng nghalonnau'r Cymry – cyhyd â bod y rebel hwnnw neu honno'n parchu traddodiad! A 'sgwn i ai'r amwysedd hwnnw a barodd i'r wyth bardd a gystadlodd, namyn dau efallai, fod mor gonfensiynol eu hymateb i'r dasg o lunio englyn milwr yr un i bum rebel? Cofiwch, roedd hi'n dasg anodd. Prin iawn yw'r canu ar y mesur hwn y tu allan i awdlau eisteddfodol ac, fel arfer, mesur caniad, yn hytrach na mesur pennill unigol, ydyw. Ac roedd disgwyl cael pum pennill unigol y tro hwn. Roedd yn rhaid dechrau o'r newydd, felly, bump o weithiau. Roedd yn rhaid cyfansoddi pum cerdd. Cymherwch hynny â gofynion cystadleuaeth yr englyn unodl union. Diolch, felly, i'r dewrion a fentrodd arni. Doedd yr un ymgais yn anobeithiol. A dim ond un llinell wallus. Yr hyn oedd yn brin, serch hynny, oedd cyffro; ysbryd egnïol a heriol y rebel, yn wir. Dyma sylwadau ar yr wyth, ynghyd ag enwau'r pum rebel a ddewiswyd gan bawb yn eu tro.

Penyberth (Ghandi, Dafydd Iwan, Nelson Mandela, Gwynfor Evans, Saunders Lewis/ Lewis Valentine/ D. J. Williams – 'Ni ellir meddwl am y drindod yma ond fel un,' chwedl nodyn esboniadol y bardd). Nid ei rifyddeg yn unig sy'n datgan bod hwn yn un o rebels y gystadleuaeth. Na, ei benderfyniad i anfon pum englyn *penfyr* yn hytrach na phum englyn *milwr* oedd ei gic fwyaf yn erbyn y tresi!

Cannwyll (Owain Glyndŵr, John Penry, Dic Penderyn, Michael D. Jones, Emrys ap Iwan): Mae diffuantrwydd y teyrngedau hyn i'w edmygu ond treuliedig iawn yw'r ymagweddu a'r cynganeddu ('dwyster/ dystiodd', 'selog/ sylwedd', ayyb). Mae'r englyn a ganlyn i Michael D. Jones gyda'r mwyaf llwyddiannus, er y cymysgu delweddau yn yr ail linell a'r diffyg atalnodi pendant:

> Gymro da dy gamre di
> Oedd dân i'n cân mewn cyni,
> Heddiw nawr rwyt ffordd i ni.

Ffion (Saunders Lewis, Emyr Llew, Cayo Evans, Ffred Francis, Dafydd Iwan): Mae dwy linell agoriadol yr englyn i Dafydd Iwan yn dangos bod yma ddawn:

> Bri iti oedd dy brotest
> O gân, er y gwawd a gest.

Addawol hefyd yw dechrau'r englyn i Emyr Llew ond mae cyffredinedd y dewis o ferf yn y llinell olaf yn awgrymu nad yw *Ffion* yn fodlon ymlafnio i'r eithaf:

> A'r eira dros Dryweryn,
> Wele'r Llew ar lawr y llyn
> Yn gwylio brad y gelyn.

John Brown (William Price, Bobby Sands, Elvis, Oscar Schindler, Gandhi): Mae ymgais at beth newydd-deb gan hwn, hyd yn oed os oes straen ar y mynegiant weithiau, ynghyd â gwallau iaith ('ac o'i llwch mae tegwch ti', meddai am William Price). Yn sicr, mae'n ymdrechu i ddewis delweddau sy'n codi'n naturiol o'r hyn a wyddom am y gwrthrychau, fel yn achos yr englyn hwn i Bobby Sands:

> Yn dyst i'th herio distaw
> bu'r gwau ar furiau o'th faw,
> daeth rhyddid â glendid glaw.

Ela (Gruffydd ap Llywelyn, Gwenllïan/ 'Wentliane', Owain Glyndŵr, Dafydd ap Gwilym, Rhys Gethin/ Meibion Glyndŵr): Mae digon o gyffyrddiadau gloyw i awgrymu y gellid bod wedi cael gwell casgliad gan y bardd hwn ('aeres yr eryrod' yw Gwenllïan ganddo ac 'Un â ffordd mewn llwyn a pherth' yw Dafydd ap Gwilym). Yn sicr, mae ganddo syniad da bob tro ond nid yw'r gynghanedd yn rhoi mynegiant teilwng i'r syniadau hynny.

Merched y Ddrycin (Gwenllïan [merch Gruffudd ap Cynan], Lady Godiva, Emmeline Pankhurst, Becca, Buddug [BJ] James Jones): Yn sicr ddigon, roedd ysbryd y rebel i'w ymdeimlo yn y cynigion hyn. Ystyriwch naws a delweddaeth yr englyn hwn i Gwenllïan:

> Piau'r gwallt sy'n llapio'r gwair
> A'r chwys mor oer â chesair?
> O Dduw! rhyfelferch ddiwair.

'Sgwn i ai 'lapio' a fwriadwyd yn y llinell gyntaf? Ynteu a yw 'llapio' yn air tafodieithol? Dw i ddim yn siŵr 'chwaith pa mor addas yw ergyd glo'r englyn i Emmeline Pankhurst, sef 'Hi bisodd dros bob asyn!'

Gwerinwr (Twm Siôn Cati, Sioni Sgubor Fawr, T. E. Nicholas, Emrys Hughes, A. S., Julian Cayo Evans): Cawsom englynion mwy graenus gan hwn, ynghyd â rhai trawiadau gwirioneddol gofiadwy: 'Llwyfen rhwng pinwydd Llafur' oedd Emrys Hughes, meddai. Ac, yn un o englynion unigol gorau'r gystadleuaeth, dyma Julian Cayo Evans ganddo:

Er dal baner yr eryr
Ni bu ond bygythiad byr
A difwled ei filwyr.

Serch hynny, mae gwall gramadegol yn yr englyn i Sioni Sgubor Fawr wrth
iddo sôn am Sioni'n 'cael gorweddfa/ Ym mynwent 'sha Tasmania.' 'Mewn
mynwent' sy'n gywir, mae'n siŵr. A hytrach yn gyffredin yw'r englyn i
Twm Sîon Cati.

Che: Gan hwn y cafwyd y rhywbeth gwahanol hwnnw a ddisgwyliwn
mewn cystadleuaeth fel hon: y myfyrio amgen a'r dweud mwy
anghyffredin. Nid oes teitlau i'w englynion. Yn hytrach, beth a gawn yw
pum portread o ddyn ar wahanol adegau o wrthryfel yn ei fywyd; o'r
crwtyn dwyflwydd oed sy'n herio drwy daflu uwd, i'r hen ŵr sy'n dal i
brotestio wrth fynd i'w fedd. Dyma dechneg nid annhebyg i un Jacques yn
As You Like It â'i *seven ages of man* enwog. Dyma greu undod annisgwyl,
felly, ynghyd â chyfle i fynd i'r afael â hanfod y rebel mewn modd mwy
agosatom. Nid oes yma'r teyrngedu mwy cyffredinol, hyd braich ac
ystrydebol sy'n nodweddu trwch cynigion y gystadleuaeth hon. At hynny,
mae mwy o ffresni yn y dweud a'r cynganeddu, yn arbennig felly yn yr ail
englyn rhagorol. Teg dweud hefyd fod yma orymdrech weithiau, a bod
angen berf ddeusill yn hytrach nag 'ollynga' yn ail linell ei englyn cyntaf er
mwyn medru cynnwys y geiryn rhagferfol priodol.

Does dim amheuaeth gen i nad *Che* sydd orau, a'i fod yn deilwng o'r wobr.

Y Pum Englyn Milwr

ENGLYN YR UN I BUM REBEL

Mae her ymhob diferyn
o'r uwd ollynga'r adyn
o'i lwy, a 'mond dwy yw'r dyn.

* * *

Dy wallt hir a'r dillad tyn
di-steil a ddeil i ddilyn
delwedd, fy nghyw oedolyn.

* * *

Yn y rêf, yn sbri'r ifanc,
daw addewid i ddianc
canol oed unig hen lanc

* * *

Er brwydro, Cymro i'r carn
sy'n glaf yng nghornel tafarn,
yno fyth yn rhannu'i farn.

* * *

Di-fudd yw dy rybuddio
rhag d'eiriau gwag di-wyro –
geiriau wast ŷnt dan y gro.

Che

BEIRNIADAETH TWM MORYS

Mae hi'n braf gweld mesurau caeth heblaw'r Tri Mesur Tragwyddol yn cael sylw yn y Brifwyl! Yng Nghas-gwent yn 2004 cynigiwyd £100 am un englyn milwr bach, ac roedd y beirniad, Dic Jones, yn canmol y Pwyllgor Llên am ei fenter. Yn y Bala, gofynnwyd am *bum* englyn milwr. Ac eleni yng Nglyn Ebwy, gofynnir am bum englyn milwr *a* phum englyn penfyr.

Hen iawn ydi'r englyn penfyr. Hwn, ynghyd â'r englyn milwr, ydi mesur Canu Llywarch Hen, er enghraifft. Wedyn, daeth yr englyn unodl union a bwrw'r penfyr i'r naill ochr. Yr unig wahaniaeth mydryddol rhwng y ddau ydi mai un llinell yn lle cwpled sydd yn esgyll y penfyr. Ond mae'r ddau ar gownt hynny yn 'cerdded' yn wahanol iawn i'w gilydd. Ac os oes gofyn canu'n gynnil ar fesur pedair llinell, mae gofyn canu'n gynnil iawn ar fesur tair llinell.

Chwech sydd wedi mentro, a chalonogol iawn ydi'r safon o gofio cyn lleied o ganu a fu ar y mesur ers mil o flynyddoedd! Dyma air am bob un:

Eigiau: Dewisodd ganu cerdd bum pennill i'r teulu fel 'tŷ ar y graig', yn hytrach na phum englyn unigol. Mae hi'n gerdd gron a gorffenedig oherwydd bod y ddelwedd yn cael ei chynnal drwyddi. Ond siomedig, braidd, ydi'r diweddglo clodwiw ond rhyddieithol, yn enwedig gan fod yr englyn cynt mor afieithus.

Os yw'r het yn ffitio: Mae dau fardd wedi dewis canu i adar. Teulu'r *cordivae*, neu'r brain, sydd gan y cystadleuydd hwn. Mae ganddo englyn yr un i'r bioden, y gigfran, y jac-do, yr ydfran a sgrech y coed. Da iawn ydi'r englyn i'r jac-do, 'a fagwyd/ Drwy fwg fel ei linach', a'r gwrthgyferbynnu difyr rhwng lliw gwyn ei nyth a'i liw du o. Ond dydi'r safon ddim cystal drwy'r englynion. Dyna englyn y gigfran, er enghraifft: yn un peth, mae llusg yn llinell glo hwn ac ni cheir llusgo yn llinell glo yr un mesur! Ond, hefyd, mae'r dweud yn ddryslyd, braidd. Ai'r 'deryn sy'n dweud 'mi wn'? Does dim lle i niwl yn y penfyr. Mae atalnodi eglur yn help i'w gadw draw!

Brython: Dilyniant o englynion adaryddol lle mae'r bardd yn sôn, â sêl un cyfarwydd, am nythaid o gywion y llinos 'ar y clawdd yng ngodre'r clos'. Mae 'r bardd yn sicr ei grefft, ac effeithiol iawn ydi'r goferu o un englyn i englyn arall. Iawn, am wn i, oedd llusgo 'Neuadd Mynytho' i ganol y gerdd, gan ei bod yn cynganeddu â 'nyth', ac yn dwyn i go'r englyn enwog am gariad a chyd-ddyheu. Ond mi ddylai *Brython* fod wedi gweithio mwy ar ei ddiweddglo, yn fy marn i. Ai 'atgofion' ydi'r gair priodol i sôn am ofn greddfol 'deryn?

Ffos y Broga: Teyrnged i deulu Bryngwyncanol, Ceredigion – gŵr a gwraig, a brawd honno. Bu farw'r tri o fewn dim i'w gilydd yn ôl nodyn bach rhagarweiniol. Efallai y dylid bod wedi ceisio rhoi'r wybodaeth honno mewn englyn. Geiriau cynta'r deyrnged ydi 'teulu od', ac mae'n drueni, yn fy marn i, na fuasai'r bardd wedi taro ar well ansoddair, a gadael i ni benderfynu a oedd teulu Bryngwyncanol yn od neu beidio. Mae yma ganu cynnil iawn: hoffwn wybod beth oedd y 'pwn' a gariai'r gŵr dros y mynydd 'i roi hwb i'r Gymru rydd'. Hyfryd wedyn ydi'r englyn telynegol i'r brawd. Ond mae'r wraig, 'merch y dramâu', yn haeddu gwell llinell na 'heno ni chawn docynnau ...' Hoffais yr englyn clo:

> A hanes Bryngwyncanol – ddiflannodd
> O flaen fflach y wennol
> Yn bennod drist ar ben trol.

Gwydion: Gwnaeth englyn yr un i fam, tad, nain, mab a merch. Mae'n cynganeddu'n rhwydd braf. Hoffais yn enwedig englyn y tad ac englyn y mab. Ond mae 'chydig bach o niwl eto yn englyn y nain! Y syniad ydi bod modd darllen profiadau yn wyneb rhychiog yr hen wraig ond chwithig ydi 'y wefr rhwng y cloriau / A rowch yn nhlysni'r rhychau'.

Huw: Fel y gwelsom, does neb yn y gystadleuaeth wedi penfyrru'n wael ac mae ambell un wedi cael hwyl garw. Ond mae *Huw* yn anfarwol o benfyrrwr! Mae wedi dehongli'r testun mewn ffordd gwbl wahanol i bawb arall, fel y cewch weld. Mae wedi defnyddio'r mesur yn llwyddiannus iawn i greu ymson cwbl naturiol ac mae ei gynganeddu mor rhugl a diymdrech nes bod rhywun yn anghofio'n llwyr amdano. Does ganddo'r un llinell wan na gwastraffus. Does dim niwl ar gyfyl ei englynion. Ac ar ben hyn i gyd, mi wnaeth ei gerdd i mi chwerthin yn uchel! Mae hynny'n dipyn o gamp. Prin iawn ydi cerddi cynganeddol gwirioneddol ddoniol.

Os oes angen prawf fod diben eto i hen fesur yr englyn penfyr, dyma fo! Gwobrwyer *Huw*.

Y Pum Englyn Penfyr

TEULU

Ni wn i ddim am fy nhad, – dim yw dim,
A dyma fy nghasgliad,
Na fu aros yn fwriad.

Fe'th garaf, mam, heb amod. – Oes eisiau'r
Prosesiwn ewythrod
Yn dy dŷ yn mynd a dod?

A hefyd, dyna ryfedd, – yn gyson
Fe gawsom beth wmbredd
O drwbwl gan fodrybedd.

Rwy eto'r unig grwtyn; – er hynny
Rwy'n ryw hanner perthyn,
Yn ôl rhai, i lawer un.

Mae hynny'n ddigon i'm llonni, – gwybod
Fod gobaith y caf i
Eu hel nawr i'n teulu ni.

Huw

Cywydd i gyfarch pencampwr Cymreig

Mewn cystadleuaeth lle mae gofynion y grefft yn gryf, mae cywirdeb yn siŵr o gario tipyn o bwysau yng nghlorian y beirniad. Ond mae mwy i 'gywirdeb' nag ateb pob llythyren yn yr un drefn, cynnal odlau rheolaidd a chyfri' sillafau. Testun cywydd mawl a osodwyd eleni ac mae trefn arbennig i ganu mawl yn y Gymraeg ers canrifoedd lawer – mae gofyn canmol arbenigedd yr arwr drwy fod yn ddyfeisgar ac yn drawiadol o ran mynegiant. Mae'r gorau o un gamp yn galw am y gorau y gall crefft y bardd ei chynnig yn ogystal.

Mi allasai 'Pencampwr' fod wedi cynnig themâu ehangach na byd chwaraeon – hwrdd Cymreig neu darw du, er enghraifft – ond dau gywydd i sêr y campau a gafwyd. Mae *Owain* a *Rhys* wedi canu dau gywydd tebyg – tri phennill tri chwpled yr un, y naill i Joe Calzaghe a'r llall i Nicole Cooke.

Mae'r ddau gywydd yn ychwanegiadau taclus ddigon at gorff ein canu i fyd y campau ond prin yw'r arbenigedd ynddynt. Bodlonir ar ansoddeiriau ac ymadroddion llac eu gafael (yn eu cyd-destun) fel 'ffraeth', 'hoff', 'di-ffael', 'uffarn o ddyn' (gan *Owain*) ac 'arbennig', 'llawen', 'mwyn', 'ciwt', 'llawn nwyd', 'mewn dedwyddyd' (gan *Rhys*). Mae'n ddrwg gen i, ond mae'n rhaid i minnau fodloni ar atal y wobr.

Telyneg: Machlud

BEIRNIADAETH GWYNNE WILLIAMS

Darllenais mewn cylchgrawn yn ddiweddar nad oes yr un olygfa sy'n fwy deniadol i ffotograffwyr na machlud lliwgar. Na 'chwaith yr un testun sy'n ennyn mwy o siom pan welir y canlyniadau ar gerdyn neu sgrin yn ddiweddarach. Rhestrwyd nifer o resymau am hyn gan gynnwys y ffaith fod pob machlud yn cynnwys cymaint o wahanol elfennau nad ydy hi'n bosib eu dal ynghyd. Ond y perygl mwyaf ydy'r ffaith fod machlud mor gyffredin. O ganlyniad, rhaid i unrhyw adlewyrchiad llwyddiannus ohono fod yn hollol anghyffredin. Dyna pam, meddid, y gall edrych ar albwm o luniau ffrindiau a fu ar eu gwyliau weithiau droi'n fwrn.

Edrych drwy albwm o 31 o luniau o fachlud oedd y gorchwyl a osodwyd i mi a theimlaf fod y sylwadau uchod yn berthnasol. Fodd bynnag, mae gan y sawl sy'n creu efo geiriau un fantais fawr rhagor y sawl sy'n gwneud dim ond pwyntio'i gamera at yr olygfa. Gall y bardd weld mwy nag un machlud ar y tro a chyfleu machlud naturiol, dyweder, efo machlud bywyd person neu gymdeithas, neu genedl neu iaith. Achos ar ddiwedd y dydd y mae machlud i bob peth dan yr haul! Ond onid yw'n llwyddo i lunio hynny'n undod artistig, fe fydd ei gerdd mor farw-anedig â'r lluniau siomedig a ddaw yn ôl o siop y datblygydd.

Ar ôl rhyw ddau ddarlleniad, roedd gennyf dri dosbarth ond gan fod y llinell rhyngddyn nhw'n annelwig penderfynais gadw'r dosbarthiad er mwyn fy hwylustod fy hun yn unig. Dyma felly sylwadau ar bawb fel y daethon nhw o'r swyddfa fwy neu lai.

Pryd mae telyneg yn peidio â bod yn delyneg, deudwch? Ydy saith cwpled o gywydd neu bedwar englyn milwr yn delyneg? Nac ydyn, ddywedwn i, ond doedd dim rhaid i mi golli cwsg yn poeni am hynny gan nad oedd meistrolaeth *Yswidw* ac *er lles* o'u cyfrwng anodd yn ddigon i gyflwyno'u gweledigaeth o'r machlud yn foddhaol a chofiadwy.

Gweld y machlud drwy lygaid Harri Patch, y tyst olaf trist, i 'law didrugaredd yn Passchendaele' a wna *Brychan* yng nghorff ei delyneg cyn ei uniaethu â gweledigaeth adnabyddus Hedd Wyn o Dduw'n diflannu dros y gorwel. Ceir cyferbyniad effeithiol hefyd rhwng y cofio ingol hwn a 'ffuantrwydd fflach' Dydd y Cofio'n 'rhamantu'r cignoethi yn y ffosydd brwnt'. Roedd hon yn agos i'r brig ond oni fyddai'n gryfach o roi 'wedi' yn lle'r 'yn' yn y llinell olaf?

Pe bai'r wobr yn cael ei rhoi am gyflwyno artistig, yna fe fyddai *Mwg* yn mynd â hi am waith dylunio cyfrifiadurol cain. Ysywaeth, cystadleuaeth lenyddol ydy hi a dim ond yn ysbeidiol y daw gwreichion o dân y sipsi i oleuo'r 'olygfa ramantus ... ar gynfas yr hwyr'.

Cododd pennill agoriadol *Rhedyn Aur* fy nghalon. Mae'n syml, ac er nad oes dim newydd ynddo mae'n llwyddo i argyhoeddi ac i baentio darlun byw o fachlud haul ar fôr. Ond yn y pennill nesaf mae'n syrthio ar ei ben ac yn dweud ei fod yn 'llun godidog'. Roedden ni eisoes yn gwybod hynny! Ac o hynny ymlaen mae'r bardd yn troi yn ei unfan.

Fe osododd *Un o'r lleiafrif bellach* hualau arno'i hun trwy lunio pedwar cwpled oedd yn dwyn i gof rigymau'r bardd o'r Rhyd-ddu. Cryfhawyd yr argraff i raddau gan yr eirfa yma ac acw. Er hynny, rhaid dweud bod y ddau bennill olaf yn llwyddo i daro naw – 'nid dod ar ymweliad a wnaeth, nid rhyw hoe,/ ond i dreulio pob fory, a heddiw a ddoe/ a'r llenni noswylio a ollyngwyd ers tro,/ sy'n mygu fy heniaith a newid fy mro'.

Machlud bro a welodd *Llywarch* hefyd ac mae ei delyneg yntau ar ffurf cwpledi. Ac adlais cynnil a bwriadol o Ganu Llywarch a'r gaeaf yn diffodd goleuni'r tai. Hoffais y pennill – 'Trosi idiomau mor hen â'r Gododdin/ A dyfai o'i fynydd fel y grug a'r eithin'. Hyfryd.

Mae ymgais *Hen deithiwr* yn gynnil iawn ond mae'r hyn a gyflëir wedi ei ddweud yr un mor gynnil 'o dro i dro' ac er bod y rhythm yn plesio ar y cyfan, mae'r odlau braidd yn gyffredin.

Er bod pennill cyntaf telyneg *Haulfryn* yn weddol addawol, fe bylodd yn yr ail bennill ac er fy mod i'n meddwl 'mod i'n deall trywydd y pennill olaf, nid oedd yn glir o bell ffordd. Ac roedd un gwall gramadegol difrifol yn y llinell olaf ond un – 'i'w ddychwelyd' nid 'i'w ddychwel' sy'n gywir.

Ofnaf mai cwbl ystrydebol ydy ymgais *Iago* – er enghraifft, pan ddywed ei fod wedi colli geiriau olaf rhywun annwyl am ei fod wedi 'ei chyrraedd *braidd* yn hwyr'. Ac ofnaf nad oedd uchafbwynt y delyneg yn rhoi boddhad 'chwaith.

Dau'n gwahanu ydy'r machlud i *llenni'r hwyr*. Mae'r bardd yn gadael i ni ddefnyddio'n dychymyg i benderfynu pa fath o wahanu ydy o, ac mae hynny i'w ganmol. Fodd bynnag, mae ei linell 'gyson, ddiffwdan, ddifflach' yn anffodus yn disgrifio'i gerdd.

Er imi wneud fy ngorau i ddilyn rhediad cerdd *Broc*, rhaid i mi gyfaddef na lwyddais o gwbl i weld ei ddelwedd ganolog o'r machlud fel 'banciwr hy' heb sôn am ymadroddion fel y noson yn 'glorian drom sy'n sarnu dros y gorwel'.

Fe fydd ambell fachlud, boed dros fynydd neu fôr, yn aros yn y cof am fod rhyw elfen fach yn wahanol ac wedi eich taro chi yn eich talcen. Gall fod yn sgrap o gwmwl neu'n siâp anarferol sy'n trawsnewid yr olygfa ac yn gwneud y cyffredin yn anghyffredin. Dyna'r effaith a gafodd cymhariaeth *Fy mrawd* arnaf – 'Rhywle mae'r haul yn mynd i lawr / Fel mêl i'r môr.' Gwaetha'r modd, dyna'r unig fflach a gafwyd mewn telyneg weddol faith a rhaid i mi gyfaddef 'mod i'n cytuno'n llwyr efo syniad y llinell olaf – 'O, gad i mi fynd ... nawr'.

Mae crefft farddol ddigamsyniol yn nhelyneg *Edifeiriwr* o ran amrywiaeth ei linellau ac mae patrwm ei odlau'n ddigon pert er bod yr odlau eu hunain braidd yn gyffredin. Ac ar ben hynny, mae'r syniad yn dreuliedig ac wedi ei fynegi'n llawer mwy cywrain a chofiadwy mewn ugeiniau o ganeuon serch dros y blynyddoedd.

Rhaid i mi gyfaddef fy mod i, fel *Meudwy*, yn cael rhyw bleser o wrando ar y rhesi o enwau llawn rhamant a ddarlledir bob nos ar gyfer morwyr sy'n crwydro'r moroedd. Cefais bleser felly o ddarllen ei delyneg sy'n rhestru'r enwau trymlwythog hyn ond, er gwaethaf ei feistrolaeth ar ei gyfrwng, dw i'n amau rywsut a oes digon o wefr yma i foddhau rhywun nad ydy'r enwau hyn yn apelio atyn nhw yn yr un modd.

Un arall a welodd ddau fachlud yn un ydy *Cai*. Â'r dydd ar drai, mae'r bardd ar yr aelwyd yn syllu i'r tân ac yn gweld pryd a gwedd yn y fflamau. Credaf fod deunydd telyneg rymus yma ond bod gofyn ei ehangu a'i ddatblygu dipyn mwy.

Doedd dim fflach o gwbl ym machlud *Iolo*. Mae pob ansoddair yn ystrydebol – 'moel', 'diarffordd', 'hir', 'dedwydd' a doedd dim byd arall yn y darlun i gyfiawnhau am hyn.

Er bod gwrthgyferbyniad a syniad derbyniol gan *Esgair Llyn*, braidd yn rhyddieithol ydy'r mynegiant ac mae angen llawer mwy o waith cyn y ceir undod.

Yn anffodus i *Menna Lili*, fe anwybyddodd gyngor Syr John Morris Jones i ddefnyddio'r gair 'grudd' yn hytrach na 'boch'. Does dim byd o'i le yn hynny – mae'n dibynnu ar y cyd-destun, wrth gwrs. Fodd bynnag, wedi sôn am ffarmwr iach yr olwg yn y pennill cyntaf a'i gaeau cymen a'i greaduriaid graenus, mae'n swnio'n chwithig, a dweud y lleiaf, i ddarllen bod 'arwydd iechyd yno'n groch / Fel gwrid y machlud ar ei foch'! A doedd pethau fawr gwell ar y truan wedi i'w wraig a'i deulu ei adael ac i'w iechyd dorri oherwydd 'nid lliw'r haul yw'r hylltra coch/ Sy'n wrid anghynnes ar ei foch'!

Mae'n siŵr gen i y byddai Syr John wedi ymgroesi a thaflu telyneg *Rhy Hwyr* i'r fasged sbwriel ar ei phen – a'r bardd ar ei hôl hi, synnwn i fawr! A synnwn i ddim nad dyna fy nhynged innau wrth ddwylo'r Pwyllgor Llên pe rhoddwn y wobr i delyneg sy'n agor yn glasurol yn niwloedd y canrifoedd ond sy'n 'slipio'n ffastach,/ ffastach' i'r iaith fain cyn cloi efo llinell Saesneg. Ond oni bai bod un neu ddwy o delynegion a'm bodlonodd yn fwy, mi fyddwn i'n falch iawn i'w gwobrwyo oherwydd machlud yr iaith a gyflëir ac mae'r newid yn hollol naturiol a'r Saesneg yn y cyd-destun hwn yn hollol anorfod.

O leiaf mae golwg newydd ar y cymoedd diwydiannol yn nhelyneg *Eli*. Ynddi daeth gwrid y machlud dros bob cwm pan ddarfu'r diwydiannau trwm. Ond ofnaf ei fod yn ymddangos i mi yn fwy addas ar gyfer pamffled etholiadol nag mewn telyneg.

Dweud ei ddweud yn dwt iawn a diffwdan a wna *Sam* ac o ganlyniad ceir darlun twt a diffwdan o Ystrad Fflur – mangre sydd wedi ei ddarlunio droeon yn llawer mwy trawiadol a chofiadwy eisoes.

Machlud meddwl a chof hen forwr a welodd *Gwern* a diolch i'w ddychymyg a'i gelfyddyd rydyn ninnau'n gweld ac yn dilyn yr hen ŵr wrth iddo grwydro o'i gadair lonydd; gallwn ei glywed yn brathu'i getyn a theimlo'r gwynt ar ein gruddiau a'r heli yn ein ffroenau wrth i'r trobwll 'ddiflannu yn ei gwpan de'. Mewn geiriau eraill, roeddwn i'n teimlo 'mod i wedi profi machlud go iawn er nad oedd yr hen ŵr wedi symud oddi wrth y ffender.

Cymysglyd braidd ydy telyneg *Rhyd goch*. Er enghraifft, ni wn at bwy neu beth y mae'r 'holl gochni' yn y llinell gyntaf yn cyfeirio ac mae nifer o frychau iaith a chystrawen yn dod i'r amlwg yn y pennill olaf.

Am wn i nad *Graig Las* a lwyddodd orau i lunio'r hyn y byddwn i'n ei galw'n delyneg adleisiol sef yr ail bennill yn rhoi gogwydd gwahanol i'r hyn a fynegwyd yn y pennill cyntaf. Mae'r arddull yn gryno ac yn dwyn i gof amryw byd o benillion telyn. Ond dydy hynny, ysywaeth, ddim yn ddigon.

Mae'r un peth yn wir efo *Siriol* sy'n hiraethu am gymar sydd wedi marw. Ond ym mha sawl gwaith o'r blaen y gwelwyd yr haul yn diflannu 'o'r wybren yn waedlyd ac euraidd' neu'r wawr yn 'gloywi'r wybren'?

Mae *Riwbi* yn cyflwyno'i thelyneg i'r 'mamau oll sydd â'u plant wedi mynd ar goll'. Ac mae'r agoriad penigamp yn dangos yn eglur fod gwreiddyn y mater ganddi – 'Bob nos/ pan fo'r haul yn suddo,/ a'r cysgodion/ yn gwisgo cotiau i'r coed/ daw'r gwyll i roi clawr/ ar ddiwrnod arall gwag'. Gwaetha'r modd, ni theimlais ddim o ing y golled yng ngweddill y gerdd – yn union fel pe bai'r bardd wedi cael y syniad o bapur newydd neu fwletin ar y teledu yn hytrach nag o brofiad.

Er nad oedd yr ymadrodd agoriadol – 'Ar bwys y llidiard heno' – yn addawol iawn, credaf fod addewid yn nhelyneg *Lowri* gan ei bod hi wedi gwneud ymdrech i uniaethu colli ei chariad â machlud diwetydd. Gwaetha'r modd, roedd y clo mor ystrydebol â'r dechrau.

Telyneg o ddau bennill chwe llinell yn odli a, b, a, b, c, c a heb sill o'i le a gafwyd gan *Cyn Gweled Gwawr*. Ac, ar yr un pryd, nid oedd yr un gair yn sefyll allan 'chwaith na dim i gynhyrfu'r dychymyg.

Anodd anghytuno â'r teimlad sydd y tu cefn i ymgais *Henborth*, sef machlud bywyd Mam un bore. Fodd bynnag, dydy hynny ynddo'i hun yn ddigon os nad ydy'r dweud yn gelfydd ac yn ffres. Gwaetha'r modd, doedd hynny ddim i'w deimlo yma.

Mae arddull a rhythmau *Crwydryn* yn gweddu i'r syniad. Mae'r goferu o'r naill bennill i'r llall yn hynod o effeithiol wrth iddo ddisgrifio fel y gwelodd rywun deniadol yn sefyll yn yr arosfan pan yrrai heibio a chael ei demtio i stopio'r car ac aros i ymgomio. Ond aeth yn 'ei flaen i unman a hithau'n cilio i'r cysgodion'. Dyna dynged ei delyneg hefyd, ysywaeth.

Dyna'r albwm, felly, a doedd cael edrych drwyddo ddim yn fwrn o bell ffordd. I'r gwrthwyneb. Roedd dyrnaid go dda o feirdd yn dangos na ddaeth hi'n fachlud ar y delyneg eto er gwaetha'r holl ddarogan a fu ynglŷn â'i thynged rai blynyddoedd yn ôl. Pwy oedd y dyrnaid? Dydw i ddim am ddweud! Cewch chi ddyfalu o'r sylwadau uchod. Ond does dim amheuaeth gennyf o gwbl pa fardd a roes yr olwg newydd o'r machlud a'r wefr fwyaf i mi. A hynny o bell. Gwobrwyer *Gwern*.

Y Delyneg

MACHLUD

Mae'n gafael yn y llyw o'r gadair lonydd,
    Yn stwyo ac yn werio hyd y bae,
A simio'r gwynt, tynhau y rhaff a'i llacio
    Tra'n codi marciau oddi ar sgubor, corn a chae.

Mae'n tynnu pig ei gap i lawr o flaen y ffendar,
    A hefo'i lawes yn sychu'r sug o'i geg,
Yn brathu'r cetyn nes ei fod yn clecian
    Gan wyro i osgoi y bŵm a phoeri rheg.

Mae'n gweld yr adwy lle mae'r ras yn darfod,
    Newid tac, rhoi y tiler yn ei law dde,
Yr hwyliau allan o flaen gwynt, y glec yn aros
    A'r trobwll yn diflannu yn ei gwpan de.

Gwern

Soned: Llwybrau

BEIRNIADAETH CATHRYN A. CHARNELL-WHITE

Tyst i boblogrwydd y ffurf yw bod deunaw soned wedi dod i law yn y gystadleuaeth hon a'r rheiny'n ymateb i bosibiliadau niferus y testun gosod, sef 'Llwybrau'. Ceir blas ar ystod ddychmygus, ddeallusol ac emosiynol y testun yn y sylwadau isod ar bob soned unigol. Yn ogystal ag ymateb yn greadigol i'r thema, ymatebodd pob cystadleuydd i her arbennig y ffurf: ffurf hwylus yw'r soned sy'n galw am gynildeb ond eto cynigia ddigon o le i feirdd ymestyn eu cyhyrau barddol! Diddorol yw nodi bod pob un o'r cystadleuwyr wedi dewis y soned ar ei ffurf Shakespearaidd ac wedi cadw at ei gofynion i'r dim, sef datblygu deunydd ym mhob pedwarawd a chrynhoi'n drawiadol yn y cwpled clo. Ceir sawl enghraifft hefyd sy'n rhannu'r deunydd (neu'r ddadl) rhwng yr wythawd a'r chwechawd, yn ôl arfer y soned Betrarchaidd. Dyma, yn sicr, sut yr ymagweddai'r arch-sonedwr T. H. Parry-Williams, a diddorol hefyd yw sylwi bod ei ddylanwad ef yn amlwg ar safbwynt a naws nifer o sonedau'r gystadleuaeth hon. Gobeithiaf yn ddiffuant y bydd y sylwadau adeiladol sy'n dilyn, a'r cywiriadau pensil ar y copïau gwreiddiol, o ddefnydd i'r cystadleuwyr. Nid oes gennyf fwy o ragymadrodd na hyn, gan fy mod yn awyddus i'r sonedau siarad drostynt eu hunain.

Banc y Gwmrym: Dewisiadau bywyd yw craidd y soned hon sy'n mynegi siom yn sgîl dilyn llwybrau sy'n tynnu dyn o'i gynefin. Braidd yn amwys yw'r naratif drwyddi oherwydd aneglurder ynghylch union wrthrych a goddrych berfau: 'Deuant dros ysgwydd bryniau hen y co'/ Fel seirff yn euog droelli 'nôl drwy'r baw;/ Y rhai a'm hudodd o gynhesrwydd bro/ A'r afal, heb aeddfedu, yn fy llaw'. Awgrymir mai unigolyn arall a ddenodd yr adroddwr ymaith; felly, ai tyndra rhwng dewis y 'llwybr' priodol a 'rhywun' priodol a geir yma? Y mae'r amwysedd yn parhau ac nid yw'n eglur yn y cwpled clo, a'r adroddwr wedi dychwelyd i'w 'Eden lonydd lwys', ai'r llwybrau ynteu gysgod rhywun sy'n diflannu i'r niwl. Fel y gwelir oddi wrth y darnau a ddyfynnir uchod, ceir cyffyrddiadau trawiadol iawn yn y gerdd hon ond credaf fod angen tynhau ei rhesymeg fewnol er mwyn iddi gyflawni ei holl botensial.

Brychan: Cyfosodir llwybrau Mynydd Epynt ddoe a heddiw yn y soned hon trwy gyfrwng tystiolaeth menyw a fyddai'n paratoi'r capel ar gyfer gwasanaethau'r plygain, 'Nes gweld lanterni'n dod o bedwar parth ... Hyd lwybrau hyder gwyn dros drum a garth'. Daw'r ergyd yn y cwpled clo, sef bod milwyr estron a'u harfau bellach yn trampio'r llwybrau Cymreig. Arbrofir rhywfaint â ffurf y soned trwy lunio llinellau hirion yn y cwpled clo a'r effaith yw torri ar rythm cyson gweddill y soned mewn modd sydd, o bosibl, yn cyfleu trais y milwyr yn tarfu ar heddwch mynydd Epynt. Datblygir y naratif yn glir ond ai gorgymhleth yw'r amrywio rhwng adroddiad trydydd person ac araith uniongyrchol, ac a fyddai'r cyfanwaith yn rymusach o gael ei fynegi'n gyfan gwbl yn y person cyntaf?

Bwlch: Cynnal a chadw llwybr cul yr ysbryd yw pwnc y soned daer hon. Uniaethir defnydd llai mynych o lwybrau'r fro â chyfnod o drai ar grefydd. Hwyrach y gellid ailweithio'r pedwarawd cyntaf er mwyn osgoi drysu delweddau, sef llwybrau'r fro (tir) a dadfeilio'r llongau (môr)? Dygir i gof daith enwog Mari Jones ac fe'i dyrchefir yn esiampl i'w hefelychu. I gloi, ceir gwrthgyferbyniad medrus rhwng llwybrau ysbrydol a llwybrau daearol, ynghyd â goleuni'r Gair a thywyllwch bydol: 'Y llwybr cul yn agor yn y nos, / A'i cheiniog brin yn boeth ar gledr llaw. / Mae llusern i oleuo llwybrau'r llawr / I'w chael rhwng cloriau hen y Beibl mawr'.

Canhwyllbren: Yn y soned hon defnyddir 'llwybrau' fel delwedd: y mae goleuni saith deg o ganhwyllau ar deisen pen-blwydd yn consurio ym meddwl yr adroddwr y rhwydwaith o lwybrau a dramwyodd ar hyd ei oes. Llwyddir i weu dwy ddelwedd yn gyfrodedd tynn â'i gilydd, sef llwybr bywyd a'r gyfatebiaeth rhwng tymhorau'r flwyddyn ac oes dyn. Gwneir defnydd effeithiol o oferu brawddegau yn y soned ar ei hyd ond y mae odl y cwpled olaf yn gweithio'n well ar lafar nag ar bapur. Myfyrdod cadarnhaol ar ddiwedd oes yw'r soned hon ac nid oes awgrym o sinigiaeth ar ei chyfyl wrth iddi ddathlu bywyd llawn cynhesrwydd a bendithion: 'deg a thrigain oed – llawn yw fy ngwydraid'.

Cowlyd: Llwybrau bywyd yw pwnc y soned sionc a chalonnog hon. Datblygir y syniad syml (ond nid simplistig!) bod modd gweld llwybrau bywyd ar fap y cof. Wedi canolbwyntio ar hynt yr unigolyn (a gynrychiolir ar y map gan lwybr coch), dangosir gwedd gymdeithasol y patrymau ar y map: 'ac o bob tu, yn felyn, du, neu wyrdd ... fe'i croesid gan gyfarwydd lwybrau fyrdd / hen gyd-fforddolion hoff ...' Ychwanegir cyffyrddiad cartrefol hyfryd wrth enwi cymdeithion sydd hefyd yn dystion hyglyw i'r ffaith mai creadigaethau ein cynefin a'n cymdogion ydym oll ac un: 'a gwelid hefyd ar fy map ryw lun / o rwydwaith clòs, a'n lliwiau i gyd yn un'.

Cwmberach: Y llwybr olaf ar hyd taith bywyd, sef angladd tad yr adroddwr, yw pwnc y soned deimladwy hon. Symuda'r naratif fesul pedwarawd i ddisgrifio brodyr yn ysgwyddo arch eu tad ar hyd y llwybr o'i gyn-gartref i'r capel, 'ar hers eu cefnau hyd odre'r Tricharn' at 'hedd y bedd agored'. Dyma oedd dymuniad olaf y tad, ac adeiledir tyndra mewnol wrth i'r brodyr ddannod y daith symbolaidd sy'n mynd â hwy drwy gors lythrennol a throsiadol, 'cors ein lludded'. Gostegir y tyndra wrth gloi'r soned ar ben y daith trwy esbonio mai parch at eu tad a'u cymhellodd i ddilyn y llwybr anodd hwnnw: 'esgynnodd 'nhad ar ei freuddwyd i'r wybr'.

Eli: Yn y soned dynn hon defnyddir y llwybrau gweledig ac anweledig sydd yng nghysgod yr Eiger yn y Swistir yn drosiadol am gynneddf dyn i fentro. Ceir blas T. H. Parry-Williamsaidd wrth i'r adroddwr fynd â ni ar drywydd gwahanol ym mhob pedwarawd. Wedi mynegi'r tawelwch meddwl a ddaw o fod yn agos i fyd natur ar lwybrau cydnabyddedig, lleisir yr hunanfodlonrwydd a deimla yn sgîl mentro ar hyd llwybrau mwy heriol. Serch hynny, llwydda'r adroddwr i chwerthin yn dyner am ei ben ei hun am 'y rhyfygus fentro' hwn wrth ystyried 'yr anturus rai, neu'r ffôl' sy'n dilyn eu trywydd eu hunain, sef y 'llwybrau anweledig' ar uchelfannau'r creigiau. Try i ddathlu ac edmygu chwilfrydedd a beiddgarwch y natur ddynol yn y cwpled clo: 'Am fod chwilfrydedd dyn, a'i awch am fenter, / Yn diystyru pob rhyw fraw neu bryder'.

Hen Gono: Trosiad am fywyd a hynt perthynas ramantus yw llwybrau yn y soned gywrain hon. Defnyddir y tymhorau'n effeithiol fel drych i oes dyn, ac i gyfleu anterth a thrai'r berthynas ynghyd â'r ymdrechion taer i atal y dirywiad: 'Ond yn ein hydref tagai chwyn ein byd / ... dan ddail pob rhosyn llechai'n gudd sawl drain'. Cloir â chwestiwn sy'n caniatáu llygedyn o obaith: 'Fe ddaw y gwanwyn cyn bo hir i'r ddôl: / I ni, 'ddaw hud ein gwanwyn byth yn ôl?' Er mor drwsiadus yw'r soned hon, at ddibenion y gystadleuaeth, teimlaf fod delweddaeth y tymhorau'n drech na'r ddelwedd o lwybr bywyd.

Ifan yr Hafod: Cyfrwng i ddathlu brogarwch a chynefin yw'r thema llwybrau yn y soned lithrig a swynol hon ond dethlir cynefin creaduriaid ac nid pobl. Try'r soned o amgylch y syniad fod llwybrau'r defaid rhwng yr Hafod a'r Hendre yn batrwm a wreiddir yn ddwfn yn ymwybod y praidd: 'I'r preiddiau hyn mae rhwydwaith greddf yn gry' / A'r gymhleth wead eglur dan eu troed'. Hoffais yn fawr yr ymadrodd 'rhwydwaith greddf' ac un o'm hoff linellau yn y soned hon yw honno sy'n ein hatgoffa nad yw tawelwch y wlad o reidrwydd yn golygu diffyg sŵn: 'Dim ond tawelwch bref ac ambell chwib'.

Iolo: 'Ffordd Epynt', sef y llwybrau troed a agorwyd ar faes tanio'r fyddin, a ysgogodd y soned hon, a'i chefndir hanesyddol yw'r ffaith fod teuluoedd wedi cael eu troi allan o'u cartrefi er mwyn creu'r maes tanio hwnnw. Cyfosodir realiti a breuddwyd yn y soned, sef sŵn a chynnwrf y milwyr arfog hollbresennol a breuddwyd y bardd am dawelwch ar hyd y llwybrau: 'A hen gymdeithas wâr yn byw'n gytûn, / A heniaith eu hynafiaid ar eu min'. Mae'r cyfosod yn gweithio'n effeithiol ond hwyrach y gellid bod yn fwy cynnil wrth ddisgrifio'r milwyr sydd bron iawn yn gartwnaidd o ddrwg? Hwyrach hefyd y byddai'n werth crybwyll y cefndir hanesyddol yn uniongyrchol? Oni chyfannwyd y cylch wrth agor 'Ffordd Epynt', gan ganiatáu i'r gymuned leol ailfeddiannu'r llwybrau?

74

Lili: Soned sy'n goffadwriaeth deilwng i'r diweddar Dic Jones yw hon. Datblygir ym mhob pedwarawd y syniad mai cymdeithion cynhenid oedd amaethu a barddoni i'r gŵr a droediai lwybrau'r Hendre. Hwyrach y gellid cryfhau'r cwpled clo i gyfleu'n gliriach mai cerddi'r bardd yw'r 'ôl troed' a adewir ar ei ôl, a thybed hefyd na fyddai'r amser amherffaith yn gweddu'n well yn llinellau 5–7 i ddangos mai sôn am arfer dros gyfnod hir a wneir? Soniodd Dic Jones ei hun fwy nag unwaith y byddai rhythmau naturiol ei dasgau beunyddiol yn hwyluso'i waith creadigol. Trewir ar yr union ysbrydoliaeth hon yn y deyrnged iddo: 'Yn antur natur, odlau welodd e',/ A chanu'i gân i guriad sŵn ei droed'.

Llios: Y mae'r soned hon yn dathlu pwysigrwydd y rhwydweithiau o lwybrau sy'n cynnal rhwymau cymdeithas: 'Hwy ydoedd glud y cymunedau bach'. Yn y ddau bedwarawd cyntaf, sydd hefyd yn cynnwys disgrifiadau swynol o'r tirlun, sonnir am yr hen arfer anffurfiol o nodi llwybr troed â chrugyn o gerrig mân, a meddylir am y cruglwythi hyn yn clustfeinio ar droeon bywyd y sawl a gerddai'r llwybrau. Mewn cyfosodiad, arwyddion melyn swyddogol sydd bellach yn nodi'r llwybrau a dramwyid gan gyndeidiau'r adroddwr ond, serch hynny, erys y llwybrau'n gyswllt byw â'r gorffennol: 'Mae palmant cof y werin dan fy nhroed/ Yn galw arna i'n ôl i gadw'r oed'.

Llwybr y Glôg: Bywyd fel taith a'r duedd i bwyso a mesur ar ddiwedd oes yw llinynnau cynhaliol y soned athronyddol hon lle mae pob llwybr ar hyd y daith honno yn 'llwythog o atgofion ddoe'. Datblygir y syniad mai ofer yw hiraethu am y gorffennol ac ofer hefyd yw edifaru am ddilyn llwybrau gwyrgam. Ond try'r naws yn dywyllach a gellir dychmygu y byddai T. H. Parry-Williams ei hun yn hynod falch o ergyd sinigaidd y cwpled clo: 'Rwy'n cloi holl glwydi'r co' rhag plygu clust/ I sŵn y cracio rhwng pydredig byst'. Y mae yma gyffyrddiadau tafodieithol hoffus (*pipian, sticil*) ond hwyrach y gellid ailweithio'r ail bedwarawd i unioni'r amwysedd a geir yn llinellau 11-12?

Llynwr: Coffáu ffordd o fyw draddodiadol sydd wedi darfod amdani a wneir yn y soned hon, yn sgîl myfyrio ar lwybrau a ddarlunnir ar fap sy'n ddrych i gydgysylltiad pob agwedd ar fywyd: bywyd cartref, bywyd gwaith a bywyd crefydd. Datblygir hyn ymhellach wrth i'r adroddwr ymdeimlo â'r cenedlaethau a fu'n tramwyo llwybrau'r fro i gynnal rhwymau'r gymdeithas. Fodd bynnag, daw tro yn y chwechawd pan ddatgelir pwysigrwydd persbectif. Ni wêl y cerddwyr cyfoes, dieithr, 'troedwyr pleser heddiw', gymhlethdod rhwymau cymdeithasol y fro wrth droedio'r un llwybrau â'r adroddwr lleol: 'O briffyrdd ddoe nid oes tystiolaeth mwy/ Ond rhes o farciau mud ar fap y plwy'.'

Menna Lili: Teyrnged i T. H. Parry-Williams yw'r soned hon a strwythurwyd, fel ei sonedau ef ei hun, yn hynod dwt a llyfn. Dilynir camre'r bardd ac ysgolhaig wrth gerdded y llwybrau o Ryd-ddu i fyny llethrau'r Wyddfa. Wedi dringo'n galed am deirawr, daw cerddi Parry-Williams i gof yr adroddwr wrth iddo werthfawrogi prydferthwch Eryri. Yn y cwpled clo, atgyfnerthir y cysylltiad cyfrin hwnnw rhwng y bardd a'i gynefin: 'Ac wrth im dremio dros y wlad a'i hud,/ Daw rhin y cerddi cain yn fyw i gyd'.

Mudwr: Soned yw hon sy'n myfyrio ar y llwybrau sy'n arwain i 'fan gwyn, fan draw'. Trosiad am agwedd ffwrdd-â-hi at fywyd yw'r arfer o ddilyn llwybrau'n ddi-hid, eithr deellir mai dim ond â synnwyr trannoeth – ac yng nghyd-destun gweddill y daith, efallai? – y gwerthfawrogir arwyddocâd y llwybrau a'r mynegbyst. Amlygir hiwmor cynnil yn yr ieithwedd grach-awdurdodol a ddefnyddir i gyfleu arwyddocâd y mynegbyst a basiodd hyd yma. Tybed nad oes angen dyfynodau yn llinellau 7–8 (fel y gwneir yn llinellau 2–4) i ddangos mai neges yr ail fynegbost yw'r llinellau hyn? Ceir cyffyrddiad T. H. Parry-Williamsaidd yn y chwechawd, lle troir i fyfyrio mewn termau gwyddonol am y 'cwmpawd cudd' a 'sicrwydd cledrau greddf' sy'n ein cymell. Gellid tynhau llinellau 9–12, gan nad yw'r rhesymeg fewnol yn gwbl glir: braidd yn amwys yw'r ymadrodd 'diogelwch brig' a lle'r 'gronynnau meicro' yn y frawddeg. Serch hynny, llais pwyllog, heb arlliw o hunandosturi a geir yma, ac y mae bydolwg aeddfed yr adroddwr yn cydnabod bod greddf weithiau yn peri i ni droi'n ôl. Peth cwbl oddrychol yw ymateb i lenyddiaeth a chyffyrddodd y soned hon â rhywbeth dwfn ynof. Ynddi hi hefyd y ceir cwpled mwyaf cofiadwy'r gystadleuaeth: 'Er hyn troi'n ôl sydd raid pan dry y rhod/ Mae epil fory'n galw cyn eu bod'. Er gwaethaf yr amwysedd yn llinellau 9–12, y mae hon yn gerdd amlhaenog a fydd yn sicr o ysgogi trafodaeth fywiog ynghylch rhan ffawd, hap neu Ragluniaeth yn nhroeon yr yrfa.

Tanygrisiau: Coffáu Stoïciaeth ac urddas chwarelwyr ac amaethwyr y fro a wneir yn y soned hon, gan dystio'n hyglyw a swynol i rym y diwydiannol a'r amaethyddol ar y dychymyg lleol a chenedlaethol. Defnyddir llwybrau'n drosiadol i gyfleu undonedd a dycnwch y gwŷr a orfodwyd i ailadrodd yr un ddefod yn feunyddiol er mwyn crafu bywoliaeth. Strwythurwyd y soned yn ofalus a chyflëir yn effeithiol nid yn unig y caledi personol ond y gwmnïaeth a gynhaliai'r dynion yn wyneb gormes gymdeithasol. Y mae'r tirlun ei hun hefyd yn dyst i'w harwriaeth: 'Erys eu llwybrau fel gwythiennau'r tir/ Yn dyst i aberth y canrifoedd hir'.

Y Cwlltwr Bach: Dethlir brogarwch yn y soned dwt hon am arwyddocâd y llwybrau sy'n croesi Pen Llŷn. Bron nad yw'n enghraifft o ganu natur, gan mor swynol yw'r disgrifiadau o'r fro. Un enghraifft o blith nifer yn y gerdd hon ar ei hyd yw'r ymadroddi pert a geir yn y cwpled clo i ategu pwysigrwydd cynefin: 'Y mân wythiennau'n clymu'r bywyd crwn/ Wrth guriad calon y cynefin hwn'. Rheitiach, o bosibl, fyddai defnyddio amser presennol y ferf yn hytrach na'r amherffaith, a hynny er mwyn cyfleu nad darlun hanesyddol yn unig yw hwn a bod rhwymau'r gymdeithas mor dynn ag erioed? Hefyd, er mor fendigedig yw'r syniad bod 'y cloddiau'n daclus dynn fel gwallt fy nain', hwyrach bod hiwmor y llinell yn anghydnaws â synwyrusrwydd cyffredinol y gerdd? Beth tybed a ddywedai Nain am y gymhariaeth hon?

Wrth feirniadu'r gystadleuaeth, chwiliwn am soned gynnil a oedd yn cynnig golwg ffres ar y testun gosod ac a oedd hefyd yn cynnig rhywbeth i gnoi cil drosto. Y mae sonedau *Y Cwlltwr Bach, Cowlyd* ac *Ifan yr Hafod* yn haeddu clod arbennig, ond *Mudwr* sy'n cipio'r wobr.

Y Soned

LLWYBRAU

Ni welais i'r mynegbost dd'wedai'n glir
'Ffordd yma ewch, dros dro mae tecach lle
I aros, deithwyr dewr, mae'r siwrnai'n hir,
Ffordd yma ewch i wres a haul y de'.
Ni welais chwaith yr arwydd ar yr ail
A nodai ben y daith o'r gogledd oer:
'Er mor ddigroeso noethni'r coed di-ddail
Mae yma loches dro dan olau'r lloer'.
Gronynnau meicro yn eu cwmpawd cudd
Sy'n herio gwacter yr elfennau dig;
Mae sicrwydd cledrau greddf bob nos a dydd
Fel ernes hen o ddiogelwch brig.
Er hyn, troi'n ôl sydd raid pan dry y rhod:
Mae epil fory'n galw cyn eu bod.

Mudwr

Cerdd gaeth hyd at 50 llinell: Arwr

BEIRNIADAETH EURIG SALISBURY

Bron na ellid cyfeirio'r darllenydd yn llwyr at sylwadau Dafydd John Pritchard yn ei feirniadaeth ar gystadleuaeth debyg iawn i hon yn Eisteddfod Caerdydd a'r Cylch 2008. Yn ei frawddeg agoriadol i gystadleuaeth y gerdd heb fod yn hwy na 50 llinell, nododd mai siom 'i rywun sy'n beirniadu yn y Genedlaethol am y tro cyntaf oedd derbyn pecyn tila drwy'r post a oedd yn cynnwys pedair cerdd yn unig'. Felly hefyd eleni, ond er y gellid atgynhyrchu sylwadau Dafydd o safbwynt safon gyffredinol siomedig y cerddi a ddaeth i law, drwy lwc ni bu'n rhaid dod i'r un casgliad ag ef o ran y dyfarniad.

Dyma air am bob un o'r pedair ymgais a ddaeth i law.

Cefn Sidan: Canodd gywydd i Wenllïan, merch Gruffudd ap Cynan, gan ganolbwyntio ar y gwrthgyferbyniad tybiedig rhwng ei statws fel merch fonheddig a'i chyrch byrhoedlog i faes y gad ac i fyd dynion. Mae'r nod a'r neges yn ddigon cymeradwy ond nid felly'r ymdriniaeth a'r mynegiant. Ceir llinellau chwesill, gwallau odli (ni ellir odli 'cannwyll' a 'gwyll'), gwallau cynghanedd (edrycher eto ar 'Rhyfelwraig ar graig o wal') a chamdeipio mynych. Gŵyr y cystadleuydd hwn sut i lunio llinellau o gynghanedd a'u cyd-asio i greu cwpledi ond fe'i cynghorir i wrthod y trawiad cyntaf a hwylusaf a ddaw i law ('yn ei hardal 'mysg gwyrda', 'y wermod o weld Norman') ac, yn hytrach, i grynhoi'r trawiadau posibl ynghyd yn ei feddwl nes y daw'n eglur iddo pa un sydd fwyaf trawiadol. Yn syml, fe'i hanogir i fod yn gynganeddwr llai diog!

yr hen Rover: Yr un yw'r cyngor, yn ei hanfod, i'r cystadleuydd hwn hefyd, er bod ei fynegiant yn llawer sicrach ar y cyfan nag eiddo *Cefn Sidan*. Canodd awdl foliant i 'Dic Evans – Dic rhedwr', sydd wedi 'cynrychioli ei wlad, neu Brydain, gan gwaith yn ddi-dor am ddeugain a chwech o flynyddoedd, gan ennill llu o fedalau a thlysau, a thorri dwy record byd ar y daith'. Dewisodd wrthrych teilwng, felly, a bu'r bardd yn ddigon teilwng ohono mewn mannau, yn arbennig ym mhennill agoriadol y gerdd: 'Mae lôn ei farathon faith/ ar dir anial sawl talaith,/ a baner dewrder ei daith/ yn chwifio, chwifio â chur/ o faes i faes i'w fesur'. Mae'r bardd ar ei orau ar fesur yr englyn milwr, fel y gwelir eto ymhellach ymlaen yn y gerdd: 'Yn oriau deffro'n fore,/ y tyle'n ei Hyddgen e'/ yw'r Gymru drwy ei gamre'. Fodd bynnag, aeth ar gyfeiliorn wrth drin y cywydd a'r gwawdodyn a chlywir straen ar y gynghanedd mewn mannau (amheuir yn gryf mai llinell wythsill yw 'Drwy readrau, ei wrhydri' a cheir proest i'r odl yn y llinell olaf). Byddai'r cystadleuydd hwn ar dir uwch o lawer pe bai wedi ymwrthod â'r awydd i greu awdl ac wedi gwneud defnydd pwrpasol o un neu ddau o fesurau'n unig (megis yr englyn milwr a'r englyn unodl union).

Liw: Awdl arall, o fath, a gafwyd gan y cystadleuydd hwn, a Chymro lleol arall yn wrthrych teilwng iddi. Cenir i 'D. T., wrth gau'r siop', sef Siop-y-Morfa yn y Rhyl, a gaewyd ym mis Ebrill eleni. Hwn yw cynganeddwr mwyaf hyderus y gystadleuaeth a llwyddodd i drin nifer o wahanol fesurau'n ymddangosiadol ddiymdrech. Sylwer ar ei bennill agoriadol:

> Fel un sy'n dod o Wynedd,
> a'r iaith yn well, yn bell o'i bedd,
> mae'n hwyl cael mynnu hawliau,
> uffar' o hwyl codi ffrae,
> cwyno ei bod mewn cyni, di-siâp,
> a gwneud sioe ohoni,
> ei hannog â'n holl ynni – heb ddagrau;
> gêm i'w mwynhau yw'r Gymraeg 'ma i ni.

Dwg i'r cof fynegiant Myrddin ap Dafydd ar ei fwyaf llifeiriol – ond bydd y darllenydd craff wedi sylwi eisoes ei bod yn annhebygol mai prifardd sydd ar waith yma. Ceir wyth sill yn yr ail linell lle disgwylid saith, a naw sill yn y bumed lle disgwylid deg, ac mae'r annibendod hwnnw'n britho'r gerdd drwyddi draw. Noder, er enghraifft, y modd y cyfrifir 'brwydr' yn air unsill ac yn air deusill o fewn ychydig linellau: 'yn frwydr o'r haf i'r hydref / ar yr iaith ar hyd y dref; / / yn stori y corstiroedd / erioed, un frwydr hir oedd'. Dro arall, mae'n gwbl eglur nad gwaith cynganeddwr di-glem a geir yma ('yn brwydro / heb erioed roi dyrnad'), eithr cynganeddwr llafar disglair nad yw ei fynegiant carlamus wedi'i wreiddio'n ddigonol mewn gweledigaeth gydlynus. Fel yn achos *yr hen Rover*, bu awydd y bardd hwn i amrywio'i fesurau'n faen tramgwydd i'w ymgais i greu cyfanwaith. Fe'i cynghorir i'w gaethiwo'i hun i ddyrnaid o fesurau a rhoi rhwydd hynt i'w ddawn arbrofi â hwy fel y myn.

O'r Dwyrain: Rhoes y cystadleuydd hwn hunanfomwraig ddienw'n wrthrych i'w gerdd gaeth *verse-libre*. Ni ellir honni bod defnydd y bardd o'r gynghanedd yn hynod o gyffrous nac uchelgeisiol ond mae'n sicr yn naturiol o ddiymdrech ac yn gorffwys yn esmwyth ar rythmau'r brawddegu di-odl. Llwyddodd i osgoi'r maglau a lethodd y cystadleuwyr eraill yng nghors haniaeth ac yn nrysi goreiriogrwydd. Gweithred derfysgol, unigol yr hunanladdiad yw canolbwynt y gerdd, ac o'i chwmpas ymblethir ymdriniaethau ag effaith ac arwyddocâd y weithred honno o safbwynt 'y gorllewin' sy'n ei gwylio 'ar y sgrin' ac, yn annisgwyl, o safbwynt cynefin y ferch sy'n ei chyflawni. Yr ail ymdriniaeth annisgwyl honno sy'n llywio'r gerdd ac yn ei chodi uwchlaw cynifer o gerddi cyfoes eraill sy'n ymdrin yn ysbeidiol â'r berthynas gymhleth rhwng y byd gorllewinol a'r byd Mwslimaidd. Y duedd gyffredinol yn hyn o beth yw herio rhagdybiaethau'r byd gorllewinol ynghylch ei gyfiawnder moesol tybiedig heb fynd i'r afael yn ddigonol â safbwyntiau'r Mwslimiaid sy'n eu cymell. Yn y cyd-destun hwnnw mae *O'r Dwyrain* yn rhoi grym ac amwysedd newydd i'r testun ei hun ac yn rhoi arwyddocâd diddorol i'r ffaith mai aberth merch Fwslimaidd yw ei bwnc. Tybed a berthyn ystyron dyfnach i weithred ddifäol y ferch honno yng nghyd-destun 'gwareiddiad ei thadau' lle mae hi bellach yn 'un enw ... o'r cannoedd' ac yn aelod cyflawn o'i chenedl?

Er yr amheuir bod y cyfeiriad digon diog at 'y gelyn gwâr' ar ddiwedd cerdd *O'r Dwyrain* yn pwyso'n rhy drwm ar ymwybyddiaeth y darllenydd o agweddau dychanol tuag at wladwriaethau Prydain ac Unol Daleithiau America, ni ellir gwarafun iddo hynny'n ormodol. Ac os anesmwythir y beirniad hwn ryw fymryn gan duedd y bardd i gorlannu'r 'gwareiddiad', yr 'hil' a'r 'bobl' Fwslimaidd oll ynghyd o dan faner eithafiaeth, nid yw'n gwbl amhosibl nad yw cyflwyno'r duedd honno'n rhan o'i sylwebaeth ar ragdybiaethau'r byd gorllewinol a'r ferch ei hun ynghylch y byd Mwslimaidd. Os yw dewrder yn un o ragofynion arwriaeth, rhoed y wobr i *O'r Dwyrain* am fod yn ddigon dewr i fynd i'r afael mor gynnil â phwnc mor gymhleth.

Y Gerdd Gaeth

ARWR

Pwy yw hon fu'n agor pennod
yn hanes gwareiddiad ei thadau?
Enw yw yng Nghorán ei hil.
I ni, nid oes enw i hon.

Eiddil o gorff ond gorffwyll
o ddewr a'i chynddaredd
yn arf na wybu derfyn.
Byw i'w chred heb chwerwi oedd
o grud ei huniongrededd.
Mynnai â grym enaid
gynnig ei heinioes
i rengoedd brigâd yr angau.

Yn ddeunaw oed ni wyddai neb
fyned o hon ar funud o wefr
i ladd ei hun dan guddliw o ddail
yn drydan o ffrwydriadau
o gylch ei gwregys, a'i bys ar bin
ymennydd y bom.

Sbardunai'r car am ddrws y barics
heibio'r genedl yn bargeinio,
yna eiliad o fflach filain
a'r bobl a cheir yn rwbel a chyrff
a stryd oedd yn strem y blast heb lais
ennyd, yn fud o dan fwg.

A gwelwn ni, ni'r gelyn oer
o'r gorllewin ar y sgrîn
hanes ei grym mewn un sgrech
a'i hesgyrn yn mudlosgi
ym mherth ei haberth hi.

Un enw yw hon o'r cannoedd
a roir o'u bodd ar allor y bom.
Heddiw yn y mynyddoedd
ac o fewn yr ogofâu,
y mae'i henw ar y meini,
un arall o'r dewrion
a thrwy ei hangau ni threngodd
ffydd ei phobl
yn y frwydr sy'n fôr o waed.

I hon, roedd difodiant yr hil
yn cryfhau ei hangau hi.
Bu farw cyn llanw'r llyfr,
na'i gau gan y gelyn gwâr.

O'r Dwyrain

Cerdd rydd yn ymateb i lun (gan nodi'r llun a'r ffynhonnell)

BEIRNIADAETH CHRISTINE JAMES

Eleni oedd yr ail dro'n olynol i gerdd ecffrastig (fel y'i gelwir) fod ar restr destunau'r Eisteddfod Genedlaethol. Y gamp a osodwyd y llynedd oedd ymateb i ffotograff yn un o gyfrolau Geoff Charles; eleni bwriwyd y rhwyd yn ehangach o lawer a gofyn am 'gerdd yn ymateb i [unrhyw] lun'. Daeth deg cerdd ar hugain i law, ac fe'm plesiwyd yn fawr gan rychwant y lluniau a ddewiswyd: o waith rhai o feistri celf Ewrop yn y bedwaredd ganrif ar bymtheg i artistiaid Cymreig cyfoes, a'r rheini mewn amrywiaeth o arddulliau a chyfryngau, o baentiadau argraffiadol i ffotograffau newyddiadurol.

Hanfod cyffrous y dull ecffrastig yw'r rhyddid y mae'n ei gynnig i fardd neu lenor i ddehongli darn o waith celf mewn modd creadigol, dychmygus. Gall roi golwg hollol newydd ar lun cyfarwydd, neu gynnig i'r darllenydd ddehongliad sy'n agor ar ei gyfer ddelwedd anghyfarwydd. Eto i gyd, dylai cerdd ecffrastig dda fedru sefyll yn ei nerth ei hun, heb orddibynnu ar y gwaith celf am ei deinameg, ac roedd hyn yn un ffon fesur a ddefnyddiais wrth feirniadu. Gan hynny, y cerddi lleiaf boddhaol yn y gystadleuaeth oedd y rheini nad aethant fawr ymhellach na disgrifio'r llun a ddewiswyd. Mwy trawiadol ar y cyfan oedd y cerddi hynny a fanteisiodd ar bosibiliadau dramatig y *genre* a chynnal deialog â llun, neu adael i lun draethu yn y person cyntaf. Hoffais hefyd y cerddi hynny a roddodd ryw olwg letraws ar y llun a ddewiswyd trwy ffocysu ar fanylyn a rhoi arwyddocâd creadigol iddo.

Dyma sylwadau cryno am bob cerdd yn y drefn y daethant o Swyddfa'r Eisteddfod, ac eithrio'r tair a osodais ar frig y gystadleuaeth.

Lladmerydd: 'Portreadu Perthynas'. Dehonglir manylion ym mhortread Gladys Vasey o'i merch Gabrielle yng ngoleuni digwyddiad hysbys ym mywyd Gabrielle, a 'chariad igam-ogam mam a merch'. Mae yma rythmau *vers libre* hyderus, a sawl cyffyrddiad gafaelgar. Fodd bynnag, teimlaf fod y ddwy linell, 'Wyddwn ni fyth mo'r *gwir* .../ er synhwyro'n gry'', yn tanseilio'n llwyr y dehongli creadigol a'u rhagflaenodd.

Y Graig Lwyd: 'Sant Ioan y Groes'. Disgrifir darlun enwog Salvador Dali, cyn mynd ymlaen i gyfosod gweledigaeth Ioan ag eiddo'r artist. Mae yma fynegiant pur uniongred o ddiwinyddiaeth y Croeshoeliad, ond heb lwyddo i gyfleu fawr o ryfeddod arswydus y digwyddiad yn y dweud. Byddai'r gerdd hon yn gryfach heb ei hadran agoriadol ansoddeiriog.

Brychan: 'Pâr o Esgidiau'. Paentiodd Vincent van Gogh sawl llun gwahanol o esgidiau treuliedig, a gallai gwaith *Brychan* gydgerdded yn hawdd ag unrhyw un ohonynt. Ceisiodd y bardd ddyfalu hanes yr esgidiau mewn pum pennill pwrpasol; fodd bynnag, collodd afael ar hanfod ei gân yn y pennill olaf wrth fynd ar ôl y trafod athronyddol a fu ar ddelwedd rymus van Gogh.

Gwrhyr: 'Eryr Gwernabwy'. Cerdd enigmatig sy'n gymar teilwng i lun Aneurin Jones o un o'r Anifeiliaid Hynaf yn chwedl *Culhwch ac Olwen*. Dyfais yw'r motiff hwnnw yn y chwedl i gyfleu treigl amser, a dyna hefyd ddiben cyfeiriadaeth adran ganol y gerdd sy'n ein tynnu i amser presennol anesmwyth-gysurus y diweddglo. Mae canu gwirioneddol synhwyrus yma: gŵyr y *Gwrhyr* hwn iaith barddoniaeth – beth bynnag am iaith yr holl anifeiliaid!

Menna Lili: 'Y Meistr'. Cerdd goffa yw hon i'r diweddar John Roderick Rees a fu'n athro ysgol ar y bardd. Daw ei phrif ddelweddaeth o fyd y cobiau Cymreig, yr oedd JRR ei hun yn ffigwr mor amlwg ynddo, ac adlewyrcha'r dweud fynegiant egnïol Aneurin Jones o'r testun. Mae yma hefyd ddelweddaeth o fyd morwra, a chyfeirio at bryddest JRR, 'Glannau', ond nid yw'r rhannau hyn o'r gerdd mor effeithiol â'r gweddill yn fy marn i.

Iolo: 'Ffarwelio'. Dyma gerdd syml ond graenus, ar fesur ac odl, yn ymateb i ffotograff eiconig Geoff Charles o Garneddog a'i wraig Catrin cyn ymadael â'u cartref. Mae'r tinc hen ffasiwn sy'n hydreiddo'r dweud yn gweddu i'r testun i'r dim, ac yn medru cynnal ambell hen drawiad fel 'olaf dro'; eto teimlaf fod y rhythmau'n rhy esmwyth o reolaidd ar y cyfan i gyfleu'r emosiynau dirdynnol a grisielir yn y llun.

Minto: 'The Gare Saint Lazare 1887'. Ymateb i waith Monet a geir yn y gerdd hon sy'n agor â disgrifiad priodol o argraffiadol o orsaf, gan fanteisio ar ddelweddaeth eglwysig. Cyffroir atgof yn y bardd o 'ias y gadael / A gwefr y cyrraedd' y byddai'n werth ei archwilio ymhellach, er mwyn tynnu'r darllenydd yntau i mewn i'r profiad. Wrth ddychwelyd at lun Monet yn y diweddglo, trueni nad ailgydiwyd hefyd yn y ddelweddaeth eglwysig, er sicrhau unoliaeth gadarnach i'r gerdd fel cyfanwaith.

Pont y Glaw: 'Gwastadnant'. Cerdd synhwyrus sy'n ymfodloni'n bennaf ar ddisgrifio llun o waith Kyffin Williams, gan lwyddo i gyfleu peth o'i awyrgylch tywyll, gormesol. Dechreuwyd mentro y tu hwnt i'r disgrifiadol yn y llinellau olaf wrth i'r bardd holi'r artist ynghylch ei gymhelliad creadigol, ond mae lle i ddatblygu hyn ymhellach.

Cai: 'Lilïau Dŵr'. Ymateb i lun yng nghyfres enwog Monet a wnaeth *Cai* ac, fel *Pont y glaw*, ymfodlonodd yn bennaf ar ddisgrifio. Gwnaeth hynny'n effeithiol, gan lwyddo i ddal yn arafwch ei rythmau lawer o naws y ddelwedd a ddewiswyd. Hoffais gyfeiriad enigmatig y diweddglo at yr artist yn croesi bwa'r bont (sydd i'w gweld mewn rhai o'r lluniau eraill yn y gyfres), gan symud y gerdd i gyfeiriad mwy sinistr erbyn y llinell olaf.

Y Darlun Olaf: 'Glaw – Auvers'. Atgof am brynhawn o haf yn Auvers sydd yn y gerdd hon, a chysylltu'r atgof hwnnw ag amgylchiadau trasig paentio llun van Gogh. Mae sawl cyffyrddiad hyfryd yma, ond efallai y gellid gwneud mwy o'r cyfosodiad rhwng profiad y bardd ar y naill law a naws hynod anghysurus gwaith van Gogh ar y llall.

gwynt y môr: 'Eglwys y Mwnt'. Anodd ymweld ag eglwys hynafol y Mwnt heb ymdeimlo â phresenoldeb gormesol y gorffennol, a daliwyd yr awyrgylch hwnnw'n rhyfeddol yn llun Aneirin Jones. Treigl amser a marwoldeb yw thema'r gerdd hyfryd hon, sy'n ein portreadu 'ninnau' – pobun, yn ogystal â'r sawl a fu yno yng nghwmni'r bardd – yn ei linellau olaf 'yn dal i glunhercian/ rhwng y beddfeini,/ yn ddolenni/ yng nghadwynau ein bod'.

ias: 'Weun Mynachlog Ddu'. Llwyddwyd i gyfleu natur ledrithiol llun Aneirin Jones o'r Weun yn rhan gyntaf y gerdd, ac mae'r ieithwedd Waldoaidd yn yr ail hanner yn rhoi arwyddocâd pellach iddo, nes troi'r hen ferlen yn symbol o wytnwch ac ysbrydoled cenedl. Hoffais yn arbennig y disgrifiad o'r ehedydd 'â phersawr y grug yn ei gân'.

Ysgeifiog: 'Brawdoliaeth'. Cerdd i lun o'r un teitl gan Aneirin Jones. Clustfeinir ar sgwrs rhwng 'trindod werinaidd' a 'dyn dierth', ac yn raddol fe ddeuwn i ddeall mai Waldo yw'r dieithryn hwnnw. Er bod hon yn gerdd ddiddorol, nid yw'n gweithio'n hawdd heb gymorth y llun.

Y Prydydd Coch: 'Dim ond Llun'. Ymateb i ffotograff dirdynnol Don McCullin o fam o Fiaffra a'i babi wrth y fron yw'r gerdd hon, a'i phrif thema yw difaterwch at y gagendor anfoesol sy'n bodoli rhwng cyfoeth afradlon bywyd y Gorllewin a thlodi enbyd y trydydd byd. Er cymaint fy nghydymdeimlad â'r dicter a ysgogodd *Y Prydydd Coch*, rwy'n ofni na chlywaf fawr o farddoniaeth yn y darn.

Henri Chapu: 'Cyfoeth neu Beidio'. Corffddelw o Dduges Nemours, a fu farw ar ôl genedigaeth ei phedwerydd plentyn, oedd ysgogiad y gerdd hon. Mae'n agor trwy sôn am y corff marw sydd 'fel marmor' ac yn gorffen â'r cerflun sydd wedi'i lunio 'o farmor'. Ychydig sy'n digwydd rhwng y ddeupen hyn, fodd bynnag, ac er imi hoffi'r sôn am 'wely moethus,/ anobeithiol', braidd yn dreuliedig yw'r mynegiant fel arall.

Helen: 'Ymddiried'. Cerdd i lun W. L. Windus, 'Burd Helen' – a hwnnw'n ei dro'n ymateb i faled Albanaidd. Cyferchir y gŵr ifanc ar gefn ei geffyl, sydd i'w weld yn greulon o ddi-hid o gyflwr y ferch ifanc sy'n ei ddilyn ar droed am iddi ffoli arno'n llwyr. Y trydydd pennill, sy'n awgrymu cydymdeimlad y march, yw rhan fwyaf diddorol y gerdd yn fy marn i.

Mailiw: 'Rhyddid'. Ymateb i ffotograff o Nelson Mandela 'yn y papur newydd adeg ei ryddhau o'r carchar' a wnaeth *Mailiw*, ac er na chafwyd mwy o arweiniad na hynny nid anodd dychmygu natur y llun. Delweddau'n ymwneud â goleuni, tywyllwch a'r tywydd sy'n darparu fframwaith i'r gerdd, ond er mor briodol hynny ni lwyddwyd i ddal fawr o gyffro'r digwyddiad dan sylw.

Twm: 'Ynys Pandy'. Ffotograff Mark Motimer o adfeilion Ynys y Pandy, Cwm Ystradllyn, a ysbrydolodd *Twm*, a geisiodd gyfleu mewn geiriau awyrgylch adfail yr hen felin lechi. Hoffais yn arbennig y cwpled, 'Heno, bu machlud eto dros gaeau'r cwm,/ Fel cau'r llen ar ffordd o fyw'; i mi dyma ddiweddglo naturiol y gerdd, yn hytrach na'r llinellau 'goleuach' sy'n ei ddilyn.

Gêm Hardd: 'Y Gêm Hardd'. Mae'r gerdd hon, i ffotograff o'r gêm bêl-droed enwog a chwaraewyd rhwng milwyr Prydain a'r Almaen yn nhir neb ddydd Nadolig 1914, yn cyfosod brawdoliaeth y gêm ac erchylltra'r rhyfel, yn bennaf trwy ddefnyddio geirfa sy'n gyffredin i'r ddwy sefyllfa – 'anelu', 'saethu', 'ufuddhau i chwiban', etc. Mae'r syniad yn dda ond mae angen gweithio ymhellach arno.

Dachau: 'Yr Ateb Terfynol'. Cyfeiria'r teitl at eiriau Hitler, 'yr ateb terfynol i fater yr Iddewon', sef y bwriad i ddifa Iddewon Ewrop, a chyflwynwyd llun o gatiau gwersyll crynhoi Dachau. Hawdd ymdeimlo â didwylledd yr emosiynau a fynegir yn y gerdd hon, ond teimlaf y byddai ar ei hennill o ffrwyno'i rhediadau rhethregol ac ailystyried rhythmau'r chwe llinell olaf.

Gwyliwr: 'Y Dadrithiad'. Delwedd dywyll yn darlunio moment o dyndra dramatig rhwng gŵr a gwraig yw hanfod llun Michael Paramore, 'The Awakening, 1995', ac aeth y bardd ati i ddehongli'r foment honno mewn iaith sy'n mynd â ni'n ôl at lyfr Genesis, y twyll yng ngardd Eden a bwa'r cyfamod wedi'r Dilyw. Er nad wy'n gyfarwydd â gwaith Paramore, teimlais fod cerdd *Gwyliwr* yn ychwanegu dimensiwn arall at ei lun, a bod y llun yn ei dro'n cyfarch y gerdd.

Y Fodel: 'Cymraf Lun Ohonoch'. Y gerdd hon i ffotograff Geoff Charles, 'Tai Llannerch-y-medd 1959', oedd un o'r ychydig rai a fentrodd roi llais i destun y llun – merch yn nhlodi ei hystafell wely damp yn syllu i lygad y camera. Dyma ymson drawiadol sy'n ymgodymu â chymhlethdod sefyllfa'r ferch a'r berthynas rhyngddi a'r dyn camera (a ninnau'r gwylwyr). Mae sawl peth trawiadol yma, ond efallai y gellid cryfhau'r diweddglo ymhellach.

Anfonodd *Porffor* bum cerdd i'r gystadleuaeth. Fe'u trafodir yn unigol isod, ond brychir pob un ohonynt gan fân wallau sillafu ac atalnodi. Hoffwn awgrymu hefyd y dylai *Porffor* feddwl ymhellach ynghylch y modd y mae'n torri ei linellau.

Porffor (1): 'Darlunio teulu gwerinol'. Fel llun Millet, mae'r gerdd hon yn ceisio dal eiliad prin o lonyddwch ym mywyd 'y teulu gwerinol' wrth ei waith. Hoffais ambell ymadrodd, ond prin yr eir ymhellach na'r disgrifiadol.

Porffor (2): 'Y Goeden deuluol'. Ar un ystyr dyma gerdd fwyaf annisgwyl y gystadleuaeth, gan mai siart goeden-deulu yw'r ysgogiad. Wrth lunio cart achau, dyhea'r bardd am gael gwybod rhywbeth am y bywydau y tu ôl i'r manylion moel. Defnyddir delwedd y goeden yn y llinellau agoriadol, ac er mai un gyfarwydd yw honno ceid mwy o unoliaeth yn y gerdd pe'i cynhelid, o leiaf yn achlysurol, hyd y diwedd.

Porffor (3): 'Aros'. Myfyrdod mam dros ei phlentyn sydd yma, yn ymateb i waith Eugene Carrière, 'Mamolaeth (Dioddefaint)'. Mae'n agor yn afaelgar, ond nid yw datblygiad y gerdd fel cyfanwaith yn glir i mi.

Porffor (4): 'Adfeilion Abaty'. Mae delweddaeth gothig hanner cyntaf y gerdd yn cyferbynnu'n ddiddorol â dull rhamantaidd llun Wiliam Hodges o adfeilion Abaty Llanddewi Nant Hoddni, ond collir y trywydd hwnnw yn yr ail hanner, a'r gerdd yn dlotach o'r herwydd, yn fy marn i.

Porffor (5): 'Cawl Cwningen'. Llun Jean-Baptiste-Simeon Chardin, 'Cwningen a Phot Efydd' oedd ysgogiad y gerdd hon a'i phrif thema yw'r cyferbyniad rhwng y creadur byw a'r pryd ar blât. Mae ynddi ambell linell hyfryd, ond mewn cerdd nas bwriadwyd i fod yn ddoniol rwy'n ofni imi chwerthin wrth ddarllen y cwpled, 'Heb fedd o'r fath i'r bwni bach / esgyrn ar blât fydd ei gofiant.'

Mewn cystadleuaeth ddiddorol ac amrywiol, daeth tair cerdd i'r brig o'r darlleniad cyntaf, sef gwaith *Show me the Monet*, maint 6 a *Munud dwytha*.

Show me the Monet: 'Y Traeth yn Trouville'. Cyferbynnir y modd ymwybodol yr aeth Monet i'r traeth er mwyn dal union natur goleuni a chysgodion y lle ar gyfer ei lun, ag ymgais ymwybodol y bardd i gadw'r 'lle 'ma' allan o'r hyn sydd ganddo i'w ddweud. Ymdrinir â themâu mawr fel hunanymwybyddiaeth a deallatwriaeth o 'ble' yr ydyn ni (yn ffigurol ac yn ddiriaethol) heb ymollwng i ffug-athronyddu, a gwna hynny'n ddelweddol mewn *vers libre* soniarus a rhythmig. Hoffais y gerdd hon yn fawr.

maint 6: 'Esgidiau'. Cerdd i lun van Gogh – ond nid yr un pâr o esgidiau ag a ysgogodd gân *Brychan* ychwaith, ac aeth y ddau fardd ar drywydd hollol wahanol i'w gilydd. Mae cerdd *maint 6* yn agor â gosodiad syml, os tafod-ym-moch: 'Mae yna ddirgelwch / ynglŷn â chareiau'; ac mewn gwirionedd nid yr esgidiau ond eu careiau yw testun yr hyn sy'n dilyn, a'r swyddogaeth bwysig a chwaraeir ganddynt wrth i'r bardd ein tywys yn ddiogel trwy 'holl gamau' ei ddiwrnod, yn ŵyl ac yn waith. Mae cerdd *maint 6* yn sicr ei cherddediad o'i dechrau i'w diwedd, a'r ddeupen wedi eu clymu'n bwrpasol o anghytbwys – nodwedd sy'n gweddu'n berffaith i'w phrif thema. Mae hon yn gerdd uniongyrchol, hawdd ymateb iddi ar y darlleniad cyntaf, ac er y cywair cellweirus, ceir awgrym ar y diwedd nad gwamalu yw'r cyfan ond bod y bardd hefyd, o dan yr wyneb, yn gwneud sylwadau cynnil am natur bywyd ac yn arbennig am ein perthynas ag eraill. Ymateb i fanylyn yn llun van Gogh a wnaeth *maint 6*, ond nid oes raid bod yn gyfarwydd â'r llun i werthfawrogi ei gerdd. Wedi dweud hynny, mae'r llun yn cyfoethogi'n golwg ar y gerdd – a'r gerdd hithau'n cyfoethogi'n darlleniad o'r llun.

Munud dwytha: 'Iaith Gyntaf'. Ar un ystyr, dyma gerdd fwyaf uchelgeisiol y gystadleuaeth, yn un o'r ychydig rai a fentrodd roddi llais i'r llun a ddewiswyd – a'r fath lais huawdl sydd ganddo! Mae'r adran agoriadol yn cyflwyno ymwelydd di-Gymraeg mewn oriel, a'i ymateb ffroenuchel i lun Mary Lloyd Jones, 'Iaith Gyntaf', wedi iddo orfod cael cyfieithiad o'i deitl. Ymateb y llun i ymateb haerllug yr ymwelydd sy'n dilyn, a'r llun yn dehongli ar gyfer hwnnw – mewn iaith na all ei deall – ei liwiau a'i ddelweddaeth fewnol ei hunan, yn naratif llachar o ormes ar gorff cenedl y Cymry, a'r iaith yn waed sy'n pwmpio'n '[g]lynddeiriog o fyw' trwy ei gwythiennau o hyd. Yn y pennill olaf, mae llais y bardd yn troi'n hunanfeirniadaeth, ac yn feirniadaeth ar ei gydgenedl, yn sgîl ein parodrwydd i arddel delwedd ystrydebol y genedl orthrymedig. Rwy'n hoffi'r gerdd hon yn fawr. Mae'r defnydd eironig a wneir ar ddyfais *ekffrasis* yn gyffrous, ac er fy mod i'n gweld y modd y torrwyd y llinellau ychydig yn rhyfedd mewn ambell fan, mae eu sigl yn gwbl ddiogel a rhythmig i'r glust. Fodd bynnag, rwy'n teimlo bod rhugled araith y llun yn troi'n rhethreg ronc mewn mannau, ac mae talpau ohoni'n lled annealladwy oni ellir eu darllen ochr yn ochr â llun huawdl Mary Lloyd Jones.

Pendronais dipyn rhwng cerddi *maint 6* a *Munud dwytha*; mae iddynt ill dwy eu cryfderau amlwg. Yn y diwedd, penderfynais mai cynildeb 'Esgidiau' sy'n cipio'r wobr. Llongyfarchiadau mawr i *maint 6*.

Y Gerdd yn ymateb i lun

ESGIDIAU

(Ymateb i'r llun gan Vincent van Gogh)

Mae yna ddirgelwch
ynglŷn â chareiau,
y pethau main sy'n croesi
de dros chwith, dros dde, dros chwith,
a dynnwyd yn dynn,
ac a ddaliodd eu gafael trwy'r holl gamau.
Ein camau at y ffynnon
groyw, fodfeddi uwchben
burum yr heli.
A'n camau
law yn llaw dan frigau tywyllwch
i dafarn ddi-nod
a werthai gwrw gwael.
Mae'n ddirgelwch llwyr
pam fod un ochr, ddiwedd dydd,
bob tro, yn ddi-ffael, ddieithriad,
fymryn yn fyrrach
na'r ochr arall.

maint 6

Cerdd Ddychan: Golff

O wybod fy mod yn un sydd wedi cerfio llawer o dyweirch o gyrsiau golff ledled Cymru, bwriodd yr Eisteddfod fy mod yn abl i feirniadu'r gystadleuaeth hon – nid oherwydd safon fy ngolff yn unig, gobeithio.

Gyda helyntion un Teigar arbennig, cwpan Ryder ar fin dod i gwrs sy'n eithaf agos i'r Eisteddfod, a thaith lwglyd chwaraewr rygbi rhyngwladol mewn bygi, i gyd wedi bod ar frig y newyddion, yr oedd gan y cystadleuwyr lawnt go fawr i anelu ati. Rhaid cofio wrth anelu mai'r un yw maint y twll bob tro, waeth beth fo maint y lawnt!

Mentrodd deg ar y cwrs. Wel, naddo. Naw. Wnaeth *Yn y Byncer* ddim mentro fawr pellach na'r Maes Parcio! Mae o'n trafod math arall o Golff – o deulu *Volkswagen* – gan gyfeirio yn ei ffugenw ac yn y llinell olaf yn unig at fygi a'r gêm golff. Beth bynnag am hynny, dweud stori ar odl y mae *Yn y Byncer* ac nid dychanu.

Anaml y ceir cynnig mewn llawysgrif y dyddiau yma ond at ei feiro marcio cerdyn y trodd *Cnocell* – ond heb gael fawr o hwyl arni, mae arna' i ofn. Felly hefyd *Dim Gobaith* a gyflwynodd gerdd rydd oedd yn unol â'i ffugenw. Roedd cerdd rydd *Deryn* hefyd wedi hedfan i'r brwgais yn syth o'r ti!

Rhyw fersiwn o'r hen jôc am gêm golff sydd gan *Stymie* – honno am ynfydrwydd taro pêl ac wedyn cerdded ar ei hôl hi am oriau; ond go brin mai ei Nain o ddywedodd y jôc gyntaf! Wnaeth *Stymie* ddim gwella ar y jôc honno.

Gwaetha'r modd, ni fanteisiodd yr un o'r pum cystadleuydd yma ar y stôr o ddychan oedd yn y straeon a nodais uchod nac, yn wir, sydd yn y gêm ei hun, ac felly nid ydynt yn cyrraedd y 'safon' – 'dybl bogi' a gafodd y pump, dw i'n meddwl.

Baled 26 pennill sydd gan *Twll Rhif 19* – ar ôl dyfyniad o waith J. K. Galbraith o bawb! Cerdd ddigon difyr gydag ambell linell yn dod o hyd i'r fferwe. Mae sawl llinell dda hefyd gan *Cadi-ffan* yn ei gerdd am helyntion Tiger Woods a defnydd mwys effeithiol o eiriau fel 'sgorio', 'birdie' a 'garw'. Canmoliaeth ond bogi – un dros y safon i'r ddau.

Gan i *Llyffant y Gors* a *Caddie-ffan* ddefnyddio'r un mesur yn union a rhyw fentro i'r un cyfeiriad, cefais yr argraff – anghywir, mae'n fwy na thebyg –

mai dwy ymgais gan yr un cystadleuydd ydynt. Mae'r ddwy gerdd yn dychanu'r gêm drwy gyfeirio at y snobyddiaeth oedd yn perthyn iddi ers talwm ac at y dylanwad cymdeithasol oedd gan y rhai oedd yn ei chwarae. Mae'r dylanwad yn dal i fod heddiw yn ôl *Llyffant* a *Caddie*.

Dyma un clwb o fag y *Llyffant*:

> Paid ti â chywilyddio
> Wrth rwbio â'r gwŷr mawr,
> Hen griw y gironesia
> Ŷnt hwy fel ni yn awr,
> Yma yn 'gymysg oll i gyd'
> Bwriwn i'r gwynt ofidiau byd.

A dyma siot o fyncar *Caddie-ffan*:

> Fe rois ragfarnau heibio
> Am y rhai sy'n chwarae'r gêm –
> O snobs o foneddigion,
> (I'r beirniad hwn, ffor shêm;)
> Pob math o rai sy'n chwarae nawr –
> O hogia'r wlad i bobol fawr.

Credaf i *Llyffant y Gors* a *Caddie-ffan* daro llwyth o beli ar y cwrs ymarfer cyn heddiw. Llwyddodd y ddau i gael rownd yn unol â'r safon.

Mae sawl un wedi ennill efo *par* ar y twll ola – ond nid y tro yma. Yr oedd *Menna Lili* yn y gystadleuaeth!

Yn grafog o'r dechrau, mae *Menna Lili* yn rhoi cnoc egar i bawb a phopeth yn y byd golff. Mae hyd yn oed yn amharchus am barchusion Gêm Golff yr Eisteddfod!

> I gael chwarae yn Nhwrnament Golff yr Eisteddfod
> Nid eich safon sy'n cyfrif, ond pwy ŷch chi'n nabod.

Tybed? Ac os ydych wedi dringo yn uchel yn eich Clwb:

> Bydd arwydd mawr 'CAPTEN' ar wal y maes parcio
> A gwae unrhyw un rydd ei gar yn fan honno!

Beth am y sgandal?

> Rhaid gwrthsefyll rhianedd a'u swynol ddeniadau
> A'r rhai fynnent Deigr i lenwi eu tanciau.

A beth am y bygi hwnnw aeth ar goll?

> Diraddiol fyddai canfod rhyw labwst mawr bolgar
> Yn mynd *à la cart* i lawr yr M-Pedwar.

Pe na bai ond am y ddwy linell yna, mae *Menna Lili* yn haeddu cwpan Ryder. O fethu sicrhau cwpan, rhoes y Pwyllgor siec iddo/iddi am ganpunt ar sosar. Mi neith i brynu wej a 'chydig o beli.

Diolch i bawb am gystadlu.

Y Gerdd Ddychan

GOLFF

> Mae doniau'n peldroedwyr, rhaid dweud, yn wefreiddiol,
> A chan sêr ein tîm rygbi mae sgiliau rhagorol;
> Cricedwyr Morgannwg sy'n treio yn galed,
> A gobeithio, ryw ddydd, y bydd siâp ar eu criced;
> Ond golffwyr yw'r rhai sy'n ein gwneud i ryfeddu,
> Mor gelfydd yw'r rhain wrth ymrafael â'u peli.

> Maen nhw'n ymddwyn bob amser mor barchus a chwrtais,
> Ac ni ddaw dros eu min yr un gair aflednais;
> Pan fydd pethau'n wael, a hwythau'n rhwystredig,
> Maen nhw'n dyfalbarhau, gan wenu'n garedig;
> Dim ond yn y tŷ, ar ôl rownd drychinebus,
> Y cicir y gath ac y rhegir y misus.

> Mae dillad trwsiadus yn gwbwl hanfodol,
> Gan fod gwisgo yn smart yn gwneud lles seicolegol;
> Mae tracwisg neu jîns yn hollol ddi-urddas,
> Ac mae treiners neu welis yn gwbwl anaddas;
> A ferched, na noethwch eich corff fel rhyw hoeden,
> Rhag i rai o'r hynafgwyr gael gwasgfa neu harten.

I wneud jobyn iawn, rhaid cael offer pwrpasol,
Sy'n cynnwys detholiad o glybiau amrywiol,
A thra bo' chi wrthi yn prynu a gwario
Mae'n llawn cyn bwysiced cael cwdyn i'w cario;
Gan mai trwm yw y baich, mae'n hanfodol cael troli,
Ac os hir yw y daith, wel, buddsoddwch mewn bygi.

Os bygi o'r fath y mynnwch ei arddel,
Gofalwch ei barcio mewn rhywle diogel,
Rhag ofn i ynfytyn newynog ei weled,
A'i yrru yn orffwyll ar hyd y llain galed;
Diraddiol fyddai canfod rhyw labwst mawr bolgar
Yn mynd *à la cart* i lawr yr M-Pedwar.

Disgwylir i'r cwrs gael ei gadw yn berffaith,
Ac yn barod i'n harwyr pan ddônt ar eu cylchdaith;
Does dim byd yn waeth pan fo'r gêm yn ei hanterth
Na gweld pridd pryfed genwair yn dalpiau amhrydferth,
A gwae'r tirmon, druan, os methir â phytio
Am fod gweiryn neu ddau wrth y twll heb eu tocio.

Arddangosir medrusrwydd ein harwyr wedyn
Pan fydd rhwystrau ystrywgar y cwrs i'w goresgyn;
Amheuthun eu gweled mewn byncer yn ceibio,
A chawodydd o dywod o'r lle yn chwyrlïo;
Neu hyd at eu gliniau mewn dŵr yn palfalu,
Mewn ymdrech ddi-ildio i ganfod eu peli.

Wrth eu gwylio, edmygwn eu dyfal bendantrwydd
I feistroli y gêm a chyrraedd perffeithrwydd;
Rhaid gafael yn iawn yn y clwb sy'n eu dwylo,
A sefyll â'u coesau ar led, yna gwyro;
Pa ots os edrychant yn ffôl a ffwdanus,
Fel dyn gafodd ddamwain go ddrwg yn ei drowsus.

Os dyrchefir chi'n gapten, cewch barch ac edmygedd,
A daw anfarwoldeb yn sgîl yr anrhydedd;
Bydd arwydd mawr 'CAPTEN' ar wal y maes parcio,
A gwae unrhyw un rydd ei gar yn fan honno!
Bydd eich llun yn y bar mewn clamp o ffrâm euraid,
A'ch enw mewn aur ar 'Fwrdd y Capteniaid'.

Pan fydd mawrion y gêm yn dod i berfformio,
Daw'r selogion o bell yn eu miloedd i'w gwylio;
Yn fawr eu hamynedd fe safant yn gegrwth,
Ni waeth os oes corwynt neu dymestl yn bygwth,
Ac o, mor gyffrous yw syllu'n ddisgwylgar
Ar ddyn wrthi'n chwysu uwch twll yn y ddaear.

I gael chwarae yn Nhwrnament Golff yr Eisteddfod
Nid eich safon sy'n cyfrif, ond pwy ŷch chi'n nabod;
Rhaid bod yn seléb y cyfryngau'n naturiol,
A'ch wyneb yn ffitio'n y cwmni bach dethol;
Mor braf yw'r cwrs golff am brynhawn bach o seibiant,
Ymhell o holl bwdin yr Ŵyl a'i diwylliant.

Os cyrhaeddwch y brig a dyfod yn enwog,
Bydd yn rhaid i chi fod yn ofalus a phwyllog;
Rhaid gwrthsefyll rhianedd a'u swynol ddeniadau,
A'r rhai fynnant Deigr i lenwi eu tanciau,
Ac, wrth gwrs, mae clwb golff yn offeryn peryglus
Os clywith y wraig am eich campau trachwantus.

Os yw'ch Cyngor Sir yn amharod i wario
Ar wella'ch amgylchedd a'r priffyrdd sydd yno,
Ceisiwch gael Cwpan Ryder i ddod i'r cyffiniau,
Ac fe lifa yr arian fel afon o'r coffrau;
A bydd y Cynulliad yn fawr ei haelfrydedd,
Am fod llwyddiant y golff mor bwysig i'w ddelwedd.

Ac ar ôl gêm o golff, os ydych sychedig,
Mae 'Twll Un Deg Naw' yn lle bendigedig;
Cewch drafod y gêm, a rhoi pob math o esgus
Paham oedd eich sgôr mor fawr a thruenus;
Cewch ail-fyw'r 'Twll-mewn-un' o fewn modfedd a fethwyd,
Fel pysgotwr yn sôn am bysgodyn a gollwyd.

Ac felly, ymunwn i dalu gwrogaeth
I wŷr sydd yn haeddu pob clod a chanmoliaeth;
Fe gyrchant y cwrs bob dydd Sul mewn brawdgarwch,
Gan mai golff yw y grefydd a gaiff eu teyrngarwch;
Mor ddefodol y plygant eu pennau'n weddïgar,
Wrth geisio cael pêl 'mewn i dwll yn y ddaear.

Menna Lili

Casgliad o 100 o englynion, penillion, cwpledi neu gerddi coffa oddi ar gerrig beddau, gydag enwau, dyddiadau a lleoliad

BEIRNIADAETH E. WYN JAMES

Pan gafwyd cystadleuaeth gyffelyb yn Eisteddfod Genedlaethol Wrecsam a'r Cylch ym 1977, daeth 95 o gasgliadau i'r fei. Os bu i rywun erioed ennill ei dâl fel beirniad eisteddfodol, beirniad y gystadleuaeth honno, yr Athro Bedwyr Lewis Jones, oedd hwnnw! Amcangyfrifodd ef fod y casglwyr rhyngddynt wedi hel at ei gilydd tua 7,500 o englynion beddargraff i gyd. Union eiriad cystadleuaeth 1977 oedd 'Casgliad o oddeutu 100 o englynion coffa oddi ar gerrig beddau, gydag enwau, dyddiadau a lleoliad'. Fe welir, felly, fod y Pwyllgor Llên y tro hwn wedi lledu'r maes i gynnwys 'penillion, cwpledi neu gerddi' yn ogystal ag englynion – ond bod y 'neu' yn rhoi tragwyddol heol i'r casglwyr!

Esgorodd cystadleuaeth 1977 ar bwl o 'englyn-mania' yn y byd cyhoeddi Cymraeg. Bu farw enillydd y gystadleuaeth – G. T. Roberts, Llanrug – yn fuan ar ôl Eisteddfod Wrecsam, ond cyhoeddwyd ei gasgliad buddugol, *Llais y Meini*, dan olygyddiaeth Bedwyr Lewis Jones a Derwyn Jones ym 1979. Rhoddwyd cyfran o'r wobr i bedwar casgliad arall, a chyhoeddwyd tri o'r pedwar (hyd y gwelaf), sef rhai J. Elwyn Hughes, *Englynion Beddau Dyffryn Ogwen* (1979), Gomer M. Roberts, *Mynwenta* (1980), ac M. Euronwy James, *Englynion Beddau Ceredigion* (1983). Ffrwyth yr un gystadleuaeth yw cyfrol Margaret a Charadog Evans, *'Awelon, Dewch i Wylo': Englynion Coffa o Rai o Fynwentydd Dyffryn Conwy* (1982). Ymddangosodd cyfrol Geraint Llewelyn Jones, *Lloffion o'r Llan: Casgliad o Englynion o Fynwentydd Cwmwd Uwch-Gwyrfai*, yn yr un flwyddyn, ynghyd â *Dagrau Gwerin*, casgliad sylweddol Emrys Jones, Cricieth, o 'farddoniaeth y beddau', wedi eu cywain o fynwentydd Eifionydd ac Ardudwy. Mae'n werth nodi yn ogystal i gystadleuaeth Eisteddfod Wrecsam 1977 ysbrydoli cystadleuaeth yn Eisteddfod Genedlaethol Nedd a'r Cyffiniau 1994 am gasgliad o feddargraffiadau Cymraeg o'r Wladfa; cyhoeddwyd ffrwyth y gystadleuaeth honno yng nghyfrol Cathrin Williams a May Williams de Hughes, *Er Serchog Gof* (1997). Rhwng y cwbl, felly, cafwyd cryn gynhaeaf!

Ni fu'r cynhaeaf mor helaeth y tro hwn, o bell ffordd. Wyth o gasgliadau a ddaeth i law – sy'n nifer ddigon parchus ar gyfer cystadleuaeth eisteddfodol yn ein dyddiau ni, ond sy'n arwydd hefyd o'r newid diwylliannol enfawr a fu yng Nghymru yn ystod y 30 mlynedd diwethaf. Awgrymodd Bedwyr Lewis Jones mai ardaloedd gwledig Cymraeg y gogledd a'r gorllewin yw cadarnleoedd yr englyn beddargraff. Mae'r casgliadau cyhoeddedig a nodir uchod fel pe baent yn cadarnhau hynny; ac, yn wir, casgliadau o fynwentydd yn y gorllewin a'r gogledd yw'r holl rai a ddaeth i law eleni, er bod y maes wedi lledu'r tro hwn i gynnwys mathau eraill o benillion. Yr oedd hynny'n dipyn o siom o gofio bod yr Eisteddfod Genedlaethol yng Ngwent eleni, yn enwedig am fod cyfres Dr Gwen Awbery, 'Mynwenta' – sydd wedi ymddangos yn gyson yn y cylchgrawn *Llafar Gwlad* oddi ar rifyn Hydref 2001 – yn dangos bod digon o bosibiliadau cywain penillion Cymraeg ym mynwentydd y de-ddwyrain hefyd, a hynny yn y mannau mwyaf annhebygol weithiau.

Dyma air am bob casgliad yn ei dro, ac ychydig o flas ar eu cynnwys, yn y drefn y daethant o Swyddfa'r Eisteddfod:

Pererin: 'Englynion Coffa Bro Eifionydd'. Casgliad o englynion wedi eu cywain o 13 o fynwentydd cyhoeddus ac eglwysig yn Eifionydd. Fe'u trefnwyd yn ôl thema yn bedair prif adran: 'Anghysondeb yr Alwad', 'Y Bywyd Llawn', 'Troeon yr Yrfa' a 'Llwybrau'r Cristion', gydag isadrannau i bob un. Er bod i'r drefn thematig ei manteision, tasg anodd yw dod o hyd i benawdau ystyrlon. Yma, er enghraifft, byddai modd gosod llawer o'r englynion o dan unrhyw un o'r isadrannau a ganlyn: 'ymdrech deg', 'bywyd duwiol', 'diwedd trychinebus', 'byrder oes'. Cynorthwyol iawn oedd y mynegeion i fynwentydd, awduron a llinellau cyntaf yr englynion, ynghyd â'r ddau fap. Nid oes rhagymadrodd a phrin iawn yw'r nodiadau eglurhaol – trueni hynny gan fod nifer dda o blith y gwrthrychau a'r beirdd yn haeddu un: Dafydd y Garreg Wen, Dewi Wyn o Eifion, Ioan Brothen, Alltud Eifion, Cybi, ac Elizabeth George, Garth Celyn (mam y prif weinidog), ac enwi rhai yn unig.

Erw Gein: 'Cerddi Beddargraff: Mynwentydd Gogledd Eryri', o Feddgelert yn y de i Ddwygyfylchi yn y gogledd, ac o Fetws-y-coed yn y dwyrain i Lanwnda yn y gorllewin. Cynhwyswyd rhagymadrodd, ynghyd â mynegeion i fynwentydd, awduron a llinellau cyntaf y penillion. Trefnwyd y penillion yn ôl thema; ond yn hytrach na'u corlannu o dan benawdau eang, ymdebyga i gasgliad o erthyglau byr ar bynciau amrywiol. Ceir adrannau, er enghraifft, am fydwragedd, am afiechydon, am hirhoedledd, am ddamweiniau, yn ogystal ag adrannau ar bynciau mwy cyffredinol megis gobaith am well byd a therfynoldeb angau. Mae *Erw Gein* yn dangos gwybodaeth eang ac ôl chwilota. Yn aml mae'n nodi fersiynau amrywiol ar bennill y mae wedi eu gweld mewn print neu mewn mynwentydd eraill, a cheir llawer o wybodaeth ddifyr am gefndir a chyd-destun y cerddi, y beirdd a'r gwrthrychau. Er enghraifft wrth drafod englyn ar fedd rhai o hynafiaid Syr John Morris-Jones yn Llanrug, noda fersiynau diweddarach a gofnodwyd gan Bedwyr Lewis Jones yn Llanidan, Môn, a chan Gomer M. Roberts yn yr Allt-wen, Pontardawe.

Morbid: 'Casgliad o Englynion Coffa'. Casglwyd y rhain mewn mynwentydd yn Nolwyddelan, Blaenau Ffestiniog, Maentwrog, Talsarnau, Harlech, Llanfair a Llanbedr. Cyflwynwyd y casgliad yn ddestlus ar ffurf llyfryn A5. Da oedd cael trawsgrifiad o'r holl fanylion ar bob carreg, ac nid dim ond y rhai am yr englyn a'i wrthrych. Nid oes rhagymadrodd, mynegeion na nodiadau, a thrueni hynny, oherwydd ceir yma eto englynion hynod ddiddorol. Er enghraifft, ceir ym mynwent Bethesda, Blaenau Ffestiniog, englyn gan Eben Fardd ar fedd John Williams, Bryn Barlwyd, a fu farw yn 20 oed ar 9 Ebrill 1860:

> Galwyd ef i'r nef yn ifanc, – i dŷ
>   Ei Dad cafodd ddianc,
>   I fyd oedran haf didranc
>   Y lle, y bydd byth yn llanc.

Ond fe'i gwneir yn fwy trawiadol o wybod bod gan Eben Fardd ei hun fab tua'r un oedran, ei fod newydd golli ei wraig, a bod dwy o'i dair merch wedi marw yn 21 ac yn 19 oed ym 1855 ac ym 1858. Beth wedyn, tybed, oedd hanes y ddwy Anne a gladdwyd yn yr un bedd yn Nolwyddelan – Anne Hughes o Fetws-y-coed a fu farw ar 22 Awst 1864 yn 13 oed ac Anne Price o Frithdir, Dolgellau, a fu farw ar 28 Awst 1865 yn 14 oed?

> Dwy harddferch mewn du orweddfa[n] — y'mhell
>   Y maent o'u cyn drigfan;
>   Daw o enau Duw ei hunan
>   Air a ddaw o hyd i'r ddwy, *Ann*.

Teithio ymhellach dipyn fu hanes Mary Thomas, a fu farw yn Wilkesbarre, UDA, yn 56 oed ar 30 Tachwedd 1919; ond cludwyd ei chorff yn ôl 'o Geinfro bell' i Flaenau Ffestiniog, fel y cludwyd corff John Thomas yn ôl i Faentwrog wedi iddo farw ar 13 Hydref 1884, yn 27 oed, pan oedd ar ei daith adref o Awstralia. Trefnwyd y casgliad fesul mynwent, a gweithiodd hynny'n dda.

Gwynlys: Englynion a phenillion eraill o fynwent Eglwys y Santes Fair, Beddgelert, sydd yma, ac eithrio'r eitem gyntaf, sef englyn i Wilym Eryri (William Evan Powell, 1841–1910), a aned ym Meddgelert ond a ymfudodd i America ym 1866 a dod yn amlwg yn y bywyd Cymraeg yno. Fe'i claddwyd ym Mynwent Forest Home, Milwaukee, Wisconsin, a chynhwysir yn y casgliad lun lliw o'i feddfaen nobl yno, a'r 'Nod Cyfrin' yn amlwg arni. Mae ardal Beddgelert yn nodedig am ei beirdd gwlad, fel y tystia casgliad Carneddog, *Cerddi Eryri* (1927), ac adlewyrchir hynny yn y casgliad hwn. Ceir 13 pennill o waith Carneddog ei hun, er enghraifft, ynghyd â'r englyn o waith Glan Rhyddallt sydd ar ei fedd. Moel at ei gilydd yw'r cofnodion yn y casgliad ac nid oes na rhagymadrodd na mynegeion. Nodir i'r arysgrifau ym mynwent Beddgelert gael eu cofnodi gan aelodau Cymdeithas Hanes Teuluoedd Gwynedd ym 1996, ac y byddai'n anodd darllen rhai ohonynt erbyn heddiw oherwydd y dirywiad yn eu cyflwr: rhaid canmol yn fawr y cymdeithasau hanes teuluoedd a'r rhai hanes lleol am eu gwaith pwysig yn diogelu ac yn cyhoeddi arysgrifau mynwentydd eu hardaloedd.

Callestr: Fel yr awgryma ei ffugenw, casgliad o englynion a phenillion eraill o fynwentydd 'y Sir y Fflint bresennol' a gafwyd gan *Callestr*. Cyflwynwyd y cyfan mewn llawysgrifen ddestlus. Eglura ar ddechrau ei ragymadrodd: 'Am y tro cyntaf yn fy mywyd bûm yn cerdded mynwentydd. Rhaid i mi gyfaddef i mi fwynhau'r profiad'. Crwydrodd holl fynwentydd y sir. Sonia am yr hyfrydwch o weld 'hen gyfenwau a gysylltaf i â Sir y Fflint, yn arbennig y 5 B: Bithell, Bagshaw, Bellis, Bartley a Blackwell'. Cyfeiria at brinder yr arysgrifau Cymraeg yn y rhan fwyaf o'r mynwentydd. Ym mynwentydd Capel y Ddôl, Afon-wen; Capel Seion, Carmel, a phentref Rhewl y mae'r canrannau uchaf o gerrig Cymraeg, meddai. Dim ond 106 o gwpledi neu benillion Cymraeg y llwyddodd i gael hyd iddynt, ac felly (meddai) 'ychydig iawn o waith chwynnu a fu' ar gyfer ei gasgliad. Ceir sawl pennill eithaf diweddar: dau englyn gan y diweddar Brifardd Einion Evans ar feddau ym mynwent Picton, er enghraifft, a'r cwpled hwn ar fedd ei ferch, Ennis, yn yr un fynwent: 'Est o wermod y stormydd / Uwch y don i decach dydd'. Trefnwyd y cyfan fesul mynwent; nid oes mynegeion a phrin yw'r nodiadau – dim nodyn hyd yn oed am yr englyn ar fedd teulu Daniel Owen y nofelydd ym mynwent tref yr Wyddgrug. Un o benillion mwyaf cofiadwy'r casgliad yw'r englyn agoriadol, ar fedd Elias Hughes ym mynwent Eglwys Mostyn. Bu farw'n 52 oed ar 25 Mawrth 1883:

> Baeddaist i dor[r]i beddau – i eraill
> Yn awr yr wyt tithau,
> Yn dy gell, wedi dy gau
> Hyn 'n wir sydd wers i ninnau.

Meini Gleision: Detholiad o englynion coffa oddi ar gerrig beddau yn ardal Arfon – 'O dref Caernarfon i ddyffrynnoedd y Chwareli Llechi'. Darparwyd mynegeion i'r awduron a'r mynwentydd, ynghyd â map defnyddiol yn nodi 'lleoliad mynwentydd y fro', sy'n ymestyn o Lanllyfni a Beddgelert yn y de i Bentir a Llanllechid yn y gogledd. Nid oes yma ragymadrodd na nodiadau. Rhannwyd y casgliad yn dair adran: englynion sy'n 'mynegi natur ac achos y marwolaethau'; rhai sy'n 'dynodi galwedigaethau a choffa cyfraniad i gymdeithas a diwylliant'; ac englynion sy'n 'cyfleu rhinweddau aelodau'r teulu', a cheir isadrannau i bob un. Mae'r dosraniad hwn yn gweithio'n dda. Yn ogystal ag enwau cyfarwydd o fyd llên a cherdd o'r gorffennol, megis Dafydd Ddu Eryri, Eos Llechyd a Gutyn Arfon, cofnodir rhai colledion diweddar iawn, megis Eurig Wyn ('Yn dynnwr coes yr oesau...') yn Ebrill 2004 a Ron Hogia' Llandegai ('Dy lais mwyn fu'n ein swyno...') yn Ebrill 2005. Deuwn ar draws nifer o englynion a welwyd mewn casgliadau eraill. Yr enghraifft fwyaf trawiadol, efallai, yw englyn adnabyddus Hedd Wyn:

> Ei aberth nid â heibio, — ei wyneb
> Annwyl nid â'n ango',
> Er i'r Almaen ystaenio
> Ei dwrn dur yn ei waed o.

Yn y casgliad hwn, fe'i cafwyd ym mynwent Eglwys y Plwyf, Nant Peris, ar fedd Arthur Williams, a laddwyd yn Ffrainc yn 19 oed ym Mawrth 1918; ond yng nghasgliad *Morbid*, fe'i cafwyd ym mynwent Eglwys y Santes Fair, Llanfair, ar fedd Willie Lloyd, a laddwyd yn Ffrainc yn Ebrill 1918, yntau hefyd yn 19 oed. Yng nghasgliad *Maes Gwyn*, wedyn, fe'i gwelir ym mynwent Gibea, Brynaman, ar fedd Johnny Thomas, a syrthiodd yn Ffrainc yn Hydref 1917, yn 35 oed. O gofio'r cysylltiadau, nid annisgwyl yw cyfarfod yng nghasgliad *Meini Gleision* â nifer o gyfeillion Robert Williams Parry, 'pennaf meistr yr englyn beddargraff' (chwedl Bedwyr Lewis Jones); a cheir pum englyn o waith Williams Parry ei hun yn y casgliad, gan gynnwys un ym mynwent Gorffwysfa, Llanllyfni, i Wallter Llyfnwy ('Yr Hen Gantor' yn *Cerddi'r Gaeaf*), a fu farw 27 Mehefin 1932 yn 49 oed – englyn y mae'n briodol iawn ei atgynhyrchu yng nghyfrol *Cyfansoddiadau a Beirniadaethau* yr Eisteddfod Genedlaethol:

> I'r Brifwyl gynt yr hwyliwn – ei phabell
> A'i phobl a garwn:
> Di-fiwsig wyf, di-fosiwn,
> Gwae'r di-'steddfod dywod hwn!

Maes Gwyn: Casgliad o englynion coffa o 14 o fynwentydd ym Mrynaman a rhai pentrefi cyfagos. Fe'u trefnwyd fesul mynwent. Ceir pwt byr o ragymadrodd a rhestr o'r mynwentydd. Moel yw'r cofnodion ac nid oes nodiadau na mynegeion. Da clywed llais rhai o feirdd 'y pwll a'r pulpud' (chwedl Huw Walters), megis Gwydderig, Ben Davies a Watcyn Wyn; a dyma englyn gan Nantlais ym mynwent Tabernacle, Glanaman, i Evan Lodwick, a fu farw yn 78 oed ar 9 Rhagfyr 1943:

> Di elyn gem ei deulu – hael ydoedd
> Lodwick hoff o ganu;
> Rhwyfa'n ddewr drwy'r afon ddu
> Yng ngrasol long yr Iesu.

Cofnododd *Maes Gwyn* saith enghraifft o'r englyn a briodolir i Edward Richard (1714–77), Ystradmeurig, sydd i'w weld mor aml ar feddau plant bach:

> Trallodau, beiau bywyd — ni welais;
> Nac wylwch o'm plegyd;
> Wyf iach o bob afiechyd
> Ac yn fy medd, gwyn fy myd.

A dyma'r hanes trist y cafodd hyd iddo ym mynwent Cwmllynfell, ar fedd Jane Evans, Ynystre-deg, Cwm-twrch, a fu farw ar 5 Mawrth 1889 yn 36 oed:

> Jane deg roes enedigaeth – i bedwar
> Bu wedyn ddwys alaeth
> Drwy ing, hi a'r pedwar aeth
> I oer wely marwolaeth.

Cyril: 'Barddoniaeth Beddau Sir Gâr'. Er gwaetha'r teitl, mynwentydd sy'n gorwedd yn fras yn y triongl rhwng Rhydaman, Llanybydder a Llanymddyfri a gynrychiolir yn y casgliad hwn. Ceir rhagymadrodd sy'n nodi bod y dystiolaeth a geir wrth grwydro mynwentydd y sir yn dangos bod yr arfer o gerfio barddoniaeth ar gerrig beddau yn sir Gaerfyrddin yn ymestyn yn ôl i'r ddeunawfed ganrif, ei fod 'yn ei anterth yn ystod y ganrif olynol cyn dechrau dirwyn i ben yn ystod yr ugeinfed ganrif, gan ddiflannu bron yn llwyr gyda throad y ganrif bresennol'. Yn hynny o beth, y mae sir Gâr yn dilyn patrwm sy'n eithaf cyffredin ar draws Cymru, hyd y gwelaf. Nid oes yma fynegeion na nodiadau, ond ceir un ychwanegiad gwerthfawr iawn, sef llun lliw o bob carreg fedd gyferbyn â thrawsgrifiad mewn llawysgrifen daclus o'r rhan berthnasol o arysgrif y garreg. Yr oedd angen hynny am nad oedd yr arysgrifau bob amser yn gwbl glir yn y lluniau, oherwydd effaith yr elfennau ar y cerrig beddau. Dywed *Cyril* iddo gynnwys y lluniau 'er mwyn cryfhau'r cofeb o'r hen arfer', ac yn sicr fe wnânt hynny, gan ychwanegu dimensiwn newydd wrth inni weld y penillion yn eu cyd-destun a gweld hefyd y newidiadau yng nghrefft a ffasiwn llunio beddfeini dros y blynyddoedd. Trefnwyd y casgliad fesul mynwent. Ymwelwyd â rhai o'r un mynwentydd â *Maes Gwyn* yn ardal Brynaman. Daw'r rhan fwyaf o lawer o eitemau casgliad *Maes Gwyn* o fynwent Gibea, Brynaman (41 ohonynt), a diddorol gweld fod 14 o'r eitemau yng nghasgliad *Cyril* yntau yn dod o'r un fynwent. Cynhwysodd y ddau gasglydd yr englynion i'r cerddor, D. W. Lewis, a'r bardd, Gwydderig, sydd ym mynwent Gibea, ond am fod *Cyril* yn bwrw ei rwyd yn ehangach nag englynion yn unig, fe'i cawn yn cynnwys hefyd gwpled Alan Llwyd ar fedd yr athro barddol dylanwadol, Roy Stephens (1945–89), awdur *Yr Odliadur*, y bu ei golli annhymig yn ergyd drom: 'Un rhy ifanc i drafael,/ Un rhy gu i'r meirw ei gael'.

Un peth a roddodd gryn bleser i mi wrth bori ym mhob un o'r casgliadau oedd troi tudalen a dod ar draws enw cyfarwydd. Nid yw casgliad *Cyril* yn eithriad yn hynny o beth. Dyna fedd Nantlais ym mynwent Bethany, Rhydaman, a'r pennill arno o'i efelychiad o emyn Frances Ridley Havergal yn ein hatgoffa o'i ymgysegriad yntau i'w Arglwydd: 'Pwyso arnat, Arglwydd Iesu,/ Digon wyt i mi:/ Pwyso'n llwyr am dragwyddoldeb/ Arnat Ti'. Dyna fedd yr arweinydd corau, J. Noel John, wedyn, ym mynwent Elim, Rhos-maen, Llandeilo, a'i gwpled: 'Y gân oedd yn ei galon,/ A'i galon yn y gân.' Ac yna, ym mynwent Eglwys Llandybïe, dyna fedd yr annwyl Gomer Morgan Roberts, y chwilotwr diwyd a phrif hanesydd y Methodistiaid Calfinaidd. Mae paladr yr englyn ar ei fedd yn dwyn atgof o deitl y gyfrol deyrnged iddo a gyhoeddwyd ym 1982, *Gwanwyn Duw: Diwygwyr a Diwygiadau*: 'Am oes bu'n arddu'r meysydd – yn disgwyl,/ Disgwyl Gwanwyn newydd ...' Ac yn gymysg â'r rhain a'u tebyg, pleser hefyd oedd cael cwrdd am y tro cyntaf â rhai llai cyfarwydd, fel David Tom a Lizzie Anne (Bessie) Williams, a gladdwyd ill dau ym 1995, yn 82 ac yn 77 mlwydd oed, ym mynwent Bethlehem, ger Llangadog. Dyma englyn coffa J. Eirian Davies iddynt:

> Triw eu craffter i'w crefftau; – hi â'r pwyth,
>   Plygwr perth oedd yntau.
>   Plant y ffydd bob dydd, a dau
>   Selog yng ngwaith y Suliau.

Ceir rhai perlau llenyddol yn y casgliadau, mae'n wir, ond nid yn eu rhinweddau llenyddol y gorwedd gwerth y penillion yn gymaint ag yn y goleuni a daflant ar fywydau unigolion a chymunedau, yn eu gwae, eu galar, a'u gwynfyd.

Wrth dafoli'r casgliadau, roedd natur y detholiad a'r dull o'i drefnu, graenusrwydd y diwyg a chywirdeb y cofnodion (hyd y gallwn farnu, heb ymweld â'r holl fynwentydd fy hun!), oll yn ystyriaethau pwysig. Disgwylid, wrth reswm, i'r ymgeiswyr gyflawni amodau'r gystadleuaeth a chyflwyno 'enwau, dyddiadau a lleoliad' yn achos pob pennill; ac er na ofynnwyd amdanynt yn benodol, roedd rhagymadrodd, mynegeion, nodiadau, mapiau a lluniau yn ychwanegiadau amheuthun.

Cystadleuaeth anodd ei beirniadu oedd hon! Roedd i bob un o'r casgliadau ei rinweddau a phob casgliad wedi golygu oriau o lafur. Gellid bod wedi gwobrwyo'r rhan fwyaf ohonynt, mewn gwirionedd; ac er y bydd angen rhywfaint o waith golygu a gwirio yn achos rhai, gobeithio y byddant oll yn gweld golau dydd maes o law, ar ffurf llyfrynnau, neu'n gyfresi mewn cylchgronau megis *Y Casglwr, Y Faner Newydd* a *Llafar Gwlad*, neu yn y papurau bro.

Yn Eisteddfod Genedlaethol Wrecsam ym 1977, rhannwyd y wobr o £50 rhwng pum ymgeisydd. Erbyn hyn, ni chaniateir rhannu gwobrau, ysywaeth, ac felly rhaid dyfarnu'r wobr o £100 – £1 am bob pennill! – yn gyfan i un ymgeisydd. Y casgliadau a roddodd y boddhad mwyaf i mi, am wahanol resymau, oedd rhai *Cyril, Callestr* ac *Erw Gein*, gyda *Morbid* a *Meini Gleision* yn dynn wrth eu sodlau. Rhagoriaeth *Erw Gein* yw'r wybodaeth ychwanegol eang a geir ganddo; mae'r lluniau yn ychwanegiad o bwys yng nghasgliad *Cyril*; hoffais drylwyredd ac ehangder casglu *Callestr* ac arddull hamddenol, agosatoch ei ragymadrodd. Byddwn wedi hoffi'n fawr rannu'r wobr yn gyfartal rhyngddynt. Wedi cryn bwyso a mesur, penderfynwyd yn y diwedd ei dyfarnu i *Cyril*.

YSGOLORIAETH EMYR FEDDYG

Er cof am Dr Emyr Wyn Jones, Cymrawd yr Eisteddfod

BEIRNIADAETH RHYS DAFIS

Nod Ysgoloriaeth Emyr Feddyg eleni ydy hybu datblygiad y bardd mwyaf addawol yn y gystadleuaeth, os oes teilyngdod. Gwneir hynny drwy gyfrannu at gost llyfrau a meddalwedd, a thrwy hyfforddiant ('prentisiaeth') i'r enillydd gan fardd profiadol dros gyfnod o tua chwe mis.

Roedd gofyn i'r cystadleuwyr gyflwyno casgliad o hyd at 30 o gerddi, a'r rheiny 'yn waith gwreiddiol a newydd yr awdur'. Derbyniais bedwar casgliad i'w cloriannu.

Hen Dato Newi: Rhaid cymryd (yn ôl gofynion y gystadleuaeth) nad awgrymu a wna'r ffugenw mai ailbobiad ydy'r casgliad hwn! Mae'n bump ar hugain o gerddi amrywiol o ran hyd a thema, mewn nifer o fesurau caeth a rhydd. Ceir cywyddau ac englynion, awdl gywydd a chywydd deuair byrion yn y mesurau caeth, ac yna sonedau, trioled, tribannau, cerdd dri thrawiad, a phenillion mewn mydr ac odl yn y mesurau rhyddion. Yn blethiad iddynt, ceir sawl telyneg yn y wers rydd gynganeddol. Meistrolodd y bardd yr holl fesurau hyn yn dda iawn ar y cyfan, gan ganu'n rhwydd a graenus. Sylwais ar ambell lithriad crefft (e.e. llinell chwe sill yn y cywydd 'Adeilad', cam-odli 'sws' a 'drws' yn y soned 'Cymod', cloffni mydr yma ac acw, a mân frychau gramadegol) ond prin iawn ydyn nhw. Dyma addewid, yn wir. Beth am gynnwys y cerddi? Mae'r pynciau canu yr un mor amrywiol â'r mesurau, wrth i'r bardd droi at brofiadau ei fywyd, y gymdeithas leol, a'r byd o'i gwmpas. Yn sicr, mae ôl meddwl aeddfed yma, a cheir cymalau cofiadwy (e.e. 'Hoffwn dy gofleidio â geiriau ffôl' a 'Daw dwylo'r wawr lawr y lôn/ I agor drws yfory'). Eto, er addewid digonedd o syniadau a delweddau unigol, dydy'r bardd yn aml ddim yn llwyddo i'w plethu'n gerdd afaelgar, gynnil. Canlyniad hyn yn y cerddi hirach ydy tuedd i guddio'r neges ganolog gan bentwr darluniau a meddyliau. Mae lle hefyd i dynhau'r mynegiant, a cheir peth cloffni yn y canu caeth. Gellid hepgor rhai cerddi o'r casgliad efallai (e.e. 'Y Farchnad ym Miri Borneo', ac 'Adeilad'). Diolch i *Hen Dato Newi* am gasgliad difyr a sylweddol.

Egin: Cyflwynodd *Egin* ddwy ar bymtheg o gerddi amrywiol: cywyddau, sonedau, penillion mewn mydr ac odl (gydag ambell gyffyrddiad cynganeddol), englynion, cerddi gwers rydd (un gynganeddol), awdl a haicw. Fel *Hen Dato Newi*, aeth ati i ddangos ei feistrolaeth eang o'r mesurau, gan lwyddo yn ddi-os. Yn wahanol i *Hen Dato Newi*, fodd bynnag, ni cheir yr un cloffni a dryswch wrth droi syniadau'n gerddi gafaelgar a chynnil. Ceir amrywiaeth ym mhynciau'r cerddi hefyd, sy'n dangos bod llygad y bardd hwn yn craffu i bob cyfeiriad ac yn gweld deunydd newydd neu dro annisgwyl i ganu amdano. Daliodd fy sylw o'r dechrau yn ei soned ddychanol 'Llun o'r teulu' lle y mae, y tu ôl i'r wên ar wyneb y cymeriadau, surni a ffraeo rhyngddynt. A dyma'i newydd-deb cyffrous yn 'Darluniau': 'Caethiwyd mewn amrant/ ar noson chwil/ lun o un/ sy'n un o fil. Siampên o wên/ yn ewyn o hyd/ a'r bybyls yn brolio/ y giamocs i gyd ... O dan bob deigryn/ o'r ddiod dda/ mae gwydryn gwag/ a chreigiau iâ'. Mae'r hiwmor llwyddiannus mewn cerddi fel 'Cywydd Gofyn' (am arian coleg gan rieni), 'Y Gwaharddiad Ysmygu' a 'Gwragedd y beirdd' hefyd yn cyfrannu at yr amrywiaeth a'r diddordeb. A dyma weledigaeth fawr y gerdd rydd 'Rhyddid' sy'n cau'r casgliad: 'Rhyddid yw bod yn berchen ar ffôn sy'n gweithio,/ o'r diwedd,/ heb deimlo'r angen i roi caniad i neb'. Nid yw'r gwaith heb fân frychau, fodd bynnag, megis anwybyddu calediad sain 'd-h' mewn cynghanedd, llinell chwe sill mewn cywydd, camodli 'achwyn' a 'cychwyn', a benthyg cystrawen o'r Saesneg unwaith neu ddwy. Dydy'r soned 'Yr Anfadwaith' ddim yn talu am ei lle. Ond mae'n gasgliad sy'n cynnal diddordeb â'i newydd-deb cynnil o'r dechrau i'r diwedd – yn llawn addewid.

Crud y Gwynt: Mae hwn yn gasgliad swmpus – naw ar hugain o gerddi, eu hanner yn y wers rydd a'r gweddill mewn mydr ac odl, gan gynnwys dwy soned a chân yn null yr hen benillion. Ceir mynegiant hyderus a glân gan hen law, er bod cloffni mydr annisgwyl yn ei sonedau, ac ambell lithriad iaith. Myfyrio ynghylch profiadau bywyd, dirywiad cymdeithas ac effaith andwyol dynoliaeth ar y fam ddaear ydy calon y casgliad, a hiraethus a digalon braidd ydy dehongliad y bardd o'r sefyllfa bresennol. Ar ei orau, mae'n gynnil ac yn taro deuddeg (e.e. 'Cyn bo'r nos yn ochneidio'r blinder ...', a 'cusannau [*sic*] ysgafn yn poethi'r heulwen') ond yn aml mae'n osodiadol ac yn tueddu i droi cerdd yn wers. Mae tuedd hefyd i'r dweud fod yn llac os nad rhyddieithol ar brydiau, yn enwedig yn y cerddi gwers rydd hirion (megis 'Llwybrau', 'Lleisiau' a 'Muriau') yn ail hanner y casgliad. Y gerdd fer olaf, 'Du a gwyn', yw'r orau – yn gynnil a chofiadwy – a dyna'r safon i anelu ato ym mhob un.

Melinydd: Dyma fardd sy'n deall cynildeb mynegiant wrth gyflwyno pedair ar bymtheg o gerddi yn y wers rydd. Mae'r arddull yn gyson dynn a diwastraff a'r brawddegu'n fydryddol ofalus. Gwaetha'r modd, mae'n rhy gyson a gofalus, gan ddefnyddio'r un arddull a hyd i bob cerdd, a'u hadeiladu yn yr un ffordd, nes bod y casgliad yn undonog ac yn colli diddordeb. Trueni mawr am hynny, oherwydd mae craidd y peth gan y bardd hwn. Mae amrywiaeth y pynciau a'r llif syniadau gwreiddiol yn dangos ffresni ac addewid. Dyma fo ar ei orau yn y gerdd 'Tomos': 'Gwelaf/ ôl dy draed/ yn y tywod/ a rhedwn/ drwy adwy amser/ a chreu pnawn newydd/ mewn hen ddyddiadur'. Beth am gadw'r cynildeb ond amrywio'r mesur a'r safbwynt myfyriol – a chynnig mwy o'r annisgwyl – y tro nesaf?

Cefais fy mhlesio gan safon y gystadleuaeth. Canfod y bardd mwyaf addawol oedd y dasg, ac am ragoriaeth ei gasgliad yn ogystal â'i addewid, *Egin* (â'i ffugenw addas) sy'n llawn deilyngu'r ysgoloriaeth eleni.

RHYDDIAITH

Gwobr Goffa Daniel Owen: Nofel heb ei chyhoeddi gyda llinyn storïol cryf a heb fod yn llai na 50,000 o eiriau

---

BEIRNIADAETH GARETH MILES

Llygaid y Nos: Bwriad awdur 'Y Llydawes Fach' oedd sgrifennu nofel swmpus a chyffrous am helyntion rhai o lewion y *Résistance* Ffrengig yn ystod yr Ail Ryfel Byd. Nofelig chwyddedig a gafwyd, ysywaeth. 'Alla' i ddim coelio bod dynes mor ddiniwed a di-bersonoliaeth â'r Chwaer Marie-Claire o bentref bach yng nghefn gwlad Llydaw wedi dod yn *résistante* mor bwysig nes bod 'Ffrainc gyfan ar ei hôl', na bod y cerddor dall, Philippe, wedi dod yn un o arweinwyr y mudiad ym Mharis, na chael fy argyhoeddi gan aduniad rhagluniaethol y lleian a'i mam ym mhuteindy gwersyllgarchar yn yr Almaen. Darlun arwynebol a chamarweiniol a geir o'r *Résistance*. Nid mudiad Catholig a sefydlwyd i arbed Iddewon rhag erledigaeth mo'no. Ni chrybwyllir y tensiynau rhwng gwahanol garfanau megis y *Gaullistes*, y Comiwnyddion a rhai fel François Mitterand, a fuasai'n deyrngar i lywodraeth Vichy.

Propaganda neu bregeth yw hanes pobl dda yn mentro'u bywydau dros achos teilwng ac yn erbyn dynion drwg sy'n arddel daliadau gwrthun. Nid oedd pob aelod o'r *Résistance* yn sant na phob aelod o'r *Wehrmacht* yn ddihiryn. Darllener *Mudandod y Môr*, trosiad meistrolgar Ambrose Bebb o *Le Silence de la Mer* gan Vercors, campwaith a sgrifennwyd yn ystod goresgyniad Ffrainc gan y Natsïaid. Gweler hefyd y ffilmiau *L'armée de l'ombre* (Melville, 1969) a *L'armée du crime* (Guédiguian, 2009).

Camgymeriad sylfaenol oedd traethu yn lleisiau tebyg-i'w-gilydd Marie-Claire a Philippe ac yn amser presennol y ferf. Chwedl sydd wedi digwydd yw nofel ac nid un sydd yn digwydd, fel drama lwyfan neu ffilm.

Meirwen: Ceir yn 'Cyw a Faged ...' ddeunydd crai nofel draddodiadol afaelgar. Dwy chwaer a fagwyd yn y Garnedd, fferm fynydd yn un o siroedd y Gogledd, yw Ann a Doris. Pan leddir eu tad mewn damwain dractor, mae Ann yn ddigon bodlon i aros gartref i ffermio a gofalu am ei mam, heb edliw bod Doris, a 'gafodd y brêns', yn cael cyfle i ddisgleirio'n academaidd a mynd yn ddoctor. Beichioga Ann o ganlyniad i berthynas efo cymydog sy'n gyfaill i'r teulu ac yn ŵr priod a chanddo ddau neu dri o blant. Erbyn y cyrhaedda Gwen, merch anghyfreithlon Ann, ei harddegau, ymddengys ei bod wedi etifeddu afradlonedd ei mam. Cyfyngir yr helyntion hyn i ryw chwarter y nofel ac ymdebyga'r gweddill i 'linyn storïol' sebon Saesneg a ddarlledir yn y prynhawn: cyfres o episodau ystrydebol, llu o gymeriadau nad ydynt ddim namyn enwau, deialog lipa a'i llond o fanylion dibwys, atgofion ac ôl-fflachiadau ailadroddus a chyd-ddigwyddiadau ffortunus. Erbyn i'r awdur gyrraedd y nod o 50,000 o eiriau mae'r llinyn wedi hen freuo.

Os bwriada *Meirwen* ailwampio'r nofel, awgrymaf ei bod yn ei thraethu yn ei llais ei hun gan adael i densiynau a gwrthdrawiadau mewnol y chwedl ei gyrru yn ei blaen yn hytrach na bod ewyllys yr awdur yn gwneud hynny drwy lywio a lliwio ymsonau, myfyrdodau ac atgofion y cymeriadau.

Spot y Ci: Mae arddull 'Tri Thro i Löyn Byw' yn llyfn a thrylow a'r awdur yn meddu clust fain sy'n ei alluogi i gofnodi tafodiaith mwy nag un ardal a chenhedlaeth yn argyhoeddiadol. Thema ganolog y nofel yw'r newid yn agwedd menywod Cymru at eu rhywioldeb eu hunain dros dair cenhedlaeth a gynrychiolir gan Eira Mai, 17 oed, sy'n cysgu gyda'i chariadon; ei mam ddibriod, ddigymar, Rhiannon, 40 oed, a'i nain, Megan, 70 oed, a ormeswyd pan oedd yn ferch ifanc gan gulni ei thad a phiwritaniaeth y Capel. Y llinyn storïol yw carwriaeth Eira Mai a Llion Oliver, ei hathro drama ifanc, golygus ac fe'i hategir yn ddiymdrech gan nifer o isblotiau diddorol.

Dylid tocio'r nofel hon a dichon fod gormod o flas siwgr a sebon arni iddi fod at ddant pawb ond mae'n un ddeallus a darllenadwy a rydd bleser i lawer ac mae'n teilyngu'r wobr.

BEIRNIADAETH JANE EDWARDS

Siomedig oedd y gystadleuaeth o ran nifer a chynnyrch, heb fawr ddim gwreiddioldeb, argyhoeddiad, dyfnder na gweledigaeth yn perthyn i'r un ohonynt. Roedd y straeon yn aml ar hyd ac ar led, yn amleiriog ac ailadroddus, a dwy ohonynt yn flinedig o hir. Nid ar chwarae bach y mae llunio nofel, wrth gwrs; mae'n golygu misoedd lawer o waith ac ymroddiad. Ac yn y dyddiau hyn, pan mae cyhoeddi mor hawdd, rhaid diolch i'r awduron am gystadlu a chadw'r traddodiad eisteddfodol yn fyw. Eto mae'n werth mentro pe na bai ond er mwyn y bri, y wobr hael, a'r gwerthiant a ddaw yn sgîl y fuddugoliaeth. Ond cyn ennill mae'n rhaid plesio'r beirniaid – a dyw hynny byth yn hawdd. Ofn pennaf pob beirniad yw gorfod atal y wobr a siomi cynulleidfa'r pafiliwn; ar y llaw arall, mae'n bwysig peidio â siomi'r gynulleidfa ehangach – y darllenwyr hynny sy'n pwyso a mesur pob gair. Weithiau, pan nad yw'r gyfrol fuddugol yr hyn y dymunir iddi fod, gofynnir i rywun annibynnol ymgymryd â'r gwaith o'i golygu. Nid yw'n sefyllfa ddelfrydol ond o leiaf mae'n gyfaddawd doeth.

Mae thema 'Tri Thro i Löyn Byw' gan *Spot y Ci* a 'Cyw a Faged ...' gan *Meirwen* yn hynod o debyg i'w gilydd. Mae'r ddwy awdures yn sgwennu am dair cenhedlaeth o'r un teulu, y neiniau traddodiadol, y mamau di-briod a'u merched siawns – tair cenhedlaeth sy'n adlewyrchu agweddau eu hoes tuag at ryw. Ni welodd 'run o'r merched eu tad gan i'r naill symud i Ganada a'r llall i'r America cyn eu geni. At hynny, mae gan eu cariadon orffennol brith. O ia, ac mae'r ddwy yn dipyn o rebel. Am wn i.

Dyna lle mae'r gymhariaeth rhwng y ddwy awdures yn gorffen, oherwydd mae byd o wahaniaeth yng nghyflwyniad y ddwy nofel. Nid yw *Meirwen* yn dod drosodd fel nofelydd hyderus ac, er mor hen ffasiwn ddifyr yw ei stori, nid yw'n gwybod sut i'w chynnal. Ar ôl yr hanner cyntaf, mae'r naratif yn mynd i bob cyfeiriad. Ond un peth sy'n aros yw cariad y merched at eu cynefin er gwaetha' sawl colled a siom.

Mae awdur 'Tri Thro i Löyn Byw' yn llenor aeddfetach, yn gwybod yn iawn sut i gyflwyno stori, ac wrth ei bodd yn rhaffu digwyddiadau a chreu cymeriadau lliwgar. Mae ganddi glust arbennig i dafodiaith ac mae'i hiaith yn syml a di-fefl. Teimlaf weithiau ei bod yn cael cymaint o hwyl ar sgwennu fel na ŵyr pryd i docio a chywasgu, a chan hynny mae'n pentyrru golygfeydd a chymeriadau di-nod yn un gybolfa ddiangen. Ac mae'r diwedd, lle mae'r *gwdis* i gyd yn ennill loteri annisgwyl a'r *badis* yn cael eu haeddiant, yn chwerthinllyd ac annheilwng. Ond i'r darllenwyr hynny sy'n hoffi diweddebau hapus, fe wna'r tro, gan mai nofel foesol yw hi yn y bôn er gwaetha'r agwedd agored tuag at ryw.

Nofel hir, uchelgeisiol yw 'Y Llydawes Fach' gan *Llygaid y Nos* – nofel hir, uchelgeisiol gan awdures sy wedi ymchwilio i'r cyfnod pan oedd Ffrainc dan warchae'r Almaenwyr yn ystod yr Ail Ryfel Byd. Adroddir yr hanes ar yn ail gan Phillipe, chwaraewr acordion dall, a Marie-Claire, Llydawes ddi-nod, y ddau'n ffigyrau amlwg gyda'r *Résistance* yn Ffrainc. Mae'r nofel yn dechrau'n synhwyrus gyda disgrifiadau o arogleuon Paris a'i phensaernïaeth trwy lygaid dyn dall. Dyma lle mae'r awdur yn rhagori: yn ei ddisgrifiadau o natur ac enwau planhigion. Hoffais hefyd y disgrifiad o'r fam yn dod i'r pentref i garu ym Mis y Mefus. Go druenus yw gweddill y stori. Mae ei hiaith a'i chystrawen yn gywilyddus o wallus, ac mae'n torri brawddegau'n ddiddiwedd efo ' ...' . Yn aml, nid yw'n egluro pwy sy'n siarad ac mae'n gadael y darllenydd mewn penbleth tragwyddol. Weithiau, does dim modd gwneud na phen na chynffon o'r naratif, sy'n peri i mi feddwl mai fersiwn gyntaf o lu o fersiynau yw hon, a nofel sy'n sgrechian am gymorth golygydd.

Pendiliais yn hir cyn bwrw fy mhleidlais. Yn y pen draw, cytunais â'm cyd-feirniad fod *Spot y Ci* yn rhagori, ac yn teilyngu'r wobr, yn bennaf am fod yr iaith fel mêl, a bydd y stori, unwaith y caiff ei golygu a'i chwtogi, yn darllen mor rhwydd a lliwgar â gwylio cyfres deledu ar gyfer pobl ifanc.

Meirwen: 'Cyw a Faged ...'. Gafael fferm y Garnedd ar aelodau'r teulu yw sail y nofel hon. Stori draddodiadol sydd yma am eu helyntion trwy lygaid Ann, y ferch ymarferol, yn bennaf. Cawn lawer o'i synfyfyrion hi yn gymysg â'r digwyddiadau. Daw'n amlwg fod yr awdur yn gyfarwydd iawn â bywyd ar fferm fynydd a llwydda i adlewyrchu'r newidiadau mawr yng nghefn gwlad dros yr hanner canrif diwethaf. Braidd yn llac a syml yw'r ymdriniaeth o ran datblygu'r plot ac mae rhai elfennau yn f'atgoffa o 'Gyfres y Fodrwy' gynt. Ceir tuedd i'r ddeialog ailadrodd ffeithiau a wyddom eisoes a threulir gormod o amser yn dyfalu neu'n esbonio sut yr oedd cymeriad neilltuol yn teimlo. Cawn wybod yn weddol fuan fod Gwyn, y brawd hynaf, 'wedi'i g'luo hi' yn bedair ar ddeg oed ar ôl rhyw gamwedd a wnaeth, a'r tad wedi ei ddiarddel yn llwyr byth mwy. Gadewir y darllenydd yn y niwl ynghylch hyn am hydoedd. Anodd iawn hefyd yw derbyn y cyd-ddigwyddiad anhygoel yn yr Alban, a Gwyn wedyn yn adrodd hanes ei fywyd yn alltud. Effaith y manylu ynghynt ar fywyd y taid a'r nain yw arafu rhediad y stori'n arw. Mae iaith y nofel yn ystwyth a naturiol a'r tyndra rhwng Ann a'i merch, Gwen, wedi'i gyflwyno'n gredadwy. Gwaetha'r modd, nid yw'r cynnwys drwodd a thro yn ddigon gafaelgar i gynnal diddordeb y darllenydd.

Llygaid y Nos: 'Y Llydawes Fach'. Goresgyniad Ffrainc gan yr Almaenwyr yn ystod yr Ail Ryfel Byd yw'r cefndir. Y prif gymeriadau yw Philippe, cerddor dall a Phwyliad o dras Iddewig, a Madeleine, lleian o Lydaw: y ddau'n ifanc, yn gyfeillion agos ac yn perthyn i rwydwaith dirgel y *Résistance* ym Mharis. Mae'r traethu yn y person cyntaf a'r ddau gymeriad yn adrodd am eu hymdrechion i helpu trueiniaid sydd dan orthrwm y Natsïaid. Down i'w hadnabod yn dda wrth i'r ddau lwyddo i drechu eu hofnau, a chawn ddarluniau trawiadol o gyni a dioddefaint pobl gyffredin. Cyflwynir y stori fel cyfres o luniau yn digwydd ar y pryd gyda'r berfau yn yr amser presennol. Gwaetha'r modd, mae hyn yn peri tramgwydd i'r awdur gan achosi ailadrodd mynych a hynny wedyn yn arafu popeth. Mewn mannau, ceir ysgrifennu grymus, yn enwedig wrth i beryglon nesáu. Yr argraff a geir drwy'r adeg yw nad yw'r awdur wedi cyrraedd y drafft terfynol eto. Gwendid sy'n achosi undonedd yn y ddeialog yw bod pob cymeriad yn llefaru'n debyg iawn i'w gilydd. Gan fod brawddegau'r naratif yn rhy hir a gorgymalog, mae'r darllen yn tueddu i fod yn feichus. Er ei bod yn amlwg fod yr ymchwil i'r cefndir wedi bod yn drylwyr, bu diffyg yn y didoli wedyn. Anodd hefyd yw derbyn cynifer o gyd-ddigwyddiadau mewn nofel sy'n dechrau'n uchelgeisiol ond heb lwyddo yn ei hamcan.

Spot y Ci: 'Tri Thro i Löyn Byw'. Dyma nofel gyfoes am dair o ferched cryf, annibynnol eu barn ac am y dynion yn eu bywydau – Eira Mai sy'n ddwy ar bymtheg oed, Rhiannon y fam sengl, a Megan y nain weddw. Mae'r tair cenhedlaeth yn byw dan yr unto, yn ffermdy Cae Aron. Dilynir eu hanes am ryw flwyddyn. Stori serch y ferch ysgol a'i hathro drama yw llinyn cysylltiol y nofel. Wrth adrodd am yr hyn sy'n digwydd, daeth yr awdur ag elfen newydd i'r gwaith trwy gyflwyno'n gelfydd ddamcaniaeth wyddonol a elwir yn *chaos theory* ac 'effaith glöyn byw': 'Newid bach, bach ar ryw bwynt ym mywyd rhywun yn achosi llanast ymhellach ymlaen'. Llwyddwyd i greu amrywiaeth eang o gymeriadau credadwy sy'n ein denu i mewn i'w byd. Mae camp arbennig ar y ddeialog sionc sy'n amrywio'n naturiol yn ôl y siaradwr bob tro. Cyflwynir inni yn y nofel hon nifer o agweddau ar natur y gymdeithas fel y mae yng Nghymru heddiw. Gwelir yma'n ogystal ddawn ysgrifennu ddiamheuol a'r naratif yn llifo'n rhwydd. Dyma lenor wrth reddf. Rwy'n berffaith sicr y bydd y nofel ddarllenadwy hon yn apelio at lawer o bobl, a'i bod yn deilwng o'r wobr.

Y Fedal Ryddiaith. Cyfrol o ryddiaith greadigol heb fod dros 40,000 o eiriau: Adfywiad

BEIRNIADAETH ELFYN PRITCHARD

Ers rhai blynyddoedd bellach mae mwyafrif y llyfrau sy'n cael eu cyhoeddi yn y Gymraeg wedi bod trwy'r felin olygyddol cyn iddynt ymddangos, ac nid o safbwynt cywirdeb a chysondeb iaith yn unig nac yn bennaf. Gwelodd Llywodraeth y Cynulliad yn ddiweddar werth yr ymarferiad hwn a chynnig i gyhoeddwyr grantiau i'w galluogi i gyflogi golygyddion. Ond gall y cyfrolau sy'n ennill ein prif wobrau – y Fedal Ryddiaith a Gwobr Goffa Daniel Owen – fod yn eithriadau i'r sylw golygyddol hwn. Yn wir, mae rhai lleisiau'n datgan yn glir na ddylid ymyrryd mewn unrhyw fodd â chyfrolau arobryn, dim ond eu cyhoeddi fel y maent, ar wahân i lithriadau ieithyddol, wrth gwrs. O ganlyniad, fe gyhoeddwyd yn y gorffennol gyfrolau anfuddugol o'r cystadlaethau hyn y datganai adolygwyr a darllenwyr fel ei gilydd eu bod yn uwch eu safon na'r cyfrolau buddugol – a hynny am eu bod wedi eu golygu'n fwy trylwyr. Yr oedd hyn yn ein meddyliau wrth inni'n dri beirniad gyfarfod i drafod y cyfrolau a ddaeth i'r gystadleuaeth hon eleni. Yr oedd yn rhaid cytuno, pe gallem, ar yr ymgais orau, penderfynu a oedd honno'n deilwng o'r Fedal, ac yna, os oedd teilyngdod, penderfynu i ba raddau y byddem yn argymell peth diwygio arni pe bai angen, cyn ei chyhoeddi. Rhaid tanlinellu un ffaith: ni fyddai teilyngdod yn amodol ar newid y gyfrol, byddai'n rhaid iddi fod yn deilwng heb ei newid, heb ei golygu, neu byddem yn dinistrio holl sylfaen beirniadaeth ac yn bod yn gwbl annheg â'r ymdrechion eraill yn y gystadleuaeth. Does dim yn newydd nac yn chwyldroadol yn hyn oll. Darllenwch, er enghraifft, feirniadaeth Manon Rhys yng nghystadleuaeth Gwobr Goffa Daniel Owen yn Eisteddfod Genedlaethol Môn ym 1999.

Diolch i'r naw sydd wedi cystadlu eleni, un yn fwy na'r llynedd, a dyma sylwadau ar bob ymgais, nid yn nhrefn teilyngdod, ond fe gadwyd y goreuon tan y diwedd. 'Adfywiad' oedd y thema ac yr oedd yr holl ymdrechion yn weddol destunol er bod yn rhaid tyrchu'n eitha' dwfn i ganfod adfywiad yn rhai ohonyn nhw.

Echnaton: 'Bydd Gwawr'. Nepal yw'r lleoliad lle mae Nepali yn iaith swyddogol, a'r iaith frodorol fwy neu lai wedi marw. Un sy'n gallu ei dwyn i gof yw Duma, un o weddwon rhyfel, sy'n disgwyl plentyn, ac yn anfon llythyr at ei nain, Leya, yr unig un sy'n rhugl yn yr iaith bellach, i erfyn arni i ddod i edrych ar ei hôl. Mae Leya yn cyrraedd mewn pryd ar ôl taith hir lle mae'n adrodd ei hanes a hanes ei thad wrth un o'r milwyr yn y fintai, ac mae genedigaeth efeilliaid yn cynnig gobaith adfywiad i'r iaith. Daw sefyllfa'r iaith yng Nghymru i'r meddwl wrth ddarllen, ond anarbennig ar y cyfan yw'r mynegiant a'r cymeriadu, ac y mae ynddi nifer o wallau cystrawen.

Dafydd: 'Crwn'. Gosodwyd y gyfrol hon yng Ngwlad y Deg Pentref mewn byd cyntefig lle mae dau'n mynd ar daith i chwilio am y Crwn – y gwrthrych annelwig hwnnw sy'n hanfod pob gwareiddiad, yr un y mae dyletswydd i'w warchod. Hanes eu hanturiaethau hwy ar eu taith beryglus sydd yn y gyfrol ac y mae yma ymgais lwyddiannus ar brydiau i gyflwyno'r byd cyntefig i'r darllenydd. Ond, yn gyffredinol, mae'r awdur fel pe bai'n rhy ymwybodol o'r cefndir i'w gyflwyno'n naturiol ac mae'n dibynnu bron yn gyfan gwbl ar ddeialog a honno'n aml yn arwynebol ac undonog. Pan fentra ddisgrifio, ceir ganddo frawddegau anffodus fel hon: 'Rhimyn o oleuni fel y wawr (petasen nhw'n gwybod beth oedd gwawr)'. A dyna osod yr awdur yn llwyr y tu allan i'w greadigaeth.

Mrs Dalloway: 'Rhacs Amser'. Cyfnod y gyfrol hon yw rhyfel y Boer a'r Rhyfel Byd Cyntaf ac ynddi ceir hanes Griff, hogyn o Gaerfyrddin a aeth i weithio i Gaerdydd, ac yna i Lundain. Yn y llety yng Nghaerdydd, mae'n cyfarfod nifer o bobl eraill, gan gynnwys Gwen, un y mae yna gryn ddirgelwch ynglŷn â'i gorffennol. Uchelgais Griff yw mynd i Lundain a phan lwydda mae'r stori'n symud i'r fan honno. Gallasai'r lleoliadau hyn a chefndir y rhyfeloedd gyfrannu at stori ddiddorol, ond nid yw'n ymgais lwyddiannus fel y mae o safbwynt creu awyrgylch a chreu cymeriadau crwn. Y mae ynddi hefyd nifer fawr o wallau iaith elfennol.

Gwraig Pharo: 'Mos'. Bu hon mewn cystadleuaeth flaenorol ond nid yw'n ymddangos bod *Gwraig Pharo* wedi elwa o sylwadau'r beirniaid yn Abertawe. Ail-greu, i raddau, stori Moses a wneir yma, a'i gosod yn y dyfodol gan wneud 'Mos' yn arweinydd Plaid y Gwerthoedd mewn cymdeithas bwdr. Pêl-droed yw'r canolbwynt a delw o Dafydd Beg, yr arwr lleol, yw'r llo aur a addolir. Mae'r syniad yn un da ac mae darnau diddorol yn y gwaith. Ond mae rhyw naïfrwydd rhyfeddol yn y Moses modern hwn, ac nid yw'r stori wedi ei llunio'n ddigon celfydd i argyhoeddi. Nid yw'r ysgrifennu 'chwaith, drwodd a thro, yn cyrraedd y safon a ddisgwylir yng nghystadleuaeth y Fedal Ryddiaith.

Glyn: 'Mab Annwyl Dy fam'. Y rhyfel yn Afghanistan yw'r cefndir, a da cael ymdriniaeth â sefyllfa gyfoes. Mae mewn dwy ran. Yn rhan 1, mae rhieni'n cael gwybod bod eu mab, Gwion, wedi ei ladd yn y rhyfel a'u hadwaith nhw, yn enwedig y fam, i'r digwyddiad yw'r rhan hon a hi sy'n adrodd yr hanes. Yn rhan 2, mae milwr – Gwion yw yntau – wedi'i glwyfo a bydd yn rhaid iddo dreulio gweddill ei fywyd mewn cadair olwyn. Y fo y tro hwn sy'n adrodd yr hanes. Pam y galwyd y ddau yn Gwion? Ai'r un Gwion sydd yma a'r gyfrol wedi ei llunio yn null yr amlddewis, ynteu a yw'r awdur am gyflwyno dau bosibilrwydd ac yn gofyn y cwestiwn, pa un oedd fwya' lwcus o'r ddau, y Gwion a laddwyd ynteu'r Gwion a glwyfwyd? Mae cryn dipyn o ysgrifennu da yma a sefyllfaoedd sy'n gredadwy. Ond mae yma din-droi a diffyg datblygiad, ac mae'r iaith ymhell o fod yn lân.

Cain: 'Calan'. Nofel y mae iddi amryw rinweddau: thema ddiddorol y triongl o fewn un teulu, sefyllfaoedd sy'n argyhoeddi, cymeriadau cryf a saernïaeth ofalus. Gŵyr yr awdur werth yr awgrym cynnil a cheir yn y gyfrol benodau cofiadwy a brawddegau trawiadol, e.e. 'Rhoi troed yn nrws y syniad cyn i neb arall ei agor', 'Dim ond teimlo'r bys eiliad yn sgubo'r prynhawn oddi wrthynt'. Ond y mae yma hefyd benodau sy'n rhyw fath o ymsonau cyflwyno gwybodaeth, darnau sy'n arafu'r rhediad ac yn mennu ar y datblygiad, a rhai brawddegau clogyrnaidd: 'Mewn brwydr fewnol ag ef ei hun, dyna y bu'n ei wneud', 'Sef holl bwynt mynd yn y lle cyntaf, yn ei hôl hi'. Dyma enghraifft o nofel y gall cydweithio awdur a golygydd ei gwella'n fawr drwy ailystyried rhai rhannau ohoni a chryfhau'r darlun o'r berthynas rhwng Ceri a Cris – dau o'r is-gymeriadau ond dau gwbl allweddol yn y stori.

M. W.: 'Gwenddydd'. Yr Ail Ryfel Byd yw'r cefndir, a Gwen, merch i weinidog, sy'n nyrs mewn ysbyty milwrol, a Robert ei brawd, milwr a glwyfwyd yn y rhyfel, yw'r prif gymeriadau. Mae meddwl Robert wedi ei sarnu gan y brwydro ac mae'n dianc o'r ysbyty ac yn cyrraedd y goedwig ger ei gartref. Yno mae Gwen yn dod o hyd iddo ac yn ceisio'i berswadio i fynd adref er mwyn profi i'w fam sy'n gwaelu ei fod yn fyw. Dyna yw'r gyfrol hon ar yr wyneb. Ond mae llawer mwy iddi na hynny. Ei sail yw chwedl Myrddin a Gwenddydd ei chwaer, y Myrddin a ddihangodd ar ôl i fyddin Gwernddolau golli'r dydd ym mrwydr Arfderydd yn 573, y Myrddin a dreuliodd weddill ei oes yng Nghoed Celyddon yn byw'n wyllt ymhlith yr anifeiliaid a hynny mewn ofn rhag i Rydderch Hael, enillydd y frwydr, ei ymlid. Yr hyn a wnaed oedd gwisgo cnawd cyfoes neu led gyfoes (1939-45) am esgyrn hen chwedl, a gwneud hynny'n gelfydd, ac mae'r darlun o wewyr Robert a'i berthynas o â'i chwaer yn uchafbwyntiau'r gystadleuaeth.

Sî Sics: 'Sî Bêi'. Mi dybiwn i fod y cystadleuydd hwn yn dipyn o wag; mae wedi darlunio cymeriad felly, beth bynnag, gan mai'r hyn a gawn ni yn y gyfrol yw myfyrdodau William Jôs, ymgymerwr o Lanlleidiog, sy'n glaf mewn ysbyty. Roedd hi'n braf cael hiwmor a dychan mewn cystadleuaeth a oedd, ar y cyfan, yn bur drymaidd ei themâu er gwaetha'r testun. Dyma awdur y mae ganddo afael sicr ar deithi'r iaith, sy'n gwybod faint o'r gloch yw hi yn y Gymru Gymraeg, ac sy'n beirniadu'r Gymru honno yn gelfydd a chynnil. Mae ganddo ddawn i ddarlunio cymeriadau diddorol ac i ddweud pethau pwysig mewn ffordd ddifyr. Teimlais fod y gor-wneud ar Gymreigio geiriau Saesneg yn arafu'r darllen ac yn arafu'r rhediad ar brydiau, ac ni lwyddodd y tro ar y diwedd i argyhoeddi. Ond dyma gyfrol a ddaeth yn agos i'r brig.

Neb o Bwys: 'I Brynu Gwasgod Goch'. Cyfrol â'i thema'n gwbl gyfoes, sef y dirwasgiad a'i effaith ar gryn ddwsin o bobl. Robert a Shirley yw'r prif gymeriadau, gŵr a gwraig sydd wedi gwahanu. Mae o'n ymuno â chynllun ar gyfer y di-waith, a'r hyn a wna yw ysgrifennu dyddiadur. Mae hi'n gweithio mewn siop elusennol, a daw'r holl gymeriadau i gysylltiad â hi, neu â'i gilydd, neu â'r siop, sy'n adlewyrchu cynllunio manwl. Ceir ynddi gryn dipyn o ysgrifennu da, a hynny mewn gwahanol arddulliau, ond mae hi'n gyfrol anwastad. Mae'r ysgrifennu yn y dyddiadur ac yn yr erthyglau ar gyfer *Papur Pawb* yn dangos fod gan yr awdur afael sicr ar nodweddion y ffurfiau ysgrifenedig hynny. Mae hynny'n wir am rannau Shirley hefyd ond nid yw'r ysgrifennu mor dynn yn rhai o'r rhannau eraill ac ni chefais fy argyhoeddi mai'n fwriadol yr oedd hynny.

Wrth ystyried y tair cyfrol a osodais ar fy rhestr fer, roeddwn yn cael fy nhynnu gan hiwmor a dychan *Sî Sics* a chan ddidwylledd ac amrywiaeth ffurfiau *Neb o Bwys* ond deuwn yn ôl bob tro at *M. W.* a'r gyfrol 'Gwenddydd', gan fod ynddi fwy o ddyfnder, mwy o weledigaeth, a mwy o ysgrifennu gofalus a rhannau cofiadwy, yn mynnu adwaith y pen a'r galon. Fe ychwanegwyd 'Calan' gan *Cain* i'r rhestr fer gan fy nghyd-feirniaid a thrafodwyd y pedair yn drylwyr gennym. Daethom i'r casgliad, yn annibynnol ar ein gilydd, mai 'Gwenddydd' oedd y gyfrol orau ac fe benderfynwyd ei bod, mewn cystadleuaeth braidd yn siomedig eleni, yn gwbl deilwng o'r Fedal.

BEIRNIADAETH JOHN GRUFFYDD JONES

Nid taflu dŵr oer ar ddyfalbarhad ac ymroddiad unrhyw un yw dweud mai cystadleuaeth siomedig ar y cyfan fu hon eleni, nid yn unig o ran nifer ond hefyd o ran safon yr ysgrifennu a chreadigrwydd llenyddol. Prin oedd y cyfrolau oedd yn creu'r awydd am ailddarllen, a thrist yw gorfod ailadrodd sawl beirniadaeth ddiweddar am y diffyg treiglo sy'n britho gwaith nifer o'r naw cyfrol a ddaeth i law eleni. Mae llawer iawn mwy i'r gystadleuaeth bwysig yma na chyflwyno cyfrolau cymen o ran diwyg, ac er nad oes disgwyl efallai i'r Gymraeg fod yn berffaith o ran cywirdeb ieithyddol, mae angen ymdrechu at loywder iaith. Dyma air am bob ymgais ond nid mewn unrhyw drefn neilltuol.

Echnaton: 'Bydd Gwawr': Stori ar ddwy lefel sydd wedi ei lleoli yn Nepal ac mae gwybodaeth yr awdur am y wlad a'i phobl yn amlwg iawn yn y gwaith drwyddo draw, gydag enwau lleoedd a disgrifiadau o'r tirwedd yn lliwio sawl digwyddiad yn llwyddiannus ddigon. Mae'r stori'n troi o gylch Duma, gweddw feichiog sydd ar fin rhoi genedigaeth pan ddaw dau filwr i ymweld â hi, ei nain Leya sy'n cymryd taith hir ac anodd i'w helpu, a'r Athro Anka sy yn y wlad i recordio'r iaith frodorol sydd ar fin marw oherwydd gorfodaeth y Llywodraeth i ddefnyddio'r iaith Nepali. Mae'r cyfan yn ein hatgoffa o frwydr yr iaith Gymraeg heddiw ac effeithiau hynny ar hawliau lleiafrifoedd, gan gynnwys y byd busnes a diwydiant. Fe lwyddodd yr awdur i weu stori ddiddorol a chreu cymeriadau eitha' credadwy a hynny mewn cyfrol ddestlus, ond mae hefyd yn frith o wallau ieithyddol, brawddegu trwsgl, a deialog wantan mewn sawl lle. Cyfrol fer sy'n dangos addewid ond sydd hefyd yn dangos ôl brys tua'r diwedd.

Mrs Dalloway: 'Rhacs Amser'. Ceir dyfyniad ar ddechrau'r gwaith o gerdd John Donne, 'The Rising Sun', a'r rhan o'r dyfyniad hwnnw ('which are the rags of time') sy'n rhoi teitl i'r stori. Adroddir hanes Griff yn gadael ei gynefin yng Nghaerfyrddin i weithio mewn siop ddillad yng Nghaerdydd ac yna yn Llundain ac mae tinc hen ffasiwn i'r stori drwyddi draw. Prin iawn yw unrhyw ddyfeisgarwch llenyddol yma ac mae'r diffyg treiglo yn amlwg hyd at fwrn ar sawl tudalen trwy gydol y gwaith. Er gwaethaf hynny, ceir ambell fflach obeithiol fel yn y disgrifiad o Gapel y Bedyddwyr a bragdy Brains, a hefyd sawl esiampl o dafodiaith naturiol mewn sgwrs ond, ar y cyfan, mae'r disgrifiadau'n foel a chatalogaidd. Cymeriadau stoc sydd yma hefyd fel perchennog y siop a Gwen sy'n wrthrych serch Griff ac ni ddatblygwyd sawl sefyllfa'n ddigonol dro ar ôl tro. Ceir tuedd hefyd i ddechrau sawl brawddeg o fewn paragraff gyda'r un gair, a theimlais i'r holl ddigwyddiadau gael eu rhestru yn hytrach na'u datblygu'n ddiddorol. Mae llawer o waith cywiro a thocio caled ar y gwaith hwn.

Cain: 'Calan'. Cefais yr argraff fod yr awdur yn llenor profiadol, nid yn unig ar sail cynnwys y gwaith ond hefyd o safbwynt arddull a phatrwm, ac mae'r ffordd y cyflwynodd y cymeriadau ar y dechrau'n dangos dyfeisgarwch a manylder. Amlygir hynny hefyd yn y dewis o enwau'r cymeriadau a gyflwynir, fel Cain ac Efa, gyda'u cysylltiadau Beiblaidd yn cyfleu'r bradychu, y temtio a'r cuddio celwyddau sy'n gyforiog yma, ac mae cyflwr y cymeriadau hefyd yn rhoi cyfle i greu sawl sefyllfa gref a diddorol. Nid peth hawdd yw cael llawer o newydd-deb mewn stori am gariad ond cafwyd peth llwyddiant yma. Mae yma ddawn ddiamheuol ac mae'r cyferbynnu rhwng afiechyd Cain a phryder Efa am ei phwysau corfforol yn amlygu'r ddawn honno. Collwyd cyfle i gymhlethu'r sefyllfa rhwng ambell gymeriad, yn arbennig felly rhwng Edryd a'i fodryb, ac o gofio swyddogaeth Ceri yn y diweddglo, dylid ei hamlygu'n gynt yn y stori. Prin fod angen brawddeg fel 'Wedyn dyma fel y digwyddodd pethau' nad yw'n gwneud dim ond llenwi diangen ac mae hyn yn digwydd sawl tro yng nghorff y gwaith da yma. Felly hefyd y gorddefnydd o frawddegau byrion sy'n stroclyd ar brydiau, ac mewn sawl lle fe aeth y ddeialog yn arwynebol heb ddatblygu dim ar y stori na'r cymeriad. Er hynny, gyda thipyn o gywiro a golygu, gellir yn sicr gyhoeddi'r gyfrol hon.

Neb o Bwys: 'I Brynu Gwasgod Goch'. Tri dyfyniad sy'n gyflwyniad i'r gyfrol yma, un o hwiangerdd Gymraeg sydd hefyd yn rhoi teitl i'r gwaith, ac yna dau yn Saesneg sy'n ymwneud â'r sefyllfa economaidd a'r rhai sy'n dioddef mewn cyfnod felly. Cawn ein cyflwyno i ddyddlyfr Robat Jones sy'n 'sgwennwr o fri, yn ei farn ei hun, os nad neb arall' wrth iddo ddechrau ar gwrs o Ysgrifennu Creadigol ar ôl colli ei waith fel colofnydd ar bapur newydd. Fe ddaw ei siniciaeth a'i hiwmor treiddgar i'r amlwg wrth iddo roi darlun o Helena, sy'n arwain y cwrs, a hefyd ei gyd-ddisgyblion. Yn sicr, mae yma ddawn i greu cymeriad ac fe hoffais y portread o Haf wrth iddi adael dwy ffrog briodas yn y siop, ond mae yma ddiffyg cynildeb ar brydiau. Ar y llaw arall, ni ddatblygwyd digon ar gymeriad Alun er efallai i hynny fod yn fwriadol gan mai cymeriad ar gyrion y stori ydyw. 'Anwastad' yw'r ansoddair i ddisgrifio'r gwaith hwn, ac efallai y gellid hepgor ambell gymeriad er cryfhau'r darlun cyfan. Hoffais y patrwm o gynnwys mân erthyglau o *Papur Pawb* rhwng penodau.

Dafydd: 'Crwn'. Cyfrol gymhleth ei chynnwys sy'n troi o gwmpas dau'n teithio i geisio canfod y byd perffaith, sef Y Crwn, ac anturiaethau'r daith ryfedd honno. Mae gwendid sylfaenol yma gyda'r ddeialog, a hynny mewn brawddegau nad ydynt yn dweud fawr ddim am y cymeriadau. Roedd yma uchelgais ond ni wireddwyd y freuddwyd o bell ffordd er bod ambell ddisgrifiad digon cymeradwy, ond fe aeth y brawddegau byrion a'r gorddefnydd o ddeialog yn undonog tu hwnt. Mae'r iaith hefyd yn wallus mewn sawl man.

Gwraig Pharo: 'Mos'. Cyflwynwyd y gwaith hwn yn yr un gystadleuaeth yn yr Eisteddfod Genedlaethol yn Abertawe 2006 ac ni theimlaf i'r awdur fanteisio fawr ddim ar y feirniadaeth a gafodd bryd hynny. Nofel wleidyddol alegorïol a geir ganddo ac mae'r cyfan yn gyforiog o ddelweddau a chyfeiriadau Beiblaidd ac mae'n amlwg mai math o ail Foses yw Mos a Ron ei asiant, felly, yn ymdebygu i Aaron. Cadwyd yn glòs iawn (yn rhy glòs, efallai) at y delweddau crefyddol gydag enwau fel y Ddelw Aur, Y Berth Boeth a Mynydd Synau ac, fel y dywedodd Jane Aaron yn ei beirniadaeth yn 2006, 'mae'r ddameg yn anghyson er cystal y dychymyg'. I mi, mae'r diweddglo bron yn anghredadwy er i'r cynnwys fod yn ddigon darllenadwy ond araf yw'r datblygiad yn enwedig felly tua'r canol.

M. W.: 'Gwenddydd'. Cyfrol swmpus yn agor gyda dau ddyfyniad, un o Lyfr Du Caerfyrddin a'r llall o Lyfr Coch Hergest. Cymysg oedd fy ymateb i'r gyfrol ar y darlleniad cyntaf, yn enwedig felly i'r neidio sydyn o un sefyllfa i'r llall ac o'r presennol i orffennol mwy nag un cymeriad. Mae gwybodaeth am y dyfyniadau ar y dechrau yn hanfodol i'r darllenydd gan fod cymaint o chwedl Myrddin a Gwenddydd yn cydio'r stori wrth ei gilydd. Nid na ellir cael blas ar y darllen heb y wybodaeth ond mae cymaint mwy i'w ganfod o wybod, ac mae'n cryfhau'r diweddglo ac yn gyswllt gyda'r agoriad. Cawn stori amserol iawn, sy'n cyflwyno darlun o broblemau milwrol ar draws amser, gydag ymdriniaeth sensitif a theimladwy, er i mi deimlo sawl tro i'r ddeialog yma, hefyd, fod yn arwynebol. Mae gorddefnyddio'r Saesneg yn wendid amlwg iawn. Amlygir dawn yr awdur yn y defnydd o iaith gyhyrog a'r disgrifio lliwgar, er bod tuedd i ddechrau sawl brawddeg mewn paragraff gyda'r un gair, a syndod hefyd oedd gweld nad oedd y nyrs yn gwybod enw'r claf ar ei hymweliad cyntaf.

Glyn: 'Mab Annwyl Dy Fam'. Cyfrol arall sy'n ymdrin â phrofiadau rhyfel ac yn y rhan gyntaf cawn ymateb rhieni wrth iddynt ddeall i'w mab, Gwion, gael ei ladd yn nhalaith Helmand. Gwaetha'r modd, mae'r gwaith yn llawn gwallau, ac ni lwyddwyd i gael digon o deimladrwydd na chydymdeimlad i'r ysgrifennu o gofio'r sefyllfa. Methais ganfod datblygiad yn y stori na 'chwaith unrhyw beth newydd yn enwedig yn y rhan gyntaf, a chymhlethwyd y sefyllfa yn yr ail ran drwy roi'r enw Gwion hefyd i filwr arall. Arwynebol yw'r ymdriniaeth yn y ddwy ran ac fe amlygir hynny mewn brawddeg fel: 'Dôn ni ddim yn gwbod beth o'n i i fod i 'sgwennu'.

Sî Sics: 'Sî Bêi'. Dyma gyfrol a ddaeth â gwên i'r cystadlu a rhoi darlun o'r Gymru gyfoes wrth i ymgymerwr o Fôn dreulio cyfnod mewn ysbyty. Mae yma (o'r diwedd!) glust i ddeialog a dawn i ddisgrifio profiadau unrhyw un sydd wedi treulio cyfnod mewn ysbyty. Mae'r defnydd o'r 'Wenglish' a glywir mor aml mewn cyfweliadau radio a theledu yn llawn hiwmor er, efallai, braidd yn hiliol ar brydiau. Oes, mae yma gymeriadau stoc, ac mae'r holl sefyllfa'n tueddu i fynd â ni'n ôl i ffilmiau'r gyfres *Carry On* a hiwmor y cyfnod hwnnw. A dyna wendid y gwaith, gan fod hiwmor fel popeth arall yn dyddio ac fe gefais y teimlad i mi glywed y cyfan o'r blaen, ond diolch am roi ambell gic haeddiannol i Gymry heddiw.

Nid tasg hawdd oedd dewis enillydd yn y gystadleuaeth yma ac er i *Neb o Bwys* ddod yn agos, mae dwy gyfrol, yn fy marn i, yn rhagori, sef *Cain* ac *M. W.* am mai yma y cefais fwyaf o bleser, nid yn unig yn y stori ond yn y ddawn lenyddol a amlygir. Wedi petruso ychydig, i *M. W.* yr wy'n dyfarnu'r Fedal eleni.

Siomedig braidd oedd safon y gystadleuaeth o ran creadigrwydd ac ansawdd yr ysgrifennu. Roedd yna dueddiad cyffredinol i roi mwy o sylw i'r syniadau y tu ôl i'r gweithiau nag i'r ysgrifennu ei hun. Cafwyd nifer o syniadau llawn addewid ond ni lwyddwyd i'w datblygu'n ddigonol a chollodd sawl awdur gyfleoedd godidog oherwydd hynny.

Byddai sawl un o'r gweithiau wedi bod yn llawer cryfach pe bai'r awduron wedi gadael i'r cymeriadau ddatblygu'n naturiol a rhoi lle ac amser iddyn nhw ddweud eu dweud. Roedd diffyg ffydd yr awduron yn eu cymeriadau yn amlwg wrth i sawl cymeriad gael ei luchio ar y naill ochr tua hanner ffordd trwy'r gwaith er mwyn i'r awdur gael dweud y stori ei hun. Wrth 'arwain' y darllenydd a chyflwyno rhyw 'negeseuon' trwsgl, roedd y gweithiau'n dirywio'n gyflym. Fel yn achos y llwynog, ni ddylai 'neges' y stori gael ei gweld yn amlwg ar dudalen ond, yn hytrach, dylai sleifio i mewn yn llechwraidd gan ddal y darllenydd gerfydd ei wddf cyn i hwnnw gael y siawns i'w weld yn dod.

Dyma air am bob ymgeisydd.

Mrs Dalloway: 'Rhacs Amser'. Nofel hen ffasiwn braidd er nad oes dim byd o reidrwydd yn bod ar hynny. Dilynwn hynt a helynt Griff wrth iddo adael ei gartref yng nghefn gwlad a mentro i ddinas fawr Caerdydd. Mae cefndir hanesyddol i'r nofel hon gyda Griff yn mynd i weithio yn Emporium Joseph Powell & Sons Ltd, sy'n adlais amserol gan fod un siop fawr wedi agor yn ddiweddar yng Nghaerdydd. Teimlwn efallai y gallasai'r awdur fod wedi gwneud mwy o'r 'ddinas fach' yma o fewn y ddinas fawr. Adeiladwyd perthynas ddifyr rhwng Griff a Gwen, perthynas a oedd yn f'atgoffa i o garwriaeth Angel Clare a Tess yng ngwaith Hardy. Gwaetha'r modd, mae'r awdur yn colli ei afael ar y cymeriadau yn ail hanner y nofel. Efallai'i fod yn ceisio dangos y modd y mae rhyfel yn chwalu cymdeithas, ond rhaid gwneud hynny heb i'r darllenydd deimlo'i fod yn cael ei ddieithrio oddi wrth y prif gymeriadau. Gwaetha'r modd, mae'r nofel yn rhaflo, megis y defnydd yn yr Emporiwm, yn hytrach na thynhau wrth gyrraedd y clo.

Dafydd: 'Crwn'. Wrth ddarllen 'Crwn', gobeithiwn am ryw nofel 'Becketaidd' wrth i ddau gymeriad chwilio am rywbeth, yn hytrach nag aros am rywbeth, fel yn *Waiting for Godot*. Mae'r nofel yn dechrau'n addawol wrth inni gael ein harwain ar ymchwiliad clasurol a dilyn Samwell William a Fenmore James ar drywydd y Crwn. Er mor ddifyr y cysyniad, efallai fod eisiau ychydig mwy o gig ar esgyrn y cymeriadau i wneud inni uniaethu â nhw. Tuedda'r ddeialog i fod ychydig yn denau hefyd ac fe gollwyd cyfleoedd i ymhelaethu ar y darlun o'r byd rhyfedd yma. Roedd hi'n amlwg hefyd i'r awdur feddwi ar ei ddywediadau creadigol ei hun, gyda 'cloc newyn' a dywediadau cyffelyb yn drwch drwy'r gwaith. Un o heriau creu byd newydd yw cadw'n driw i reolau'r byd hwnnw ond, gwaetha'r modd, fe fethwyd gwneud hynny ar sawl achlysur. Mae'r nofel yn dibynnu yn y diwedd ar dric, sef bod y stori'n llyncu ei chynffon ei hun gan greu siâp crwn. Gwaetha'r modd, teimlwn fod hynny'n caethiwo'r awdur â'r nofel ac, yn y pen draw, yn peri iddi droi yn ei hunfan.

Gwraig Pharo: 'Mos'. Roedd llawer i'w edmygu yn y nofel hon – ymroddiad didwyll yr awdur yn un peth yn ogystal â'r cysyniad canolog. Nofel alegoraidd yw hi sy'n olrhain hanes Mos, y gwleidydd, wrth iddo ymgyrchu dros ei blaid. Er bod sglein ar y mynegiant, tuedda cyffyrddiad yr awdur i fod yn llawdrwm a thôn y nofel yn gyffredinol yn bregethwrol. Â Mos yn ail Foses, braidd yn glogyrnaidd oedd y gyfeiriadaeth at y stori Feiblaidd a nemor ddim yn digwydd yn y nofel nes i Mos fynd ar goll ar y mynydd. Pe bai'r awdur wedi anghofio am gyflwyno 'negeseuon', a chanolbwyntio mwy ar y cymeriadau a'r stori, efallai y byddai'r nofel yn argyhoeddi'n well.

Echnaton: 'Bydd Gwawr'. Nofel arall ac iddi gefndir difyr, gyda'r awdur yn cyfosod diflaniad iaith yn Nepal gyda brwydr yr iaith Gymraeg. Hoffais y syniad canolog yn fawr iawn ond teimlwn i'r awdur golli cyfleoedd wrth iddo neidio o un cymeriad i'r llall yn lle arafu i ddweud y stori'n symlach. Mae gan yr awdur ddawn i ddisgrifio heb os nac oni bai, ond mae ei dueddiad i bentyrru delweddau yn arafu'r darllen ar adegau. Yn debyg iawn i nifer o'r nofelau eraill yn y gystadleuaeth, mae'r stori'n dirywio wrth i'r awdur orgymhlethu'r plot yn ail hanner y nofel. Pe bai'r awdur wedi cadw ei afael ar Anka a datblygu ei pherthynas â Leya, efallai y byddai'r nofel yn llwyddo i ddal ein diddordeb hyd at y diwedd un.

Glyn: 'Mab Annwyl Dy Fam'. Nofel mewn dwy ran sydd fel pe bai'n cynnig dau fersiwn o'r un stori. Yn y rhan gyntaf, cawn wewyr meddwl mam yn galaru ar ôl marwolaeth ei mab yn nhalaith Helmand ac yn yr ail cawn wewyr meddwl y mab wrth iddo ddihuno mewn uned ofal. Dyw hi ddim yn amlwg beth yw pwrpas yr awdur wrth iddo strwythuro'r nofel fel hyn. Ai awgrymu y mae ei bod hi'n well peidio â dychwelyd o ryfel o gwbl er mwyn osgoi dioddef am byth? Ynteu a ydyw'n awgrymu ei bod hi'n well cael unrhyw fath o fywyd yn hytrach na'i golli? Efallai y gallasai'r awdur fod wedi ymhelaethu ychydig ar hyn neu o leiaf archwilio'r cysyniadau yma'n ddyfnach. Teimlwn hefyd y gallasai'r nofel fod wedi elwa wrth gael ei hysgrifennu yn y trydydd person. Byddai galar y fam, er enghraifft, wedi bod yn fwy effeithiol o'i weld o'r tu allan. Tuedda'r naratif person cyntaf fod yn hunandosturiol ac yn ailadroddus gan wneud i'r darllenydd golli cydymdeimlad â'r cymeriadau.

Sî Sics: 'Sî Bêi'. Cyfres o *tableaux* a gawn yn adrodd hanes cyfnod y prif gymeriad mewn ysbyty a'i 'adfywiad' wrth iddo gael ei ryddhau. Yn bendant dyma gomedïwr wrth ei waith er efallai y gellid dadlau bod yr hiwmor ychydig bach yn hen ffasiwn. Mae'n anodd peidio â phoeni am y prif gymeriad a chydymdeimlo ag ef, a gwenu ynghylch ei amryw sylwadau am y byd a'r betws. Braidd yn bytiog oedd llif y gwaith, ac ni châi ein chwilfrydedd ei oglais yn ddigonol efallai. Roedd tueddiad yr awdur i Gymreigeiddio geiriau Saesneg yn tarfu at y darllen – mae'n bosib cael gormod o rywbeth da! Gallwn ddychmygu'r gwaith yn cael ei ailysgrifennu fel sioe gomedi i un actor a'r cymeriad yn cael rhyddid llwyr i lenwi'r llwyfan â'i hiwmor drygionus.

Neb o Bwys: 'I Brynu Gwasgod Goch'. Mae gan yr awdur hwn wir ddawn ysgrifennu. Fel pe bai'n creu *collage*, mae'r awdur yn defnyddio darnau o ddyddlyfr, erthyglau papur newydd a hanesion personol i greu darlun cywrain iawn o'n cymdeithas gyfoes. Cawn gymeriadau o gig a gwaed a phob un ohonyn nhw'n dioddef sgîl-effeithiau'r argyfwng ariannol mewn rhyw ffordd neu'i gilydd. Braf oedd gweld gwaith cyfoes amserol a'i strwythur yn dal ac yn cynnal diddordeb y darllenydd. Mae gan yr awdur lygad craff am y manylion bach sy'n dweud y pethau mawr am gymeriadau. Gwaetha'r modd, efallai, y cymeriad y teimlais leiaf o gydymdeimlad ag ef oedd Robat Jones, y prif gymeriad, am ei fod ychydig bach yn ystrydebol. Efallai fod y dyddiad cau wedi bod yn drech na'r awdur ond mae'r nofel yn gorffen yn ddisymwth o sydyn. Yn wir, bûm yn twrio yn fy nesg am benodau ychwanegol! Dyw'r gwaith ddim fel pe bai'n orffenedig a thrueni am hynny.

Cain: 'Calan'. Nofel soffistigedig deimladwy sy'n olrhain hanes Cain a'i pherthynas â theulu ei chwaer. Nofel fodern yw hon sy'n gosod bywydau mewnol y cymeriadau o dan y chwyddwydr gan gynnal yr ymdeimlad fod rhywbeth ar fin digwydd. Ei chryfder yw'r modd y mae'r awdur yn canolbwyntio ar gylchrediad emosiynol y cymeriadau ac yn eu symud, megis darnau gwyddbwyll, i mewn ac allan o fywydau ei gilydd. Ceir yn y nofel gymeriadau ac iddynt haenau o ddyfnder a deialog sy'n argyhoeddi, dro ar ôl tro. Mae adeiladwaith y nofel yn bwyllog a'r emosiynau, yn gyffredinol, yn mudferwi yn hytrach nag yn fflamio. Oherwydd hynny, teimlwn efallai fod datblygiad perthynas Cain a Huw braidd yn sydyn a'r portreadau o Ceri a'i dyweddi braidd yn anwastad. Gydag ychydig bach o olygu, dylai'r nofel hon yn sicr gael ei chyhoeddi.

M. W.: 'Gwenddydd'. Fe'm swynwyd gan y gwaith hwn o'r darlleniad cyntaf. Nofel dawel gyhyrog yw hi sy'n cynnig haenau newydd o ystyr gyda phob darlleniad. Teimlwn, wrth i mi ei darllen, fod hwn yn waith pâr profiadol o ddwylo wrth i'r awdur wibio yn ôl ac ymlaen trwy fywydau'r prif gymeriadau. Stori syml yw hi ond stori ac iddi haenau o deimladau pan fo Robert ar ei ffordd adre o'r rhyfel. Er y byddai ymwybyddiaeth o chwedl Myrddin a Gwenddydd yn dyfnhau gwerthfawrogiad y darllenydd, nid yw'n hanfodol gwybod y chwedl honno cyn gallu ei mwynhau. Mae'r cymeriadau'n argyhoeddi ond, yn fwy na hynny, mae'r awdur yn cadw gafael ar ei gymeriadau canolog gan eu harwain yn araf ac yn feistrolgar i gyfarfod â'i gilydd. Fe'm hatgoffwyd o waith Ian McEwan (yn enwedig ei nofel *Atonement*) ac, yn wir, mae yna ryw ymdeimlad oesol ynghlwm wrth y stori. Mae nifer o'r golygfeydd wedi eu serio ar y cof megis pan fo Robert yn gyrru dros gyrff y bechgyn ar faes y gad. Yn y tywyllwch y digwydd nifer o'r penodau ac wrth i mi orffen y nofel, fe deimlwn fy mod innau wedi dod yn ôl i'r goleuni ac wedi ennill adfywiad fy hun.

Mae *M. W.* yn llawn deilwng o'r Fedal Ryddiaith eleni.

BEIRNIADAETH DAFYDD HUWS

Mynd i rali Cymdeithas yr Iaith yn y bore er mwyn codi llais yn erbyn y Mesur Iaith truenus diweddaraf, gwylio tîm pêl-droed dinas Caerdydd yn boddi yn ymyl y lan eto yn y prynhawn, cyn clywed gyda'r nos fod yr hwch wedi mynd drwy'r siop yn Barcud-Derwen. Dyna ddoe'r beirniad hwn cyn iddo roi hyn o lith am 'Yfory' i lawr ar bapur. Licio neu beidio, mae popeth a ysgrifennir yn Gymraeg y dyddia' yma yn ymwneud yn glòs iawn â dyfodol y diwylliant ac yn ddrych o'n cyflwr trefedigaethol.

Gair cyffredinol am safon iaith y gystadleuaeth i ddechrau. Os oes modd troi Cymreigwyr digon llipa yn awduron Llyfr y Flwyddyn drwy gyfrwng golygu creadigol, pam na ddylai ymgeiswyr eisteddfodol gael tragwyddol heol i geisio cymorth gramadegol cyn cystadlu? Byddai hynny'n profi: i) bod awdur yn ymwybodol o'i ddiffygion, a ii) ei fod yn malio digon i wneud rhywbeth ynghylch y peth. Gellid bod wedi osgoi gwallau sylfaenol yn rhai o'r straeon hyn pe na bai'r awdur ond wedi trafferthu i ddarllen ei waith ei hun cyn ei gyflwyno.

Y Bardd Cwsg: Trodd y cloc ymlaen i'r flwyddyn 2050 ar gyfer ei 'Yfory' ef. Daeth y Cynhesu Byd-eang yn ffaith a gorfodwyd trigolion gwledydd gogledd Ewrop i geisio cartrefi newydd ar y cyfandir. Mae dyfodol y Cymry gyda'u cefndryd pell yng ngwlad y Basg. Mae gan yr awdur ddychymyg byw ond senario ar gyfer gwaith pellach sydd yma, mewn gwirionedd, yn hytrach na stori. Pentyrrir ffeithiau dirifedi ond nid oes lle i ddatblygu'r un ohonynt yn iawn. Beth oedd ymateb y Basgiaid i'r mewnlifo, er enghraifft? Ysgubwyd y pwnc o'r neilltu mewn brawddeg; arwyddocaol iawn, bid siŵr! Edrychaf ymlaen at ddarllen y nofel.

Blod: Ffrâm y stori yw trip ysgol Sul yng Nghwm Tawe ym 1939 ddiwrnod cyn cyhoeddi'r rhyfel. Ysgrifennwyd y cyfan mewn tafodiaith gadarn a cheir disgrifiadau hyfryd o'r diwrnod ar draeth y Mwmbwls: 'Bysedd hir y diwetydd yn ein hannog tuag adref'. Ond, yr argol hedd, buom yn hir iawn cyn cyrraedd yno. Traethawd, ysgrif, stori ... mae sawl ffurf yn brwydro yn erbyn ei gilydd trwy'r amser. Os oes angen doctor iaith ar rai, mae angen doctor ffurf ar eraill. Mae angen ailstrwythuro'r defnydd gan gyflwyno'r atgofion fesul tipyn bach wrth i'r stori fynd rhagddi, heb anghofio, wrth gwrs, am y cwmwl du yna sy'n llechu yn y cefndir trwy'r amser. Mae gan *Blod* stori sy'n werth ei dweud yn iawn.

Dora: Cymraeg naturiol braf y gogledd-orllewin sydd gan *Dora*, y math o iaith yr oeddem yn arfer ei chymryd yn ganiataol. Y pwnc yw yfory hen wraig sydd ar fin symud i gartref a hynny heb ei hannwyl gath, yr unig gysur sydd ganddi. Mae'r awdur yn storïwraig wrth reddf, mae'r agosatrwyddd yn argyhoeddi ac felly hefyd y diweddglo a'r modd y mae yfory'n cael ei ohirio. Ond hoffwn pe bai hi ychydig yn fwy uchelgeisiol. Mae'r stori braidd yn rhy gysurus fel y mae. Wedi'r cwbl, mae'r hen wraig yma'n ddigon cefnog: be' ma' pres yn da os na wnewch chi rywbeth efo fo? Archwilied y croestyniadau.

Iolo: Mae *Iolo* yn fengach ond mae ei iaith yr un mor gadarn. Testun ei stori yw: 'ddaw hi ddim fel hyn a phriodi yfory. Problem y priodfab Emyr yw ei fod o bosib yn ffansïo'r forwyn briodas yn fwy na'r briodasferch, ond problem y stori yw diffyg ffocws. Mae'r stori'n crefu am gael ei hadrodd o safbwynt Emyr ei hun, yn y person cyntaf o bosib neu yn y trydydd fel y mae nawr. Mae'r darn yn colli'i rym trwy hollti'r ffocws a gweld y sefyllfa o safbwynt cymeriadau eraill, ac yn hytrach nag angst dirdynnol yr hyn a geir yw 'Mills and Boon'. Mae hynny'n bechod gan fod gan *Iolo* yr adnoddau i fod yn storïwr da iawn.

Dwyryd: Cymerais at *Dwyryd* yn syth bin, yr enaid bregus sy'n disgwyl am drên yng nghanol torf o bobol ddiarth – pob un ohonynt â gwell syniad nag ef ble'n union maent am fynd. Roedd delweddau'r daith a'r yfory a'r trên yn mynd yn eu blaenau siort orau a'r iaith syml ddirodres a'r hiwmor cynnil yn plesio'n arw tan i'r cwbl ddod oddi ar y cledrau braidd. Collwyd y cynildeb ac aethpwyd ati i or-egluro yn hytrach na gadael i'r delweddau siarad drostynt eu hunain. Y gwendid yw diffyg naratif – diffyg digwyddiad canolog, rhyw wrthdaro o bosib a fyddai'n gyrru'r stori yn ei blaen. Wedi dweud hynny, mae'r diweddglo yr un mor effeithiol â'r dechrau, a hoffwn glywed rhagor o'r llais hwn.

Y Gilfach Ddu: Stori fach ryfedd sydd gan *Y Gilfach Ddu* am ddyn sy'n cael ei gamgymryd yn rheolaidd am Derec Llwyd Morgan. Stori sy'n eich tywys i fyd afreal yn null y Morgan arall hwnnw, sef Mihangel. Stori syml ar yr wyneb ond gwaith ac iddo bwrpas dychanol a bydolwg arbennig. Mae'r awdur hyd yn oed yn chwarae â beirniad y gystadleuaeth hon ryw ychydig gan adael iddo bendroni tan y diwedd un a yw'r gwaith yn destunol ai peidio. Mae'r storïwr yn gwbl grediniol, medda fo, mai fo fydd Derec Llwyd Morgan erbyn 'Yfory'. Melys moes mwy.

Soar: Mae *Soar* yn awdur profiadol. Mae ei iaith yn goeth a'i arddull yn foel ac i bwrpas. Yfory tri dyn mewn uned ysbyty carchar sydd yma, pobl sydd wedi cael eu dedfrydu i farwolaeth mewn cadair-drydan am eu troseddau. Mae'r awdur wedi'i saernïo'n dda iawn, wedi'i hunan-olygu, 'debyg, ac wedi ei thorri at yr asgwrn. Mae yma synnwyr theatrig cryf, gyda phopeth yn cael ei ddatgelu fesul tipyn fel bod y stori'n cynnal at y diwedd. Ac eto, er gwaethaf hyn oll, does gen i ddim owns o gydymdeimlad efo neb. Mater o chwaeth, reit siŵr, ond fedra i ddim ymateb i fydoedd annelwig fel: 'Shami Creini, rhad arno, nad âi fyth ar gyfyl Eglwys Dduw Dad – wel dim ond i ladrata croesau a'u gwerthu ar y wefan er mwyn cael cic a phleser o brynu rhagor o'r gwynder i losgi yn ei ffroenau … 'Fyddi di yno er mwyn cael ysgwyd llaw efo'r Diafol?' Mae stwff fel hyn wedi hen chwythu ei blwc. Saer gwych yn mesur gwynt, 'ddywedwn i, pan mae 'na lond byd o bobl go iawn i boeni yn eu cylch.

Vasquez: Herwfilwr mewn mintai gerila sy'n herio byddin y llywodraeth yn El Salfador yw prif gymeriad *Vasquez*. Stori sy'n cael ei hadrodd yn y person cyntaf am yfory dyn sy'n gw'bod i sicrwydd mai hon fydd ei frwydr olaf. Er bod yma elfennau o hiwmor, hiwmor du gan mwyaf, does dim arlliw o ramantiaeth Che Guevaraidd ar ei chyfyl. Yr hyn a geir yw ysgrifennu grymus iawn, llais cadarn gŵr o arddeliad, a disgrifiadau ingol o effeithiol o erchyllterau rhyfel o'r fath, a'r drychiolaethau sy'n dilyn. Fel *Petrograd* Wiliam Owen Roberts, nid oes Cymro ar ei chyfyl ond yr hyn sydd yma yw gwerthoedd cyffredin pobloedd ar draws y byd sy'n brwydro yn erbyn imperialaeth Eingl-Americanaidd. Ond er mor atgas yw'r gelyn, mae ei ddiwylliant yn rhan anorfod o gyfeiriadaeth y gerila reit at y diwedd, boed yn ffilmiau, yn llyfrau, yn grysau-t neu hyd yn oed yn ganiau 'Coke'. Does dim dianc rhag hon.

Dyma stori orau'r gystadleuaeth: gwaith newydd, cyffrous a ddylai daro tant yma yng Nghymru a ninnau yn ein ffordd fach dawel ein hunain yn troedio ar hyd yr un llwybrau. Ys dywed y slogan ar faner y gwrthryfelwyr, 'Gobaith neu beidio, does dim dewis ond brwydro'.

Ond, gwaetha'r modd, dyma ni yn ôl yn y dechrau'n deg gyda'r cwestiwn: am ba hyd y gellir cynnal diwylliant drwy baentio dros y craciau ieithyddol? Ar ei orau, mae *Vasquez* yn ei medru hi go iawn ond mae'r mynegiant yn anghyson. Nid yw'r cystrawennau'n gwbl gadarn bob amser ac mae'r ystyr gan hynny yn mynd ar goll. Mae angen twtio'r treigladau a gellid gwella rhai ymadroddion.

Ar ôl trafod gyda Golygydd y *Cyfansoddiadau a Beirniadaethau*, daethpwyd i'r casgliad na ellir gwobrwyo'r stori fel y mae. Awgrymir bod yr awdur yn ceisio cymorth gramadegol er mwyn cymoni'i waith ac edrychaf ymlaen yn eiddgar at weld cyhoeddi'r stori hon a rhagor o rai cyffelyb.

Casgliad o ddeg darn ar ffurf llên micro: Gafael

BEIRNIADAETH MARI GEORGE

I mi, mae llên micro yn debyg i gerdd lle mae'n rhaid i bob gair haeddu ei le a phan fydd ychydig linellau'n cyfleu cyfrolau. Wrth feirniadu, yn ogystal ag edrych am ddweud da a defnydd celfydd o iaith, roeddwn yn chwilio am awgrym a chynildeb. Y straeon cryfaf, felly, oedd y rhai a'm gadawodd yn chwilfrydig i wybod mwy.

Saith yn unig a gystadlodd eleni ond roedd y safon drwyddi draw yn eithaf uchel. Dyma sylwadau ar y cystadleuwyr i gyd yn y drefn a osodwyd arnynt gan Swyddfa'r Eisteddfod.

Anffyddwraig: Defnyddir cyfres o ddyfyniadau o emynau yn deitlau i'r straeon ac mae hyn yn cyfleu rhyw dyndra mewnol gan yr awdur. Mae 'O Dan Bwys Euogrwydd Du' yn stori un frawddeg sydd yn cyfleu i'r dim beth yw llên micro. Hoffais hefyd 'Mi lyna'n dawel wrth dy draed' am fod yma ddweud da fel 'Ie, tipyn o hwyl, mae'n debyg, oedd plygu fy het i i siwtio dy wyneb di'. Dyma awdur craff a ddaliodd fy sylw o'r darlleniad cyntaf.

Fy mrawd: Apeliodd 'Yr Iaith' a 'Gwirionedd' yn fawr oherwydd eu gwreiddioldeb, fel y llinell, 'Yn glynu wrth y graig, mae'r llygad maharen yn sugno popeth, ac yn parhau'. Fodd bynnag, fel yn achos sawl cystadleuydd arall, nid yw'r casgliad cyfan yn ddigon arbennig i'w wobrwyo.

Iawn 'ta!: Mae gan hwn syniadau da ac roedd 'Si hei lwli mabi' yn ysgytwol ond fe ellid bod wedi ailweithio'r llinell olaf gan fod y neges yn rhy amlwg. Hoffais hefyd 'Bron â llosgi', yn enwedig y llinell, 'Yr oedd hi'n dduwies, am ychydig eiliadau, yno, o dan y golau'. Trueni fod darnau fel 'Y Prifathro' a 'Bachiad' yn gwanhau'r casgliad.

Iolo: Er bod gafael yr awdur ar eiriau yn dda iawn, mae angen cwtogi a golygu rhai o'r darnau. Mae 'Gollwng Gafael' yn effeithiol, yn enwedig y tro yng nghynffon y stori ond nid yw darnau eraill, fel 'Colled', cystal. Byddai'r awdur wedi elwa o dorri llinell olaf 'Dychwelyd' am ei fod yn disgrifio yn lle awgrymu.

Mei: Mae gan *Mei* afael dda ar iaith a chanddo'r ddawn i ddweud stori, fel yn y stori gyntaf yn y casgliad sy'n deillio o un o geinciau'r Mabinogi ond nid ydwyf yn argyhoeddedig mai straeon micro yw pob un ohonynt. Mae yna or-ysgrifennu a gormod o ddweud yn hytrach nag awgrymu.

Huw: Amrywiol yw'r casgliad o ran safon. Mae dechrau 'gollwng gafael' yn effeithiol tu hwnt: 'Dad, ydi Duw yn marw?'/ 'Nac ydi.'/ 'Dydi hynny ddim yn deg'. Ond mae'r frawddeg nesaf yn tynnu oddi wrth gynildeb y dweud. Mae angen cwtogi'r stori, ac felly, hefyd, 'Pris yr harddwch'. Mae 'Cathod bach' yn ddelweddol ond nid yw'n ddigon awgrymog.

Jemeima: Mae yma ddawn dweud a syniadau gwreiddiol. Hoffais y stori olaf-ond-un yn fawr am ei bod yn ennyn chwilfrydedd. Hoffais yn bennaf y llinell, 'Pam felly ydw i'n dal i glywed caniad y ceiliog?' Trueni nad yw gweddill y casgliad o'r un safon. Weithiau, mae'r awdur yn dweud gormod yn lle gadael i'n dychymyg wneud y gwaith.

O bwyso a mesur, mae cryfderau a gwendidau ym mhob casgliad ond yr un sydd wedi cadw'r safon drwy'r holl straeon a'r un y dychwelais ato fwy nag unwaith i'w ddarllen ac sydd, felly, yn haeddu'r wobr, yw *Anffyddwraig*. Llongyfarchiadau calonnog.

Y Casgliad o ddeg darn ar ffurf llên micro

GAFAEL

'A'R MAGLAU WEDI'U TORRI'
'Ti 'di mynd, 'lly? Wedi camu i ddyfroedd dyfnion *honno*, a 'ngadael i'n rhyw fath o fehemoth diangen yn pydru'n dawel ar y lan. Ie, tipyn o hwyl, mae'n debyg, oedd plygu fy het i i siwtio d'wyneb di. A'r peth mwya' creulon oedd dy glywed di'n deud: "Ti ddim yn rhan o 'mywyd i bellach'. Dim yn rhan o dy fywyd di? A minna' wedi *rhoi* dy fywyd i ti yn y lle cynta'.

'O DAN BWYS EUOGRWYDD DU'
Mi fyddai Mari fach wrth ei bodd yn cerdded rhwng ei mam a'i thad yn dal llaw y naill a'r llall wrth iddynt ei chodi – 'un, dau, tri, ffwrdd-â-ni' – i'r awyr … ond, yn hwyrach ymlaen yn ei bywyd, byddai'n pendroni gryn dipyn ar y llinell fân 'na sydd rhwng *uno* pobl a'u *gwahanu* nhw.

'GWNA'TH GARTREF DAN FY MRON'
Dw i'n gw'bod y bydd pobl yn lladd arna' i, ond fel dw i'n 'i gweld hi, y merchaid sydd ar fai, efo'r sodla' anfarth 'na, a'u sgertia' fel pisyn o bapur lle chwech, a'r mynyddoedd o gnawd 'na reit yn d'wynab di, yn mynnu i chdi … ew, 'ti'n gw'bod be' sy' gin i. Dw i 'di trio egluro hyn i'r wraig acw, ond dydy hi ddim i'w gweld yn dallt y dalltins o gwbl. Yr hulpan wirion!

'I BOB UN SY'N FFYDDLON'
Dw i'm yn deud 'mod i'n santas … o bell ffordd … ond i *mi*, addo 'di addo, yndê. Ocê, doedd yr un ohonon' ni 'di bod mewn capal ers oes pys, ond mi'r oedd 'na r'wbath am y peth — i *mi*, eniwê — rhyw deimlad … sut medra' i 'i rhoid hi … o *ymgysegru* i r'wbath (gin Nain ers talwm wnes i ddysgu'r gair *yna*). Ond, triwch chi egluro hyn'na i'r gŵr acw. Y mochyn dig'wilydd!

'HOLL WAG DEGANAU'R LLAWR'
Oherwydd yr holl ffraeo a ballu, roedd 'na ryw deimlad o ryddhad wedi bod pan adawodd o, er y byddai hi ar dân eisiau ei weld o pan fyddai'n dod nôl bob prynhawn Sadwrn. Ac ni fyddai byth yn dod yn waglaw ychwaith (y tedi bêr mawr pinc oedd ei ffefryn hi ymhlith yr holl bresantau!). Pan ddaeth ei ymweliadau i ben, yn hollol ddirybudd, mi gollodd hi ddiddordeb yn y rhan fwyaf o'r pethau yr oedd o wedi'u rhoi iddi … ar wahân i'r hen dedi bêr pinc – gan fod gwasgu hwnnw'n dynn, dynn at ei brest yn *rhywfaint* o gysur iddi yn ei galar.

'... ALL HEFYD LWYR IACHÁU DY FARWOL FRIW'

Roedd yn rhaid cyfadde' fod ei grap ar y busnes *ail-greu* 'ma *yn* anhygoel! Ac mi'r oedd yn amlwg ei fod o wrth ei fodd yn dangos ei ddonia', wrth iddo fownsio'r bêl fach hirgrwn, soeglyd, i fyny ac i lawr yn ei law, a thrafod y *gwyrthia'* yr oedd yn bosib eu cyflawni efo hi. Yr unig beth yr oedd o'n methu'i wneud, wrth gwrs, oedd ail-greu ei theimlad o fod yn ddynes *go iawn*.

'DIHANGFA DRAGWYDDOL GEIR YNO'

Unwaith yr oedd y therapydd wedi trio rhesymu efo hi, a'i chael hi i ddeall nad oedd gollyngdod a rhyddhad *yn* ollyngdod a rhyddhad oni bai eich bod chi'n *ymwybodol* ohonyn' nhw. Ond methu deall oedd honno (fel arfer!) mai diffyg gwybod, diffyg teimlo, diffyg pob dim, *oedd* y pethau roedd hi'n ysu amdanynt.

'MI LYNA'N DAWEL WRTH DY DRAED'

Yn y gwersi dawnsio ddaru ni gw'arfod, 'wsti, ac ar y cychwyn 'wnes i'm sylwi fod 'na gleisia' ar 'n meingefn ac ar dopia' 'mreichia' ar ôl iddo fo'n *llywio* i o gwmpas y 'stafall ... achos, wedi'r cwbl, chwadal yr athrawas, 'y mae'r dyn i fod i arwain ... a'r ddynas i'w ddilyn'.

'MI GANAF AM RINWEDDAU'R GWAED'

Wsti be', 'do'n i'm yn medru diodda'r tinc 'deudis-i-do?' yn lleisia'n ffrindia' ni ar ôl i ni briodi. Wedi'r cwbl, be' wyddan' nhw am y ffasiwn betha'? Fel mae o'n ei ddeud yn aml, mae rhai merchaid yn medru bod yn *hynod* bryfoclyd weithia' ac mi dw i'n ddigon o ddynas i gyfadda' 'mod i'n un ohonyn' nhw ... *weithia'* eniwê ... ac mae cydio yn rhywun *yn* medru bod yn ffordd o gael trefn ar betha'. Wel, dyna be' mae *o'n* ei ddeud, p'run bynnag.

'ER TLOTED WYF YN AWR'

Ar y cyfan, roedd gweld rhyw ystyr ddeublyg neu ryw ystyr bersonol, annisgwyl, yng ngeiriau'r emynau wedi bod yn rhyw gellwair ysgafn iddi – rhyw ddifyrwch diniwed pe bai'r bregeth yn un eithriadol o hir neu ddiflas. Ond y Sul hwnnw, ar ôl iddi fod yn y clinig yn Lerpwl yn gneud yr hyn yr oedd hi'n gorfod ei wneud, bu bron iddi golli rheolaeth arni'i hun wrth weld y geiriau: 'Pechadur yw fy enw. Ni feddaf enw gwell'.

Anffyddwraig

Ysgrif yn ymwneud â Byd Natur

BEIRNIADAETH BETHAN WYN JONES

Daeth pum ysgrif i law a phleser oedd darllen pob un ohonynt.

Ji-binc: 'Jac'. Adroddodd hanes jac-y-do mewn ffordd ddifyr a oedd denu'r darllenydd ond trueni iddo dreulio amser ar y dechrau yn trafod enwau Cymraeg gwahanol rywogaethau yn hytrach na mynd i'r afael â'r testun yn uniongyrchol.

Welington: 'Ysgrif Natur'. Arweiniodd ni ar daith i aberoedd y Gwendraeth Fawr a'r Gwendraeth Fach, a hynny mewn dull cartrefol a oedd yn cyflwyno gwybodaeth eang am adar yn hynod ddeheuig: 'y gïach sydd mwya nodweddiadol o'r ardal yma yn y gaea, yn sigsagio'n ffrwydrol o dan draed, ei big hir fel pren kebab'.

O'r gongl bellaf yng Nghae Cyw Bwncath: 'Ie, 'd oes w'bod wir i chwi!'. Ein hannog i gofnodi rhyfeddodau byd natur a wnaeth y cystadleuydd hwn, ond credaf y byddai'n well ysgrif pe bai wedi cofnodi digwyddiadau pendant yn hytrach na thrafod hynny.

Jac y baglau: Eistedd yn gysurus yn y gegin fawr a wna hwn, gan ein perswadio i eistedd gydag ef a'i wylio'n gwylio'r pryfed yn y gegin. Yna, cawn wers ddifyr iawn am rai o'r gwahanol bryfetach rydych chi'n eu gweld yn y tŷ.

Ar dal y noe: Darllenais yr ysgrif 'Cyn iddi dywyllu ...', a chael fy swyno. Disgrifio haid o ddrudwy yn clwydo fin nos y mae'r awdur ac mae'n amlwg wedi hen arfer eu gwylio a'u gwerthfawrogi. Mae hefyd yn llwyddo i gyfleu ei frwdfrydedd i ni yn ogystal â rhannu ffeithiau diddorol a difyr am y ddrudwen ac am ymddygiad haid: 'Roedd yr haid ei hun fel un peth byw, yn troi a throsi, yn plethu ac yn creu'r siapiau mwyaf anhygoel, fel y mwg sy'n codi o lamp Aladdin'.

Ar dal y noe sy'n haeddu'r wobr gyntaf ond dylai pob un a ymgeisiodd ystyried o ddifri anfon eu gwaith at *Y Naturiaethwr* neu *Llygad Barcud*.

Yr Ysgrif

CYN IDDI DYWYLLU …

Ambell dro, efallai am nad ydw i'n canolbwyntio, neu efallai am fy mod yn edrych yn rhywle arall, maen nhw'n ymddangos yn sydyn, fel petai rhywun wedi eu gosod yno. Fel mae clais yn ymddangos weithiau a chithau ddim yn cofio, neu ddim am gofio, be ddigwyddodd. Neu fel petai cawr wedi gafael mewn brws chwe modfedd, neu be fyddai'n cyfateb i chwe modfedd iddo fo, a chreu llinell neu ddwy yn sydyn a difeddwl ar draws yr awyr. Dro arall dw i'n craffu tua'r môr ac yn sylweddoli bod un cwmwl bychan tywyll yn y pellter, cwmwl nad oeddwn i'n hollol siŵr a oedd o yno neu beidio eiliad ynghynt, yn tyfu, yn tywyllu, yn dod yn nes. Ac yna nid cwmwl ydi o, ond cannoedd neu filoedd o adenydd bychain a'r rheini'n gwneud twrw anhygoel wrth basio uwch fy mhen. A pherchnogion yr adenydd yn trydar with iddynt hedfan yn isel gan ddilyn y cloddiau tua'r eglwys. Ar ddiwrnod arall maent yn hedfan yn uchel nes eu bod uwchben eu man clwydo yn yr hesg yr ochr bella i'r eglwys. A'r dyddiau gorau, wrth gwrs, y dyddiau pan dw i'n aros yno'n fferru ar ddiwedd dydd o Chwefror, yw'r dyddiau pan maen nhw'n dawnsio. Dw i isio llusgo pawb i weld dawns y drudwy ger Eglwys Ynys Cynhaearn. Dw i isio cadw'r peth yn gyfrinach er mwyn i mi gael bod yno ar fy mhen fy hun, â dim ond y ci yn gwmni. Sefyll yno, yng nghanol cae, yn gwenu fel giât, beth bynnag ddigwyddodd y diwrnod hwnnw.

Roeddwn i yno heno, yn mynd â'r ci am dro fel arfer cyn iddi dywyllu. Roedd yr haid ei hun fel un peth byw, yn troi a throsi, yn plethu ac yn creu'r siapiau mwyaf anhygoel, fel y mwg sy'n codi o lamp Aladdin. Yna, am ychydig, fe dawelodd yn ôl yn haid hirgrwn syml, cyn ailddechrau troi a throsi. Weithiau roedd yn gwahanu'n ddwy neu fwy o heidiau wrth i hebog tramor fynd ar wib i ganol yr adar. Ac mae'n ymddangos mai osgoi adar ysglyfaethus yw un o brif fanteision y patrymau cymhleth. Be sy'n fwy o ddirgelwch yw sut mae'r adar yn hedfan efo'i gilydd yn y ffasiwn fodd.

Does 'na ddim arweinydd nac arweinyddion i'r haid, ymateb i symudiadau ei gymdogion y mae pob aderyn. Golyga hynny fod symudiad bychan gan ambell aderyn yn cael ei chwyddo a'i ystumio gan greu'r patrymau cymhleth. Mewn termau mathematategol, mae'n enghraifft o 'chaos' – sefyllfa lle mae un newid bychan iawn, iawn yn creu newid llawer mwy a llawer mwy cymhleth yn y system gyfan. Efallai mai'r enghraifft fwyaf adnabyddus yw'r gwaith ar systemau tywydd a wnaethpwyd gan Edward

Lorenz yn y '60au, a'i bapur 'Predictability: Does the Flap of a Butterfly's Wings in Brazil Set Off a Tornado in Texas?'. Mae'r cyfeiriad at 'effaith adenydd y glöyn byw' yn rhan o'n diwylliant poblogaidd bellach, yn ymddangos yn y ffilm *Jurassic Park*, er enghraifft, ac mae'n bosib iawn fod Lorenz wedi ei gymryd o stori fer gan Ray Bradbury, 'A Sound of Thunder', a gyhoeddwyd yn y '50au.

Cwestiwn ychydig yn wahanol yw sut yn union y mae drudwy o fewn haid yn dilyn symudiadau drudwy arall. Gwnaethpwyd gwaith yn ddiweddar gan dîm o wyddonwyr yn Rhufain sy'n dod â ni'n nes at ateb. Enw'r prosiect yw StarFLAG, a than arweiniad ffisegydd o'r enw Andrea Cavagna, mae casgliad o adarwyr, biolegwyr a ffisegwyr wedi bod yn astudio'r heidiau anferth o ddrudwy sy'n clwydo ar adeiladau Rhufain bob nos. Un peth difyr iawn am y prosiect yma yw mai'r nod yn y pen draw oedd gallu creu modelau a fyddai'n berthnasol i nifer o sefyllfaoedd eraill lle mae unigolion yn gweithredu mewn criw. Roeddynt am ddeall y berthynas rhwng symudiad yr unigolyn a symudiad y dorf hyd yn oed mewn meysydd pell iawn oddi wrth haid o ddrudwy, meysydd megis economeg neu dueddiadau ffasiwn. Ond roedd rhaid cael enghraifft gymharol hawdd i'w hastudio i ddechrau, ac roeddynt yn awyddus i'r enghraifft honno fod yn ddifyr ynddi ei hun. Felly, dyma droi at ddrudwy Rhufain. Wedi'r cyfan, amcangyfrifir bod tua phum miliwn yn dod yno i glwydo bob nos, er gwaethaf pob ymdrech i gael gwared ohonynt oherwydd y difrod mae'u baw yn ei achosi i adeiladau'r ddinas. Hen ddigon i gamerâu'r tîm a'u rhaglen gyfrifiadurol, sydd yn eu galluogi i adnabod drudwy unigol, greu darlun o be sy'n digwydd i'r adar wrth i'r haid chwyrlïo yn ei phatrwm cymhleth uwchben y ddinas dragwyddol.

Be ddarganfuwyd oedd nad cadw golwg ar bob aderyn o fewn pellter penodol y mae drudwy mewn haid ond, yn hytrach, cadw golwg a dilyn symudiadau nifer penodol o adar, y saith aderyn agosaf. Mae'n annhebygol felly y bydd unrhyw aderyn unigol yn gadael yr haid.

Wrth i mi wylio'r adar heno, daeth criwiau eraill ac ymuno â'r cyntaf. Weithiau, mae'r ail haid honno yn dawnsio ar ei phen ei hun am ychydig. Ac mae 'na griwiau bychain hwyr bob tro, yn dod ar frys, wedi colli'r bws, wedi bod yn bwydo'n hwyr yn rhywle. Mae yna hyd yn oed, ar adegau, 'un dyn bach ar ôl'. Weithiau, dw i'n tosturio wrtho, weithiau dw i'n ei edmygu. Tybed pa mor bell yr hedfanodd y creadur? Gallant hedfan hyd at ugain milltir bob gyda'r nos i ddod yma. Ac fe fydd rhai o'r rhain yn gadael Eifionydd yn y gwanwyn i fynd cyn belled â Rwsia i fagu cywion. Doedd dim angen i Branwen druan, wrth gael ei cham-drin yng nghartref ei gŵr, boeni a allai'r aderyn bychan yma gyrraedd Cymru o Iwerddon. Hawdd yw dychmygu wrth eu gweld yn dod o gyfeiriad y môr tuag at Ynys

Cynhaearn, neu'n casglu ger pier Aberystwyth, eu bod wedi dod atom unwaith eto o'r Ynys Werdd.

Roeddwn i wedi creu rhyw ddarlun rhamantus yn fy meddwl o'r drudwy'n siarad gyda Brân. Maent ymysg y dynwaredwyr gorau o'r adar. Roedd drudwy dof Mozart yn canu darnau o'i goncerto i'r piano yn G leiaf. Ac os am weld doniau rhai drudwy dof heddiw, chwiliwch am 'talking starling' ar YouTube. Aelod o'r teulu yma, y Sturnidae, yw'r aderyn Maina. Ond doeddwn i ddim yn iawn. Oes, mae sôn am Franwen yn dysgu iaith i'w haderyn dof ond yr argraff a geir oedd mai er mwyn gallu esbonio iddi pwy oedd ei brawd y gwnaeth hynny. Cafodd y neges, yn gofyn i'w brawd ei hachub, ei glymu wrth aden yr aderyn a'i anfon yn ddiogel i Gaer Saint.

Anodd yw gwybod ai aderyn cyffredin neu beidio oedd y drudwy adeg adrodd stori Branwen am y tro cyntaf. Mae niferoedd y drudwy cyffredin, *Sturnus vulgaris*, ym Mhrydain wedi gostwng yn sylweddol yn y deng mlynedd ar hugain diwethaf, gyda gostyngiad o 73 y cant ers 1973. Mae llawer llai yn Llundain heddiw o'i gymharu â 1949 pan aeth cymaint ohonynt i glwydo ar fysedd Big Ben nes iddynt stopio'r cloc. Ond mae'n gysur rhoi'r niferoedd yma mewn cyd-destun hanesyddol. Er mor gyfarwydd yw drudwy Branwen i ni, ac er bod sôn am ddrudwy, a'i gallu i ddynwared, yn nrama Shakespeare, *Henry IV*, cymharol ychydig o gyfeiriadau at ddrudwy sydd mewn llenyddiaeth cyn y ddeunawfed ganrif. Awgryma'r enw arall amdanynt, sef aderyn yr eira, mai ymwelwyr dros y gaeaf oeddynt yn arfer bod yn bennaf.

Mae'n ddarlun gwahanol ar gyfandir arall. Ym 1890, rhyddhawyd 60 drudwy yn Central Park, Efrog Newydd, a 40 arall y flwyddyn ganlynol. Amcangyfrifir bod yna bellach tua 200 miliwn o'u disgynyddion ar hyd a lled Gogledd America ac ystyrir hwy, ynghyd â'r adar y to Prydeinig, yn bla yno. Cawsant eu rhyddhau gan ŵr o'r enw Eugene Schieffelin. Ei freuddwyd, meddan nhw, oedd i drigolion Efrog Newydd gael gweld enghraifft o bob aderyn a grybwyllir yng ngweithiau Shakespeare. Gollyngodd nifer o rywogaethau ond bu farw'r ji-binc, yr eos a choch y berllan, a bu farw'r ehedydd.

Mae yna lawer ym Mhrydain, ffermwyr yn arbennig, yn gweld y drudwy bron fel pla. Mae'r heidiau mawr yn bwyta bwyd gwartheg a rhai cnydau ac ae mae awgrym y gallant gludo afiechydon o un i'r llall. Ar y llaw arall, maent yn difa llawer o bryfetach dinistriol.

Pan ydw i'n eu gweld yn haid o gannoedd uwch fy mhen gyda'r nos, mae'r 'drudws' yn ymddangos yn adar bychain, annwyl, dewr. Yna, yn y bore, mae rhyw hanner dwsin yn ymddangos yn yr ardd – adar mawr, mwy na fy robin a fy nhitw a fy ji-binc. Sgen i ddim syniad pam ond maen nhw'n edrych yn feinach na'r pethau bach cryfion sy'n hedfan gyda'r fath benderfyniad fin nos. Maen nhw'n ymddangos yn gecrus, yn wyllt ac yn farus. Mae pob darn o fara'n diflannu. Ac yna dw i'n edrych ar un ohonynt, ar yr un acw sydd ar ei ben ei hun am eiliad ar un o frigau'r goeden gelyn, ac yn gweld harddwch anhygoel y plu petrol. Dydi deuoliaeth ddim yn hanner disgrifio'r peth.

Mis Mawrth eleni fe welodd nyrs o'r enw Julie Knight ochr arswydus i'r adar. Pan ddychwelodd i'w chartref ym mhentref Croxley yn Swydd Somerset, roedd ei gardd fechan fel golygfa o ffilm arswyd. Ar lawr, o fewn cylch o ddeuddeg troedfedd roedd 75 drudwy gydag anafiadau difrifol, eu pigau a'u coesau a'u hadenydd wedi malu. Dim ond chwech ohonynt oedd yn dal yn fyw. Doedd dim arwydd o salwch na gwenwyn. Mae'n debygol, er mor od yr ymddengys, iddynt blymio yn rhy agos i'r ddaear wrth osgoi aderyn ysglyfaethus. Y naill yn dilyn y llall i'w dranc.

Ond, cyn iddi dywyllu a chyn i minnau a'r ci droi am adref, glanio'n ddiogel yn yr hesg wnaeth drudwy Ynys Cynhaearn heno, fel pob noson arall dw i wedi'u gwylio nhw. Degau o filoedd ohonynt efo'i gilydd, yn dringo dros yr hesg a'r coed helyg, ac yn sgwrsio cyn mynd i gysgu. Glanllyn pluog anferth. Mae ambell syniad pam mae cymaint yn hel at ei gilydd i glwydo. Y rheswm amlycaf yw eu bod yn saffach mewn criw mawr. Mae rhai wedi awgrymu bod 'na gyfnewid gwybodaeth o ryw fath yn digwydd a'i fod yn fodd i rai na lwyddodd i gael bwyd da'r diwrnod cynt ddilyn eraill i le gwell y bore wedyn. Fel gyda chymaint o ymddygiad anifeiliaid ac adar, rhyw hanner deall yr ydan ni'n o hyd.

Mi allwn, wrth gwrs, esgus bod yn fardd a gweld pob math o drosiadau a delweddau yn ymddygiad y drudwy. Dyna ydi pwrpas terfynol y rhai sydd yn gweithio ar StarFLAG yn Rhufain – trosiad mathemategol i faes hollol wahanol. Ond weithiau, yr unig beth sydd angen ei wneud ydi edrych a derbyn a gwirioni, rhannu gydag eraill weithiau, ac eistedd ar ben clawdd oer yn gwenu fel giât wrth edrych ar batrymau cywrain cwmwl byw a fydd yno eto, gobeithio, y gaeaf nesaf. Mae'r harddwch yma yn fy rhwystro rhag cofio am bob Branwen a meddwl sut mae pob bonclust yn cael effaith fel symudiad un aderyn yn yr haid sy'n dawnsio.

Ar dal y noe

Pennod gyntaf llyfr ar hanes unrhyw glwb neu gymdeithas (ynghyd â chynllun o weddill y gyfrol)

BEIRNIADAETH GERAINT H. JENKINS

Gan fod hwn yn destun llawn potensial, yr oeddwn wedi disgwyl yn eiddgar dderbyn cnwd da o benodau ar amrywiol bynciau. Gwaetha'r modd, dim ond tri chais a ddaeth i law, ond o leiaf aeth pob un ohonynt ar drywydd gwahanol. Hoffwn ddiolch iddynt am roi cynnig arni a'u cymell i ddal ati.

Gorwel y Dwyrain: Lluniodd bennod ar hanes sefydlu Bethel, Capel yr Annibynwyr Cymraeg yn Woolwich, Llundain, ym 1906, dan arweiniad y Parchedig Llywelyn Bowyer. Olrheinir hanes y sefydlu yn ddigon cymen ond dim ond tri thudalen o destun a gyflwynwyd, er bod yr ymgeisydd yn addo y bydd yn mynd yn ei flaen i lunio saith ar hugain o benodau cyn dirwyn y gwaith i ben. Rhaid ei gymryd ar ei air, ond ofnaf na chafwyd digon o swmp y tro hwn i fodloni gofynion y gystadleuaeth.

Treforion: Y bêl gron yw ei faes, sef hanes cynnar clwb pêl-droed Llanfair Pwllgwyngyll, a chwarae teg iddo am beidio â rhoi'r enw'n llawn bob tro! Gan fabwysiadu ieithwedd yr oes, 'Deffroad, Diwygiad a Dadfeiliad, 1897-1905', aeth ati yn ei bennod i ddadansoddi'r tensiynau a gododd rhwng yr hen a'r ifanc, rhwng y breintiedig a'r difreintiedig, a rhwng y dinosoriaid a'r rhai a chanddynt weledigaeth wrth geisio sefydlu'r clwb. Hoffais yn arbennig sylwadau John R. Thomas yn *Gwalia* ym 1900: 'Nid yw'r gwaith o gicio pêl droed yn datblygu unrhyw beth mewn dyn, ond i'r gwrthwyneb, y mae arfer cicio'r bêl droed yn meithrin yn y dyn nodwedd gymeriadol yr asyn, sef tuedd i gicio, cicio ei gilydd, a chicio'r bêl bob yn ail'. Brithir yr hanes â dyfyniadau blasus fel hyn, a da y nododd yr awdur fod y clwb wedi ei sefydlu yn yr un flwyddyn â'r enwog Juventus! Er bod yr ymgeisydd yn tueddu i orddyfynnu ar brydiau, cyflawnodd ymchwil bur drwyadl yn yr archifdai ac y mae ei gynllun ar gyfer y penodau canlynol yn gwbl dderbyniol.

Oes Gafr Eto?: Dewisodd deitl ysblennydd – 'Sathru Cymylau: Cofleidio Niwl' – ar gyfer ei astudiaeth o hanes Clwb Rhedwyr Eryri o 1977 ymlaen. Pwnc da dros ben ac un a esgeuluswyd yn ddybryd gennym yn y gorffennol. Paratowyd teipysgrif lân a darllenadwy ar ddatblygiad rasys mynydd a chlybiau rhedeg yng ngogledd Cymru a'r tu hwnt, a cheir trafodaeth ddeallus a manwl ar gyfraniad unigolion dylanwadol onid arwrol, yn enwedig Ken Jones, cadeirydd y clwb, a'r gŵr a fu'n gyfrifol am sefydlu Ras yr Wyddfa ym 1976. Fy unig feirniadaeth yw fod yr arddull ar adegau braidd yn ddi-sbonc (maddeuwch y mwysair) ond, at ei gilydd, cyflwynwyd digon o dystiolaeth yma i'm hargyhoeddi y bydd y gyfrol orffenedig yn gyforiog o straeon gafaelgar am wrhydri meibion chwimwth Eryri ac y bydd yn werth ei chyhoeddi.

O drwch blewyn yn unig, *Oes Gafr Eto?* sy'n mynd â hi ac edrychaf ymlaen at ddarllen y gwaith cyflawn maes o law.

Pennod gyntaf hanes Clwb Rhedwyr Eryri

SATHRU CYMYLAU : COFLEIDIO NIWL

Hanes Clwb Rhedwyr Eryri 1977-

Rhagymadrodd

Prin yw'r wybodaeth ysgrifenedig am unrhyw fath o rasys mynydd cynnar yng ngwledydd Prydain. Cydnabyddir mai Ardal y Llynnoedd yng ngogledd Lloegr yw man geni rasio mynydd, ond daw'r cofnod cynharaf o'r Alban. Mae'r dyddiad yn un dadleuol – naill ai 1040 neu 1064 – ac mae'r digwyddiad yn cael ei dderbyn fel rhagflaenydd Gemau'r Ucheldir a Gemau Braemar yn arbennig.

Yn ôl traddodiad, roedd y Brenin Malcolm Canmore am ddewis *gille-ruith*, sef negesydd ar droed. Trefnodd ras i gopa Creag Choinnich uwchben Braemar. Roedd yn golygu dringfa o tua 700 troedfedd a thri chwarter milltir o bellter. Denodd y ras nifer o gystadleuwyr am fod y brenin yn cynnig gwobr sylweddol o gleddyf a phwrs o ddarnau aur. Y brodyr McGregor o Ballochbuie oedd y ffefrynnau, a'r ieuengaf o'r tri a enillodd. Dywedir ei fod wedi cwblhau'r cwrs mewn tri munud.

Wyth canrif yn ddiweddarach, cynhaliwyd ras ar yr un cwrs yng Ngemau Braemar ym 1842. Mesurwyd y cwrs a'i gael yn 1,384 llath. Rhedwr o'r enw James Cutts a enillodd mewn amser o bedwar munud. Ym 1848, ar ei hymweliad cyntaf â Gemau Braemar, *gille* y Frenhines Victoria a enillodd y ras. Mae'n ymddangos iddo niweidio'i ysgyfaint a'i galon oherwydd yr ymdrech ac, ar gais y frenhines, ni chafodd y ras ei chynnal wedyn. Mae'r ras bresennol yn y Gemau yn dilyn cwrs gwahanol.

Yn Lloegr, mae'n debyg mai James I a roes ganiatâd i'r cyfarfod athletau cyntaf gael ei gynnal ble mae tystiolaeth ysgrifenedig ar gael amdano. Cyfeirir ato fel 'Mr Robert Dover's Olimpick Games upon the Cotswold Hills'. Parhaodd y chwaraeon hyn am ddeugain mlynedd hyd 1641, ond er na chynhaliwyd yr 'Olimpick' wedi hynny, mae digon o dystiolaeth ar gael yn dangos bod cyfarfodydd cystadleuol wedi eu cynnal fel rhan o ffeiriau a gwyliau mabsant ledled y wlad. Ac yr oedd rhedeg ras (os nad bob amser yn ras fynydd) yn rhan o'r cyfarfodydd hyn.

Yng Nghymru, hefyd, er bod rhedeg yn cael ei gynnwys yn y pedair camp ar hugain, nid oes fawr o dystiolaeth am ras redeg cyn y ddeunawfed ganrif. Ond, yn sicr, fel yng ngweddill gwledydd Prydain, roedd cystadlaethau rhedeg yn cael eu cynnal fel rhan o wyliau lleol, yn enwedig gwyliau mabsant. Mae cyfeiriad at Gampau Cerrig Llwydion ym mhlwyf Llanllechid. Roedd cystadleuaeth redeg yn cael ei chynnal yno a phellen o faco yn wobr i'r enillydd. Mae tystiolaeth mai ras fynydd oedd hon, gan fod y cwrs yn cyrraedd o Lidiard Cerrig Llwydion hyd Lidiard Lleiniau y Talgae 'yn croesi dyffryn bychan cafnog, yn cael dwy allt a dau orifyny cyn cwblhau yr yrfa'. Hynny yw, roedd y ras yn cael ei chynnal ar y mynydd-dir agored y tu hwnt i lidiard y mynydd, ac ar y tir comin uwch Moel Faban. Diddorol nodi bod rasys mynydd presennol Moel Wnion a Moel Faban yn cael eu cynnal yn yr un ardal, a bod angen cyrchu drwy 'ddyffryn bychan cafnog' yn y ddwy ras hyn hefyd. Roedd ras hefyd yn cael ei chynnal yn ardal Caergybi fel rhan o ŵyl mabsant ym 1758. Efallai fod hon hefyd yn cael ei chynnal ar y tir garw ar Fynydd Caergybi.

Y tebygolrwydd, a'r hyn sy'n syndod i redwyr mynydd heddiw, yw'r ffaith fod y cystadleuwyr cynharaf yn rhedeg, nid yn unig yn droednoeth ond hefyd yn noethlymun. Un o'r rasys mynydd mwyaf hirhoedlog yw'r Burnsall yn swydd Efrog, sydd wedi ei chynnal ers 1865. Dechreuodd o ganlyniad i her yn nhafarn leol y Red Lion. Gŵr o'r enw Thomas Young a enillodd y ras o'r dafarn i'r garnedd ar y copa – a hynny'n noethlymun. Ceir hefyd adroddiadau o'r un cyfnod mewn llefydd yn swydd Gaerhirfryn, swydd Efrog a swydd Derby, am 'foote races' lle'r oedd y cystadleuwyr i gyd yn noeth. Ni ddylai hyn fod yn gymaint syndod â hynny. Rhaid cofio mai bugeiliaid a llafurwyr tlawd oedd y mwyafrif o'r cystadleuwyr yn y rasys cynnar hyn, ac mai dillad gwaith yn unig oedd ganddynt. Doedd dim rheswm dros ddifetha'r unig ddillad yn eu meddiant i fentro ar ras dros greigiau a llethrau caregog ac, felly, roedd diosg y dillad yn fwy synhwyrol. Yn wir, mor ddiweddar â 1932, roedd Bob Graham yn paratoi am ei gylchdaith o fynyddoedd Ardal y Llynnoedd drwy ymarfer yn droednoeth; yn rhannol i galedu gwadnau ei draed ond hefyd i arbed ei esgidiau rhedeg.

Gwelir, felly, fod cyfeiriadau ysgrifenedig at ras mynydd yn denau iawn rhwng 1064 a chanol y bedwaredd ganrif ar bymtheg. Ond roedd rasys rhedeg yn bodoli, a'r rheini gan amlaf yn cael eu noddi gan y bonheddwyr, ac roedd y betio'n drwm ar y canlyniadau. Gan amlaf, rasys rhwng dau yn unig oedd y rhain, a'r betio oedd yn denu yn hytrach na'r ras! Ond ym 1850, trefnwyd ras wahanol yn Exeter, sef ras clwyd a pherth, a thrin y rhedwyr yn union fel ceffylau, gan osod pris ar bob un a betio ar y canlyniad. Roedd cymaint â dwsin neu bymtheg o redwyr yn cystadlu yn y math hwn o ras. Ac roedd hynny'n fwy diddorol i'r gwylwyr, heb sôn am y bwcis!

Yn yr un cyfnod, hefyd, roedd y dosbarth cefnog wedi dechrau ymddiddori yn ardaloedd mynyddig gwledydd Prydain, ac yr oedd y beirdd Saesneg megis Wordsworth a Coleridge yn hyrwyddo 'rhamant' y tirwedd. Ond roedd peryglon, ac amryw o'r teithwyr cynnar wedi cael damweiniau a hyd yn oed golli bywydau wrth fentro i ardaloedd mynyddig dieithr. Canlyniad hyn oedd defnyddio trigolion lleol oedd yn adnabod y mynyddoedd a'u cyflogi fel tywysyddion. Daeth categori newydd o gyflogaeth leol i fodolaeth yn yr Alban, yng ngogledd Lloegr ac yn Eryri.

Gallai unrhyw ddyn lleol ei gynnig ei hun fel tywysydd. Gwybodaeth leol oedd yr hanfod pennaf, a noddwr a oedd yn fodlon talu, wrth gwrs! Mae'n sicr mai bugeiliaid lleol oedd y tywysyddion cynnar, dynion oedd yn adnabod y mynyddoedd yn drwyadl ac yn gallu treulio oriau'n cerdded heb flino. Bod yn ddibynnol oedd yn bwysig, nid cyflymdra.

Ond i ambell un, roedd rhywbeth arall yn cyfrif mwy: statws. Doedd hi ddim yn ddigon i'r tywysydd personol fod yn addas ar gyfer anghenion y teithiwr; roedd angen iddo hefyd fod yn 'well' na thywysydd pawb arall. Ac yr oedd hynny'n arbennig o wir yn Ardal y Llynnoedd. Felly, dechreuwyd trefnu rasys rhwng gwahanol dywysyddion ac, fel yn hanes y rhedwyr llawr gwlad, roedd betio'n rhan annatod o'r trefniadau. Dros gyfnod o amser, aeth y noddwyr cefnog ati i chwilio am dywysyddion oedd hefyd â'r gallu i redeg yn y mynyddoedd. Roedd rhai hyd yn oed yn cael eu cadw ganddynt ar 'gyflog' bychan ac yn cael amser i ymarfer, gyda'r unig fwriad o gystadlu – ac ennill – mewn rasys. Rhwng canol a diwedd y bedwaredd ganrif ar bymtheg, datblygodd y tywysydd o redwr yn Ardal y Llynnoedd, a daeth rasys tywysyddion yn boblogaidd iawn yng ngwahanol wyliau mân bentrefi'r dyffrynnoedd.

Mewn amser datblygodd yr her-gystadlaethau hyn rhwng noddwyr gwahanol dywysyddion yn debycach i chwaraeon â threfn arnynt. Roedd y mwyafrif o'r mân wyliau pentrefol hyn yn cynnwys chwaraeon megis ymaflyd codwm ac, yn raddol, dechreuwyd cynnal 'foote races' fel rhan o'r gweithgareddau. Cystadlaethau rhedeg mynydd oedd y rhain rhwng gwahanol dywysyddion. Mae rhai o'r rasys tywysyddion hyn yn dyddio i ganol y bedwaredd ganrif ar bymtheg – Lonsdale, er enghraifft, ers 1847, a nifer helaeth o rai eraill yng ngogledd Lloegr yn dilyn.

Erbyn y cyfnod hwn, hefyd, roedd rheilffyrdd wedi eu datblygu a hynny'n galluogi rhedwyr (a'u cefnogwyr) i deithio ymhellach na'u dyffrynnoedd cyfyng lleol. Roedd cyfnod y gemau lleol yn dod i ben ac yr oedd hynny'n wir mewn chwaraeon eraill hefyd: pêl-droed, rygbi a bocsio. Yn hytrach na chwarae'n lleol yn ôl rheolau llac cymdogaethau arbennig, roedd yr holl chwaraeon hyn yn dechrau cael eu trefnu gan gyrff cenedlaethol gyda rheolau arbennig a oedd yn gyffredin i bob rhan o wledydd Prydain. Gwawriodd cyfnod y chwaraeon modern.

Ond gyda'r newidiadau hyn, daeth problemau, a hynny'n enwedig ym myd rhedeg mynydd. Ym 1889, ddwy flynedd wedi i John Greenop o Langdale roi her yng nghylchgrawn y *Sporting Life* y byddai'n fodlon rasio unrhyw ddyn yn Chwaraeon Grasmere am £100, sefydlwyd yr 'Amateur Athletic Association' (AAA). Bwriad neu, yn wir, cenhadaeth, y corff hwn oedd gofalu fod pob gornest athletau ym Mhrydain yn cael ei chynnal dan yr un rheolau, ac nad oedd gwobrau ariannol yn cael eu cynnig.

Gwaetha'r modd, dyma'r cyfnod hefyd pan oedd rasio proffesiynol yn denu'r miloedd – i wylio ac i fetio ar y canlyniadau. A'r betio oedd yn denu'r torfeydd! Y betio oedd casbeth yr amaturiaid. Roedd gamblo'n cynnwys rhedwyr i dwyllo, i gael eu llwgrwobrwyo, ac i golli'n fwriadol. Yn ôl selogion yr AAA, nid oedd yn bosibl ymddiried mewn dyn oedd yn rhedeg am arian. Yn aml, roedd hynny'n wir.

I'r rhedwyr o dywysyddion, roedd y syniad o amaturiaeth yn hollol hurt. Yr unig reswm pam roeddent yn rhedeg oedd y ffaith fod noddwyr cyfoethog yn talu iddynt am wneud hynny. Heb y cymhelliad ariannol hwnnw yn y lle cyntaf, byddai rasio'r tywysyddion mynydd wedi hen ddarfod o'r tir. Ond fe barhaodd ac fe oroesodd, a hynny'n bennaf oherwydd y gefnogaeth ariannol gan noddwyr cefnog fel yr Arglwydd Lonsdale. Ffynnodd rasio mynydd yng ngogledd Lloegr a de'r Alban, a'r cyfan o'r rasys yn rhai proffesiynol.

Er hynny, roedd amaturiaeth wedi ennill peth tir ond roedd ei lwyddiannau pennaf ym maes rhedeg trac a rhedeg traws-gwlad. Parhaodd, felly, i raddau hyd ddiwedd y Rhyfel Byd Cyntaf. Yn y cyfnod rhwng y ddau ryfel byd, roedd cangen Siroedd Gogledd Lloegr o'r AAA wedi rhoi cynnig ar drefnu rhai rasys mynydd. Dwy o'r rhai enwocaf oedd y Rivington Pike ym 1929 a'r Burnsall ym 1932. Roedd Ras Ben Nevis yn yr Alban hefyd wedi ailddechrau – dan reolau amatur. Er hynny, prin oedd y cystadleuwyr, a pharhaodd y rasio tywysyddion mynydd proffesiynol. Er bod miloedd wedi dod i wylio a chefnogi athletwyr amatur Prydain yng Ngemau Olympaidd 1948 yn Llundain, roedd miloedd hefyd yn cefnogi'r rasio proffesiynol yng Ngemau Ambleside a Grasmere.

Drwy gydol y cyfnod hwn, doedd y rhedwyr proffesiynol a'r rhedwyr amatur yn poeni fawr ddim am fodolaeth y naill a'r llall, a cheir enghreifftiau o'r ddwy garfan yn cystadlu yn erbyn ei gilydd yn yr un ras. Ond roedd dyddiau hynny'n prysur ddirwyn i ben.

Yn rhyfedd iawn, nid o gyfeiriad y Gymdeithas Athletau Amatur y deilliodd y brwdfrydedd a'r cynnydd mewn rasys mynydd amatur. Mynyddwyr a cherddwyr mynydd fu'n bennaf cyfrifol am hybu cystadlaethau a oedd yn galw am stamina corfforol. Roedd y diddordeb mewn mynydda wedi dechrau ers diwedd y bedwaredd ganrif ar bymtheg: gwyliau i weithwyr, gwell cyflogau, dulliau cyflymach o deithio o'r trefi diwydiannol i ardaloedd cefn gwlad. Daeth cannoedd o bobl ifanc o'r dinasoedd i chwilio am anturiaeth, ac yn ystod yr ugeinfed ganrif, enillwyd sawl brwydr yn yr ymgyrch i ennill yr hawl i grwydro ar diroedd mynyddig agored. Dau fudiad fu'n flaenllaw yn hyrwyddo mynediad i gefn gwlad oedd Cymdeithas y Cerddwyr (y 'Ramblers Association') a sefydlwyd ym 1935 a Chymdeithas Hostelau Ieuenctid a sefydlwyd bum mlynedd ynghynt

Erbyn diwedd yr Ail Ryfel Byd a dechrau'r 1950au, roedd y llinell rhwng cerdded a dringo mynyddoedd yn niwlog. Roedd cenhedlaeth lawer mwy ffit yn herio'r mynyddoedd. Datblygodd y syniad o 'hawlio copaon', sef dringo cymaint o fynyddoedd â phosibl mor gyflym â phosibl. Yn anorfod, datblygodd hyn i fod yn wahanol rasys.

Y ras gyntaf o'r math hwn oedd y Lake District Mountain Trial ym 1952. Fe'i dyfeisiwyd ar gyfer aelodau'r Mudiad Hostelau Ieuenctid, ac ar y dechrau, dim ond aelodau o'r gymdeithas honno oedd â'r hawl i gystadlu. Roedd y mwyafrif o'r cystadleuwyr yn y 'ras' gyntaf hon yn gwisgo esgidiau cerdded. Pan roddwyd caniatâd i rai nad oeddent yn aelodau o'r YHA i gystadlu, mae'n ddiddorol nodi bod wyth o'r deugain 'rhedwr' yn cynrychioli clybiau mynydda a phedwar yn cynrychioli Ysgol Fynydda Eskdale. Roedd y rasys cynnar hyn hefyd yn rhoi pwyslais ar ddefnyddio map a chwmpawd i ddarganfod y llwybr gorau o un copa i'r llall.

Yn raddol dros y ddau ddegawd nesaf, sefydlwyd nifer o gystadlaethau ar fynyddoedd gogledd Lloegr a'r Alban, gan mai yno yr oedd y traddodiad o rasio mynydd, er mai rhedwyr proffesiynol oedd yn cynnal y traddodiad hwnnw. Lledodd y diddordeb yn y mathau hyn o rasys y tu allan i'r cadarnleoedd traddodiadol. Ym 1945, sefydlwyd Ras Slieve Donard yng Ngogledd Iwerddon, er mai lleol yn unig oedd y diddordeb tan ddechrau'r 1970au. Ar Ynys Arran yn yr Alban, sefydlwyd Ras Goatfell ym 1953 a Ras Cairngorm ym 1957.

Yna, ym 1956, sefydlwyd Ras Pendle gan Glwb Rhedeg Clayton-le-Moors. Yn ddiweddarach yr un flwyddyn, bu'r clwb yn gyfrifol am gynnal Ras Pendleton a Thievely Pike ddwy flynedd yn ddiweddarach. Arferai'r ddwy ras ddiwethaf fod yn rasys proffesiynol yn y gorffennol, ond bellach, dyma glwb amatur yn eu cynnal dan reolaeth y Gymdeithas Athletau Amatur.

Erbyn diwedd y 1960au, roedd nifer sylweddol o rasys mynydd wedi eu sefydlu: rhai ohonynt yn cael eu cynnal gan garnifalau a ffeiriau lleol, eraill gan glybiau athletau. Yn ystod y degawd hwn hefyd, bu cynnydd yn y diddordeb mewn rhedeg a cherdded pellteroedd eithafol ar fynyddoedd. Roedd hyn yn dilyn traddodiad Eustace Thomas a Bob Graham a gychwynnodd y math hwn o rasio yn ystod y 1930au. Bu Eustace Thomas yn gyfrifol am arloesi yn y maes hwn yng Nghymru, gan gerdded a rhedeg y pedwar copa ar ddeg dros 3,000 troedfedd yn Eryri mor gynnar â 1919. Bu ymdrechion achlysurol i goncro'r copaon hyn dros yr hanner can mlynedd nesaf, gydag Eric Beard yn sefydlu record ym 1960 o bum awr a thri munud ar ddeg.

Er bod y mwyafrif o'r rasys a sefydlwyd cyn 1970 yn rasys mynydd o'r iawn ryw, eto i gyd, roeddent yn denu athletwyr oedd wedi arfer rhedeg ffyrdd neu draws-gwlad. Yn wir, roedd llawer ohonynt yn cael eu hysbysebu fel rasys traws-gwlad 'eithafol'. Newidiodd hyn ym 1970 pan sefydlwyd dau gorff i hybu a hyrwyddo rasio mynydd amatur. Roedd dyddiau da'r rasys proffesiynol yn dirwyn i ben. Er gwaethaf pryderon rhai rhedwyr, sefydlwyd Cymdeithas y Rhedwyr Mynydd ('Fell Runners' Association'). Byddai'r gymdeithas newydd hon yn cyhoeddi calendr o'r holl rasys mynydd a fyddai'n cael eu rhedeg dan reolau'r Gymdeithas Athletau Amatur. Pum ceiniog ar hugain oedd pris aelodaeth yn y flwyddyn gyntaf. Flwyddyn yn ddiweddarach, cyhoeddwyd y cylchgrawn cyntaf, ac o hynny ymlaen, aeth y gymdeithas o nerth i nerth. Ffynnodd rasys mynydd drwy gydol y 1970au. Deugain o rasys a restrwyd yn y calendr cyntaf ym 1971. Erbyn diwedd y degawd, roedd y cyfanswm wedi dyblu. Bellach, mae dros bum cant.

Ond roedd Cymdeithas y Rhedwyr Mynydd (FRA) yn dod dan reolaeth y Gymdeithas Athletau Amatur. Ac yr oedd y rhedwyr proffesiynol wedi eu gwahardd rhag cystadlu. Roedd yr oes hefyd wedi newid, a brodwaith y cymunedau clòs a fu'n cynnal traddodiad y tywysyddion o redwyr yn datgymalu. Doedd yna fawr o apêl bellach i sefyllian mewn cae gwlyb i wylio llond dwrn o redwyr yn diflannu i gopa dan gwmwl. Roedd dan brif bwrpas y rasys proffesiynol wedi eu herydu: denu'r torfeydd, a betio. Rhuban Glas rasio proffesiynol oedd Gemau Grasmere. Ym 1930, roedd yr enillydd yn derbyn £13 a chwpan arian. Ddeugain mlynedd yn ddiweddarach, £20 oedd ei wobr. Doedd gweddill y rhedwyr yn y ras yn ennill dim – ar wahân i waharddiad oes rhag rhedeg mewn rasys amatur.

Yr ail gorff i'w sefydlu ym 1970 oedd Cymdeithas Rhedwyr Mynydd Cumberland, a'r gymdeithas hon fu'n gyfrifol am gychwyn rasys mynydd megis y Wasdale, Borrowdale a Langdale, i gyd yn glasuron pellter hir ar fynyddoedd. Roedd y rhain yn dilyn yn nhraddodiad y cerddwyr a fu'n 'hawlio copaon', ac yn hollol wahanol i'r rasys byr 'copa ac yn ôl'. Ym 1979 hyd yn oed, trefnwyd ras amatur ar gwrs proffesiynol Gemau Grasmere.

Dyna oedd yn nodweddiadol o'r ddwy gymdeithas newydd: roeddent yn trefnu rasys amatur ar gyfer rhedwyr amatur. Datblygodd Cymdeithas Rhedwyr Mynydd Cumberland maes o law i fod yn Glwb Rhedeg Mynydd Cumberland, gan adael Cymdeithas y Rhedwyr Mynydd (FRA) i fod yn gyfrifol am gyhoeddi calendr, cylchgrawn, a bod yn gorff yn llefaru ar ran yr holl redwyr mynydd.

O ganlyniad i sefydlu'r ddwy gymdeithas hyn, ac yn bennaf oherwydd ymdrechion Cymdeithas y Rhedwyr Mynydd, blodeuodd y gamp o rasio ar fynyddoedd yn ystod y 1970au. Ar wahân i'r degau o fân rasys a gâi eu trefnu gan gymdeithasau a chlybiau lleol, roedd rasys hirfaith eithafol bellach yn hynod boblogaidd, ac yr oedd un o'r clasuron, yma yng Nghymru, sef Ras y Copaon 1,000 metrau yn Eryri. Cynhaliwyd y ras swyddogol gyntaf ym 1971, a daeth nifer o redwyr amatur gorau gogledd Lloegr i gystadlu. Rhoddwyd hwb sylweddol i redeg mynyddoedd yng Nghymru ym 1973 pan ddaeth Jos Naylor, y rhedwr chwedlonol o Ardal y Llynnoedd, i Eryri a rhedeg y pedwar copa ar ddeg dros 3,000 o droedfeddi mewn amser syfrdanol o bedair awr a 46 munud. Byddai'r record anhygoel hon yn aros am flynyddoedd nes y byddai un o aelodau Clwb Rhedwyr Eryri yn ei thorri.

Ddwy flynedd wedi sefydlu Cymdeithas y Rhedwyr Mynydd (FRA), roedd pencampwriaeth Rasio Mynydd Gwledydd Prydain wedi ei sefydlu. Roedd hyn yn rhan o ddelwedd a bwriad y Gymdeithas o 'hybu gwell safonau o redeg mynydd yng ngwledydd Prydain, ac i gynnig gwasanaeth i redwyr a threfnwyr rasys'. Gosodwyd pob ras fynydd yng nghalendr FRA mewn categorïau gwahanol:

Categori A: Rasys Clasurol gyda thros 250 o droedfeddi o uchder yn cael eu hennill neu eu colli am bob milltir. Tirwedd garw. Dwy ran o dair o'r ras ar dir mynyddig.
Categori B: Rasys Safonol gyda dros 125 troedfedd o uchder yn cael eu hennill neu eu colli am bob milltir. Peth tir garw. Hanner y ras ar dir mynyddig.
Categori C: Rasys Sylfaenol. Peth dringo ar rywfaint o dir mynyddig.

Roedd y mwyafrif o'r rasys yn y bencampwriaeth gyntaf yn ardaloedd traddodiadol rhedeg mynyddoedd, sef Ardal y Llynnoedd a'r Alban ond roedd dwy ras Categori A wedi eu cynnwys a oedd y tu allan i'r ardal hon, sef Marathon Fynyddig Manaw a Ras Copaon 1,000 metrau Eryri. Unwaith yn rhagor, bu hyn yn hwb i ddatblygiad y gamp o redeg mynyddoedd yng Nghymru.

Erbyn dechrau'r degawd nesaf, roedd digon o rasys mynydd wedi eu sefydlu i gynnal nid yn unig bencampwriaeth Brydeinig ond pencampwriaeth y gwahanol wledydd hefyd. Sefydlwyd pencampwriaeth Lloegr (er mai siroedd y gogledd yn unig oedd yn cystadlu i bob pwrpas) ym 1978, Gogledd Iwerddon ym 1980, Ynys Manaw ym 1980 a rhai Cymru a'r Alban ym 1983.

Ond am bymtheng mlynedd olaf y ganrif, byddai cryn ddadlau a llawer o ddrwgdeimlad ymhlith aelodau gwahanol glybiau rhedeg mynydd ynglŷn â rheolaeth eu camp. Roedd gwleidyddiaeth ac ariannu bellach yn rhan annatod o redeg mynydd ac yr oedd posibilrwydd i'r hen ysbryd rhydd, traddodiadol ddiflannu. (Gan fod Clwb Rhedwyr Eryri wedi cymryd rhan amlwg yn y dadleuon hynny, ni thrafodir hwy yn y rhagymadrodd hwn ond mewn pennod ddiweddarach.)

*   *   *

Pennod 1

'Hogia'r Wyddfa' – a'r genod

Na, nid y grŵp poblogaidd a fu'n canu am goncro mynydd uchaf Cymru 'ar y trên bach' yn ystod blynyddoedd cynnar y 1970au ond y bechgyn (a'r merched) a fu'n flaenllaw yn sefydlu rhedeg mynyddoedd fel camp yn Eryri a'r tu hwnt yn y blynyddoedd cynnar hyn.

Ken Jones, gŵr ifanc lleol o Lanberis a fu'n gyfrifol am sefydlu Ras yr Wyddfa ym 1976, a hynny heb fawr o brofiad o'r anghenion a oedd yn hanfodol i drefnu ras o'r fath. Cynhaliwyd y ras gyntaf fel rhan o weithgareddau carnifál pentref Llanberis.

Bnawn Sadwrn, Gorffennaf 19 1976, cynhaliwyd y ras gyntaf o bentref Llanberis i gopa'r Wyddfa ac yn ôl i'r pentref. Daeth wyth deg a chwech o redwyr i gystadlu. Dave Francis o Glwb Westbury yn Lloegr oedd yr enillydd mewn amser o awr, deuddeng munud a phum eiliad, amser sy'n ymddangos braidd yn araf i'r goreuon yn y ras erbyn heddiw. Rhaid cofio, fodd bynnag, mai rhedwr traws-gwlad rhyngwladol yn cynrychioli Lloegr oedd Francis ac nid rhedwr mynydd o ardaloedd traddodiadol gogledd Lloegr a de'r Alban.

Cynhaliwyd y ras gyntaf honno fel 'ras carnifál' yn nhraddodiad yr hen fabolgampau a gynhelid ar wyliau mabsant ers talwm. Ond buan y daeth Cymdeithas Athletau Amatur Cymru i wybod amdani, a bu'n rhaid cael trwydded arbennig ganddynt i gynnal yr ail ras ym 1977. A thrwydded ras traws-gwlad oedd honno! Roedd rasio mynydd yn dal yn ei fabandod yng Nghymru, a'r syniad yn parhau mai rasys traws-gwlad eithafol oedd rasys mynydd yn hytrach na champ hollol annibynnol.

O fewn pum mlynedd felly, gwelwyd sefydlu dwy ras yn Eryri a fyddai'n cael eu cyfrif yn glasuron yn y byd rhedeg mynydd am wahanol resymau: Ras Copaon 1,000 metrau Eryri, yn gofyn am stamina a dyfalbarhad, a Ras yr Wyddfa, yn gofyn am gyflymder a menter.

Ond doedd dim traddodiad o rasio mynydd yn yr ardal er gwaethaf y ffaith fod tywysyddion fel rhai Ardal y Llynnoedd wedi bodoli yn Eryri ers yn gynnar yn y bedwaredd ganrif ar bymtheg. Yn wir, mae'n amlwg fod rhai ohonynt yn eithaf chwim eu troed! Ceir cofnod am Thomas Jones, tywysydd o Feddgelert, yn cyrraedd copa'r Wyddfa mewn awr ac ugain munud, ac yn dychwelyd ddeuddeng munud yn gynt. Byddai William Rowlands, Pentre Castell, Llanberis, wedi bod yn gystadleuydd anodd ei guro o ran stamina hefyd. Ceir hanes amdano'n cerdded dros Fwlch Llanberis ac i lawr Nant Gwynant i westy'r Goat ym Meddgelert i ddychwelyd siôl, a hynny wedi iddo eisoes arwain tair taith y diwrnod hwnnw i fyny ac i lawr yr Wyddfa! Ond hyd y gwyddom, doedd yr un o'r tywysyddion hyn yn Eryri wedi denu sylw noddwyr cyfoethog i'w defnyddio ar gyfer rasio a betio.

Rhaid cydnabod, felly, mai gyda sefydlu'r ddwy glasur o ras ym 1971 ac 1976 y dechreuodd y traddodiad rasio mynydd yn Eryri. Ond ar wahân i unigolion fel Ken Jones, doedd neb i drefnu a hybu'r gamp. Bu'n rhaid disgwyl nes cynnal ail Ras yr Wyddfa yng Ngorffennaf 1977 cyn i Gymdeithas Athletau Amatur Cymru benderfynu bod angen hybu'r gamp athletig newydd hon yng Nghymru.

Derbyniodd Ken Jones ohebiaeth gan Ysgrifennydd Cymdeithas Athletau Amatur Cymru yn awgrymu mai da o beth fyddai ceisio sefydlu Clwb Athletau yn yr ardal yn sgîl poblogrwydd Ras yr Wyddfa. Doedd dim clwb o'r fath yng Ngwynedd ar y pryd (a oedd, bryd hynny, yn cynnwys Ynys Môn hefyd). Y clwb agosaf oedd Bae Colwyn ac yr oedd diddordeb yr aelodau yno mewn cystadlaethau trac yn bennaf, er eu bod hefyd yn cystadlu mewn rasys traws-gwlad.

Penderfynodd Ken Jones mai'r dull gorau o roi cychwyn ar y gwaith oedd gwahodd unigolion a oedd â diddordeb mewn mynydda a rhedeg mynydd i ddod at ei gilydd i drafod y posibilrwydd o sefydlu Clwb Athletau. Galwyd criw ynghyd i Westy'r Fictoria yn Llanberis, a chynhaliwyd y cyfarfod cyntaf ar Fedi 7 1977. Dyma i bob pwrpas oedd man geni Clwb Rhedwyr Eryri.

Mae cofnodion y cyfarfod cyntaf hwnnw ar gadw ac mae'n rhestru pawb a oedd yn bresennol, sef Ken Jones, Dr a Mrs Ieuan Jones, John Evans, Dr Trevor Owen, Mr a Mrs Dennis Glass, Hugh Davis, Bob Roberts, Malcolm Jones, Harvey Lloyd a Brian Timms.

Yn dilyn trafodaeth ar y math o glwb y dylid ei ffurfio, penderfynwyd mai clwb rhedeg yn unig fyddai'n gweddu i'r diddordeb ymysg y rhai oedd yn bresennol, gan nad oedd unrhyw un ohonynt ag arbenigedd mewn athletau megis neidio a thaflu a fyddai'n gweddu i glwb athletau. Does dim cofnod ynglŷn â phwy'n union a gynigiodd enw i'r clwb ond penderfynwyd yn unfrydol ei alw'n Glwb Rhedwyr Eryri / Eryri Harriers.

Etholwyd Ken Jones yn Gadeirydd, Hugh Davis yn Ysgrifennydd, Harvey Lloyd yn Drysorydd a Brian Timms yn Ysgrifennydd Cystadlaethau. Mae'n anodd gwybod yn union beth oedd pwrpas y swydd olaf hon ar y pryd, gan nad oedd fawr o gystadlaethau rhedeg yn cael eu cynnal o fewn yr ardal, ond dichon mai'r gobaith yn ystod gaeaf 1977-78 oedd cael hawl i gystadlu yng nghynghreiriau traws-gwlad gogledd Cymru.

Pennwyd £2 yn dâl aelodaeth a £1 i blant, a'r taliad hwn yn rhoi aelodaeth o ddyddiad y cyfarfod hyd y diwrnod olaf o Ragfyr 1978. Cyflwynwyd £10 yn rhodd i goffrau'r clwb newydd gan y Dr Ieuan Jones ar ran pwyllgor trefnu Ras Copaon 1,000 metrau Eryri. Addawodd Ken Jones hefyd wneud cais i bwyllgor carnifál Llanberis am rodd tuag at sefydlu'r clwb.

Cynigiwyd enw Bob Roberts fel hyfforddwr i'r clwb ond, ar y pryd, roedd yn anfodlon derbyn y cyfrifoldeb. Gadawyd gweddill aelodaeth y pwyllgor yn agored, gyda phenderfyniad i gynnal ail gyfarfod ar Hydref 5, unwaith eto yng ngwesty'r Fictoria, Llanberis. Byddai'r ail gyfarfod hwn yn cael ei hysbysebu yn y wasg leol yn y gobaith y byddai'n denu mwy o unigolion i ddangos diddordeb, ac i ffurfio pwyllgor gwaith gogyfer á'r clwb rhedeg newydd.

Gwaetha'r modd, nid oes copi ar gael o gofnodion yr ail gyfarfod hwn ond mae'n amlwg fod cynnydd wedi ei wneud ynglŷn â sefydlu'r clwb, a cheir cofnodion llawn o'r trydydd cyfarfod a gynhaliwyd unwaith yn rhagor yng ngwesty'r Fictoria, Llanberis, ar Dachwedd 28. Dim ond enwau'r Cadeirydd a'r Ysgrifennydd a gofnodir, ond adroddir bod dros ugain o aelodau'n bresennol. Mae'n amlwg, felly, fod unigolion eisoes wedi dechrau ymaelodi â'r clwb. Mewn taflen ariannol syml wedi ei chadw gyda'r cofnodion, rhestrir naw ar hugain o aelodau wedi talu £2 yr un, a deunaw o aelodau iau. Trueni na fyddai enwau'r aelodau cyntaf un wedi eu cofnodi!

Mor gynnar â hyn, roedd y pwyllgor yn cynllunio ar gyfer 1978. Y bwriad oedd dyfeisio system o gofnodi llwyddiant pob aelod mewn gwahanol rasys gan roddi nifer penodol o bwyntiau iddynt am eu perfformiad. Byddai'r pwyntiau'n cael eu defnyddio i benderfynu ar Bencampwr y Clwb yn y flwyddyn ddilynol, gyda'r bwriad o gynnal Cinio Gwobrwyo ym mis Ionawr 1979. Addawodd y Dr Ieuan Jones geisio cynllunio system a fyddai'n addas ar gyfer y gwahanol rasys.

Roedd y Cadeirydd wedi derbyn patrwm o gyfansoddiad ar gyfer y Clwb, ac wedi rhai mân newidiadau, cytunwyd i'w dderbyn er mwyn gallu ymaelodi â Chymdeithas Athletau Amatur Cymru. Trafodwyd lliwiau'r Clwb ond ni ddaethpwyd i unrhyw benderfyniad nes cael gwybodaeth am liwiau clybiau eraill a oedd yn debygol o gystadlu yn erbyn Clwb Rhedwyr Eryri, a hynny er mwyn osgoi cael dau glwb o'r un lliwiau. Yn olaf, etholwyd Dr Ieuan Jones yn Llywydd Anrhydeddus y Clwb oherwydd ei brofiad gyda Ras Copaon 1,000 metrau Eryri. Cofnodwyd, gyda thafod yn y boch, nad oedd ganddo fel deilydd y swydd, unrhyw ddyletswyddau nac unrhyw hawl i wneud penderfyniad! Ni fyddai'r cyfarfod nesaf yn cael ei gynnal hyd ddechrau Ionawr 1978 ond mae'n amlwg fod pethau'n symud ymlaen, bron na ddyweder 'ar ras'!

Pwy, felly, oedd aelodau cynnar y pwyllgor a sefydlodd y Clwb?

Roedd Ken Jones yn enedigol o Lanberis ac wedi bod â diddordeb mewn cerdded mynyddoedd ei fro enedigol. Ef hefyd a gafodd y syniad o gynnal ras o bentref Llanberis i gopa'r Wyddfa ac yn ôl i'r pentref, a hynny fel rhan o weithgareddau carnifál y pentref. Roedd Carnifál Llanberis yn ystod y blynyddoedd hyn yn un o garnifalau mwyaf poblogaidd gogledd Cymru ac yn denu torfeydd i wylio'r orymdaith o freninesau drwy'r pentref i Ddôl y Goeden ar lan Llyn Padarn. Profodd y syniad o gynnal ras yn llwyddiant digamsyniol, ac am flynyddoedd bu'r carnifál a'r ras yn cael eu cynnal yr un Sadwrn. Cymaint fu'r poblogrwydd nes gorfod gwahanu'r gorymdeithio oddi wrth y ras yn nechrau'r wyth degau, a chael carnifál ar un Sadwrn a'r ras yn dilyn y Sadwrn canlynol. Bu Ken Jones hefyd yn ymweld â threfnwyr Ras Ben Nevis er mwyn cael cyngor ar sut i fynd ati i wella'r trefniadau. Un o'r traddodiadau yno oedd cynnal gwledd i'r rhedwyr yn ystod y noson wedi'r ras, a mabwysiadwyd y syniad hwn gan bwyllgor Ras yr Wyddfa hefyd. Cynhaliwyd y wledd – a'r gwobrwyo – yng Ngwesty'r Fictoria, Llanberis, ac y mae'r traddodiad hwnnw'n parhau hyd heddiw. Ken Jones, hefyd, oedd y cyswllt lleol gyda Chymdeithas Athletau Amatur Cymru, a does ryfedd iddo gael ei ethol yn Gadeirydd cyntaf y clwb rhedeg newydd.

Meddyg o Fangor oedd Dr Ieuan Jones ac yr oedd yn un o sylfaenwyr Ras Copaon 1,000 metrau Eryri ym 1971. Roedd Dr Trevor Owen o Gaernarfon hefyd wedi bod yn cynorthwyo gyda'r gwaith, ac yr oedd profiad meddygol y ddau hyn yn hanfodol o ran diogelwch iechyd a gwarchod rhag anafiadau i redwyr yn y ddwy ras glasurol.

Warden Hostel Ieuenctid Gorffwysfa ym mhen Bwlch Llanberis oedd Harvey Lloyd ac yr oedd, yn nhraddodiad y mudiad hwnnw, â diddordeb mewn mynydda – yn ddringo a cherdded. Roedd yntau hefyd wedi bod yn ymwneud â Ras Copaon 1,000 metrau Eryri o'r dechrau. Roedd Gorffwysfa hefyd yn fan cofnodi rhedwyr a cherddwyr ar lwybr y ras honno, ac felly'n anochel, daeth Harvey Lloyd yn gysylltiedig â'r trefniadau. Yr oedd hefyd ymhlith y rhedwyr cyntaf i herio Ras yr Wyddfa ym 1976, ac fe redodd ym mhob ras ers hynny nes ei 'ymddeoliad' dair blynedd yn ôl.

Dau arall o blith yr aelodau cyntaf oedd Joan a Dennis Glass. Roeddent hwythau, fel Harvey Lloyd, yn nhraddodiad y mudiad hostelau ieuenctid, a cherdded mynyddoedd oedd eu diddordeb cynharaf nes datblygu'n rhedeg. Roedd Dennis Glass yn aelod cynnar o Glwb Ardal Lerpwl o'r Mudiad Hostelau Ieuenctid. Ym 1951 trefnodd y Clwb farathon gerdded o Hostel Ieuenctid Llangollen i Hostel Ieuenctid Maeshafn ger yr Wyddgrug. Roedd y farathon (er nad oedd ond tua phedair milltir ar hugain o hyd) yn dilyn ffyrdd cefn gwlad a llwybrau ar hyd Bryniau Clwyd. Trefnwyd hefyd gystadleuaeth o fath ym mynyddoedd y Berwyn, a elwid yn 'Boots and Saddles', lle'r oedd cerddwyr yn cystadlu yn erbyn beicwyr. Doedd hon yn fawr o lwyddiant ar y dechrau oherwydd bod y beiciau mor drwm, a'r cerddwyr yn ennill bob tro! Ym 1961 ailsefydlwyd y 'ras' hon gan Dennis, a phrofodd yn fwy o lwyddiant y tro hwn nes i George Rhodes ac Eric Beard benderfynu ei rhedeg. Yr oedd Eric Beard bryd hynny yn rhedwr llwyddiannus iawn ym myd rasio traws-gwlad a rasio mynyddoedd. Ym 1964, bu Dennis Glass a Chris Brasher yn cyd-redeg ag Eric Beard ar rai cymalau o'i hirdaith ar draws copaon Cymru o Lanfairfechan i Abertawe. Mae'r llwybr hwn erbyn heddiw'n cael ei adnabod fel 'Cefn y Ddraig'.

Yn bedair ar ddeg oed, treuliodd Joan Glass dri mis mewn ysbyty yn Lerpwl yn dioddef o osteomylitis yn ei chlun. Prynodd ei mam feic iddi'n anrheg pan ddaeth gartref o'r ysbyty, ac ar y beic hwnnw y dihangodd Joan o ddinas Lerpwl am Fryniau Clwyd gyda Chlwb Ardal Lerpwl o'r Mudiad Hostelau Ieuenctid. Ar y teithiau hynny y cyfarfu hi a Dennis. Erbyn 1963, roedd y ddau'n wardeniaid Hostel Maeshafn ond erbyn diwedd 1964 roeddent wedi symud i Lanberis i fod â gofal Hostel Ieuenctid Llwyn Celyn.

Ym 1972, penderfynodd Dennis Glass roi cynnig ar Ras Copaon 1,000 metrau Eryri a pherswadiodd Joan i geisio'i chwblhau. Cerdded cyflym ac ychydig o redeg oedd y drefn bryd hynny, ond enillodd Joan ei dosbarth, a hynny am y ddwy flynedd ddilynol hefyd. Roedd hi hefyd yn cystadlu ym marathon Llangollen-Maeshafn ac yn y 'Boots and Saddles'. Erbyn hyn, roedd y ddwy ddiwethaf bron â bod yn rasys rhedeg yn hytrach na cherdded.

Ymunodd Joan a Dennis Glass â Chymdeithas y Rhedwyr Mynydd ym 1972, ond doedd dim un ras fynydd yng ngogledd Cymru ar wahân i Gopaon 1,000 metrau Eryri. Golygai hyn deithio i Ardal y Llynnoedd ar ambell benwythnos rhydd o'u dyletswyddau gyda'r Hostel Ieuenctid. Roedd y ddau erbyn hyn wedi ymuno â Chlwb Athletau Wrecsam – yr un agosaf i'w cartref yn Llanberis! Ym 1975, rhoes y ddau gynnig ar Ras Ben Nevis. Joan oedd yr unig ferch i gystadlu ond oherwydd rheolau Cymdeithas Athletau Amatur yr Alban, doedd dim hawl ganddi i gystadlu yn erbyn y dynion. Y canlyniad oedd iddi orfod sefyll ar ei phen ei hun ar y llinell gychwyn nes i'r dynion ddiflannu o'r golwg – ac yna cychwyn funud yn ddiweddarach! Y flwyddyn ddilynol roedd mwy o ferched yn cystadlu ond yr un oedd y drefn hyd at 1980 pan roddwyd caniatâd i'r merched a'r dynion gychwyn yr un pryd.

Pan drefnwyd Ras yr Wyddfa ym 1976, roedd Joan yn hynod siomedig na allai gystadlu oherwydd anaf, ac aeth y fraint o ennill dosbarth y merched i Bridget Hogge. Y flwyddyn ddilynol, Joan oedd yr enillydd, ac ym 1978 a 1979 cafodd y fraint o ennill yn lliwiau Eryri, y clwb y chwaraeodd ran yn ei sefydlu.

Fel yn hanes Joan a Dennis Glass, daeth Brian Timms o Lerpwl i'r ardal yn sgîl Mudiad yr Hostelau Ieuenctid. Yn adeiladydd o ran galwedigaeth, dechreuodd ymddiddori mewn cerdded mynyddoedd, ac yna eu rhedeg, yn dilyn 'rasys' 'Boots and Saddles' ar y Berwyn. Erbyn 1976, roedd wedi ymgartrefu yng Ngellilydan, ger Trawsfynydd. Tra oedd allan yn ymarfer un diwrnod, daeth ar draws bachgen ifanc arall a oedd yn rhedeg ar y bryniau, sef Malcolm Jones o Dremadog. Perswadiwyd Malcolm hefyd i ddod i'r cyfarfod sefydlu cyntaf hwnnw yn Llanberis. Rhedodd Malcolm y ras gyntaf i gopa'r Wyddfa ac yn ôl, ac y mae bellach yr unig un o ddau i gystadlu ym mhob un o'r rasys: record anhygoel. Aeth ymlaen hefyd i gynrychioli Cymru ar y mynyddoedd.

Yn wahanol i'r criw o Lerpwl a oedd yn dianc o'r ddinas i dreulio'u hamser hamdden, roedd carfan fechan o hogiau lleol yn rhedeg er mwyn y pleser o redeg yn unig. Perthyn i'r garfan honno yr oedd Malcolm Jones, a Bob Roberts, hefyd. Brodor o Ddyffryn Nantlle oedd Bob, a hyfforddwr gyda thîm pêl-droed adnabyddus Nantlle Vale, a oedd yn cael ei reoli ar y pryd gan yr enwog Orig Williams. Rhai eraill o'r fro a oedd yn rhedeg ar y mynyddoedd bryd hynny oedd Guto Parry, Llanberis, a Nigel Fisher o Rhiwlas, ger Bangor. Nid yw eu henwau'n ymddangos yn y cyfarfodydd cyntaf, ond roedd y ddau ymhlith aelodau cynharaf Clwb Rhedwyr Eryri, a sefydlodd Nigel Fisher ras fynydd Moelyci yn fuan wedyn.

Perswadiwyd Malcolm, Bob, Guto a Nigel i ymuno gyda Joan a Dennis Glass a Brian Timms i roi cynnig ar Farathon Llangollen-Maeshafn ym 1976, ac mae'n debyg fod peth trafod wedi bod bryd hynny am sefydlu clwb rhedeg yn ardal Llanberis.

Dyma'r criw felly, o dri chefndir tra gwahanol, a ddaeth at ei gilydd i sefydlu Clwb Rhedwyr Eryri. Gyda phrofiad trefnu gan y meddygon a Ken Jones, roedd seiliau'r clwb yn ddiogel. Roedd y profiad o gystadlu mewn 'rasys' cerdded a rhedeg ar fynyddoedd gan griw'r hostelau ieuenctid, ac roedd y brwdfrydedd a'r cariad tuag at y mynyddoedd gan yr hogiau lleol. Cyfuniad perffaith i wynebu blwyddyn galendr lawn gyntaf Clwb Rhedwyr Eryri ym 1978.

*   *   *

Llyfryddiaeth

Smith, Bill, *Stud marks on the Summits: A History of Amateur Fell Racing 1861-1983.* Cyhoeddiad preifat.

Askwith, Richard, *Feet in the Clouds: A Tale of Fell-Running and Obsession.* Aurum Press Ltd., Llundain, 2004.

Jones, Dewi, *Tywysyddion Eryri*, Rhif 25, Llyfrau Llafar Gwlad, Gwasg Carreg Gwalch, Llanrwst, 1993.

Hughes, Hugh Derfel. *Hynafiaethau Llandegai a Llanllechid.* Adargraffiad Cyhoeddiadau Mei, Y Groeslon. 1979.

Harris, H. A., *Sport in Britain: its Origin and Development*, Stanley Paul, Llundain. 1975.

Jones, R. W., *Bywyd Cymdeithasol Cymru yn y Ddeunawfed Ganrif*, Gwasg Gymraeg Foyle, Llundain, 1931.

The Fell Runner – Cylchgrawn Cymdeithas Rhedwyr Mynyddoedd (FRA).

The Caernarfon and Denbigh Herald – misoedd Medi-Rhagfyr 1977.

Cylchlythyrau a chylchgronau Clwb Rhedwyr Eryri.

Cofnodion Clwb Rhedwyr Eryri.

Adnabyddiaeth bersonol: Ken Jones, Joan a Dennis Glass, Harvey Lloyd, Malcolm Jones, y diweddar Bob Roberts.

Cynllun o weddill y gyfrol

Pennod 2:   Y Blynyddoedd Cynnar 1978-1983. Gosod seiliau. Trefnu rasys mynydd cynnar yn Eryri. Mentro hefyd i fyd traws-gwlad a rasio ffyrdd.

Pennod 3:   Ras yr Wyddfa. Effaith ar redeg mynydd yn ardal Eryri. Creu cyfeillgarwch. Gefeillio â Ras Trofeo Vanoni yn yr Eidal. Gefeillio pentref Llanberis â Morbegno yn yr Eidal.

Pennod 4:   Mentro i gystadlaethau Pencampwriaeth Rhedeg Mynydd Prydain. Llwyddiannau unigolion a thimau. Cystadlaethau rasys cyfnewid ar fynydd.

Oes Gafr Eto?

Erthygl ar gyfer papur bro ar y thema 'Dilyn afon' neu 'Taith trên'

BEIRNIADAETH SIÂN SUTTON

Ers ei sefydlu, mae'r rhwydwaith o bapurau bro wedi creu ffynhonnell bwysig o newyddion lleol drwy'r Gymraeg. Mae'r nifer o bobol sy'n darllen y papurau bob mis yn brawf o ffyniant y Gymraeg a'r awch am wybodaeth a straeon lleol o'r bröydd, ac yn gynulleidfa y byddai unrhyw gyhoeddiad cenedlaethol Cymraeg yn falch ohoni. O'r 21 o erthyglau a ddaeth i law, mae wyth yn trafod 'Taith trên' a'r 13 arall yn 'Dilyn afon'.

Cragen Crwban: 'Taith Trên'. Mae'r erthygl olygyddol yn addo troi pob carreg i gael at y gwir ar ôl damwain trên. Mae'n datgelu ffeithiau arswydus am wrthdrawiad gyda thrên nwyddau a'i lwyth dirgel ond brawychus sy'n gyfrifol am ladd 250 o bobol.

Giacomo Ap Guiseppe: 'O Ddinas Bedd Rossini i Dref Enedigol Puccini ar y Trên' – taith trên o Fflorens i Lucca yn yr Eidal rhwng mannau geni'r ddau gyfansoddwr, Rossini a Puccini, gyda'r erthygl yn cymharu'r daith â'r profiad ar reilffordd Calon Cymru. Er bod trenau'r Eidal yn fwy prydlon, mae'n debyg fod y te gorau i'w gael yng Nghymru.

Meddyg Merthyr: 'Taith ar drên i lawr afon Taf'. Mae'r awdur yn cyfuno taith trên ac afon wrth ddilyn afon Taf a disgrifio'r pentrefi a'r bywyd yn y gorffennol glofaol a'r presennol gydag ambell ddisgrifiad trawiadol o'r Cwm lle mae'r 'pentrefi yn actio'n fwy fel gwestai dros nos'.

Tocyn Tymor: 'Taith Trên o Fetws-y-coed i Flaenau Ffestiniog'. Mae naws llyfr taith i'r erthygl hon gan ei bod yn cyflwyno hanesion diddorol am ddigwyddiadau a chymeriadau perthnasol ar y siwrne. Mae ôl ymchwil ar y gwaith a fyddai'n hwyluso'r daith a thynnu sylw at y golygfeydd prydferth.

Hesb Alun: 'Dilyn Afon Alun'. Dilynir afon Alun o'i tharddiad yn Llandegla i'r Orsedd Goch ger afon Dyfrdwy gan ddechrau gydag esboniad o'r enw Celtaidd. Drwy gyfuniad o hanesion diddorol, ffeithiau daearyddol, chwedloniaeth a llên, mae'r awdur yn cyflwyno'r afon a'i chysylltiad â digwyddiadau yn y fro dros y blynyddoedd. Trwy hynny, dangosir ei phwysigrwydd a'i dylanwad ar fywyd yr ardal, gan sôn am yr enwogion a fu'n byw ar ei glannau (Tegla a Richard Wilson yr arlunydd yn eu plith), ei diflaniad o dan y garreg galch, hanes y ffatri ffrwydron nwy mwstard ger Rhyd-y-mwyn, a chofnod o atgofion plentyndod Daniel Owen am beryglon y llif. Mae'r erthygl yn dal sylw o'r dechrau ac yn tywys y darllenydd o un ffaith ddiddorol i'r llall mewn iaith lân a rhwydd ar hyd siwrne'r afon.

Ystar Waelod: 'Taith Trên'. Atgof o'i daith gyntaf mewn trên sydd gan yr awdur wrth iddo ail-greu'r siwrne gyda 'Dats' ddeugain mlynedd yn ôl o Abernant i Ferthyr. Mae'n ddisgrifiad annwyl a chynnes ac yn dystiolaeth werthfawr o'r ffordd o fyw sydd wedi diflannu erbyn hyn.

Ffawydd: 'Dilyn Afon Ystwyth'. Awgrymir mai Aber Rheidol a ddylai fod yr enw ar Aberystwyth gan nad afon Ystwyth oedd y gyntaf i lifo i'r môr yn yr harbwr. Mae'n llifo drwy ardal tri phapur bro – *Y Ddolen, Yr Angor* a *Barcud* – ac mae'r hanesion amrywiol am y bobol, y plastai a diwydiant wedi'u cyfuno ag atgofion personol yn cael eu hadrodd wrth i'r awdur droedio hen lwybrau.

Llugwy: 'Dilyn Afon'. Roedd yr awdur hwn wedi anfon lluniau o Afon Ogwen i gyd-fynd â'r erthygl. Hawdd fyddai dychmygu cerddwr yn yr ardal yn troi ati am gyflwyniad gwybodus i'r ardal drwy'i hafon. Mae'r ysgrif yn cyfuno hanes, daearyddiaeth a llenyddiaeth mewn iaith gyfoethog a rhugl naturiol. Mae'n cloi gydag awgrym y gallai rannu'r erthygl yn gyfres mewn papur bro.

Anobeithiol: 'Afon Seiont'. Taith ar hyd afon Seiont drwy hanesion pobol ar hyd ei glannau – o drybini tair lleian a'r pot-dan-gwely i'r wrach Ganthrig ddychrynllyd. Mae yma res o straeon a ffeithiau diddorol am lefydd, adeiladau a phobl.

Llamhigyn y dŵr: 'Dilyn Afon Barlwyd, Blaenau Ffestiniog'. Mae'r awdur yn siarad yn uniongyrchol â'r darllenydd wrth ddilyn Afon Barlwyd. Mae cyfuniad o atgofion personol am bwysigrwydd yr afon i'r cenedlaethau a fu'n defnyddio 'llyn bach hogia' a 'llyn bach merchaid' a hanesion ffeithiol am gyfraniad dŵr yr afon a'i llynnoedd i hanes diwydiannol a chwareli'r ardal.

Menna Lili: 'Dilyn Afon'. Stori fwy personol sydd yma am gysylltiad â'r afon Ystwyth, gan ddechrau gyda cherdd sydd ar gof ers dyddiau ysgol gynradd. Cawn hanes pontydd, ffermdai, pentrefi a phlastai'r fro ac ambell gymeriad hanesyddol. Ym 1854, bu George Borrow yn teithio'r ardal gan gael ei drin 'yn go arw gan y llanciau a llancesi lleol' am ei fod 'yn siarad Cymraeg gogleddol!' meddai'r erthygl.

Tristan: 'Dilyn Afon'. Cawn gyflwyniad i enwogion Dyffryn Aeron a'r pwyslais ar feirdd a chapeli yn yr ardal ond hefyd ar y sefydliadau sy'n cynnal diwylliant heddiw, gan gynnwys Theatr Felinfach. Mae'n daith lenyddol ar hyd yr afon.

Deva: 'Taith Wahanol'. Taith hwyliog ar fordaith ar gamlas i Gaer gyda rhai manylion hanesyddol ond mwy o bwyslais ar y bwyd a'r hwyl.

Gwyrfai: 'O'r Cei i "Ganada bach" a Thu Hwnt'. Taith mewn trên o Gaernarfon i Feddgelert sydd dan sylw, gyda'r awdur yn dweud mai'r 'perygl i rai sy'n byw [yn yr ardal] yw anghofio pa mor odidog yw'r golygfeydd ... tra bod miloedd yn gwario arian ac amser yn teithio yma i'w mwynhau ...'. Gallai'r erthygl fod yn gydymaith diddorol i unrhyw un a fydd yn teithio ar hyd rheilffordd newydd Eryri.

Gwas I: 'Brafan', *Gwas II*: 'Lan y Cwm', a *Gwas III*: "Mla'n i Bontrh'fen'. Mae'r awdur wedi cael blas ar y testun ac mae ôl ymchwil manwl ar y tair erthygl sydd yn amlwg gan yr un person. Wrth ddilyn Afon Afan drwy 'esgyn o'r aber at y ffynnon' a hynny ar gefn beic, mae'r awdur yn cyflwyno hanes a phwysigrwydd y diwydiannau glo a dur a chodi ystâd fawr Sandfields yn Aberafan, cyn tywys y darllenydd ar siwrne ddiwylliedig ar hyd y cwm. Mae'n gyfle i gwrdd â nifer o enwogion y fro a chael darlun byw o fywyd Cymraeg yr ardal yn y gorffennol: Richard Lewis neu Dic Penderyn, sydd wedi'i gladdu ym mynwent Eglwys y Santes Fair, Port Talbot; cyfraniad y diwydiannwr Cymraeg, Robert Smith; hanes Mabon, arweinydd Undeb y Glowyr a ddaeth yn Aelod Seneddol; hanes y cerddor a'r emynydd Afan, a hanes un o feibion enwocaf Pont-rhyd-y-fen, Richard Burton. Mae'r erthyglau a'r penodau unigol yn gyfoeth o wybodaeth a fyddai'n ffynhonnell werthfawr wrth astudio neu ymddiddori mewn hanes lleol.

MJRh: 'Taith ar hyd Cwm Elyrch o Gaerffili i Rymni'. Taith o orsaf i orsaf drwy gyfrwng hen benillion, englynion ac emynau sy'n cyflwyno beirdd y fro: Idris Davies, Gwili, Rhydwen Williams, a Crwys a welodd 'yr hen ŵr yn sgubo'r dail' ar stryd fawr Rhymni. Mae'n gofnod bywiog a gwybodus am bobol, adeiladau nodedig a cherddi sy'n creu darlun o fywyd yn y gorffennol a'r newid ieithyddol, ac yn cyfeirio at y dyfodol. Yn ôl yr erthygl, mae hen wely'r rheilffordd o Gefn Coed y Cymer am ucheldiroedd Bannau Brycheiniog yn 'llwybr cyfleus ar gyfer llunio dolen gadarn rhwng De a Gogledd Cymru'.

Yantan: 'Yr afon Eden'. Yn Ardal y Llynnoedd mae'r awdur yn dilyn afon Eden gydag atseiniau'r Gymraeg ar yr hen enwau a'r arferion, yn enwedig dull y bugeiliaid o gyfri'r defaid. Mae'r erthygl, dan sawl pennawd, yn cyflwyno hanes yr ardal wrth ymweld â hi heddiw – o Gyfnod y Rhufeiniaid hyd ddyddiau Gwylliaid y Gororau, ac yn dilyn ôl traed Anne Penfro o Benrith i Skipton. Gallai'r erthygl fod yn llyfryn defnyddiol i ymwelydd ar daith yn yr ardal.

D.J.W: 'Erthygl ar Taith Trên'. Dyma'r unig gynnig mewn llawysgrifen ac mae'n adrodd profiad diweddar ar drên o Hwlffordd i Gaerdydd – o brynu'r tocyn i ddisgrifiad o'r gorsafoedd ar hyd y daith a'r casgliad ei bod yn ffordd ddidrafferth, ddiogel a phleserus o deithio.

Pen-Cae: 'Gyda'r Hogworts i Ben-Cae'. Taith trên i Lyn Ebwy sydd dan sylw gyda chyflwyniad bywiog wrth i'r awdur chwilio am Blatfform 'O', fel Harry Potter wrth fynd i Ysgol Hogworts. Dilyna amserlen y trên newydd o Fae Caerdydd i orsaf Glyn Ebwy gyda sylwadau bachog am y profiad gan awgrymu bod Casnewydd ar ei cholled o beidio â bod yn rhan o'r cynllun sydd wedi denu pedair gwaith yn fwy o deithwyr na'r darogan. Yn ôl yr awdur, mae taith trên mor onest, 'mae'n gyfle i'r teithiwr weld pen ôl cymdeithas … gweld y trôns, y dwsteri ac ambell bilyn ac arno glwt cyfrin ar lein olchi'. Mae'r siwrne'n gyfle i ddysgu mwy am yr ardal a hanes adferiad y Gymraeg a chawn wybod mai 'Pen-Cae' (y ffugenw a ddewisodd y cystadleuydd) yw'r enw Gwenhwyseg ar dre Glyn Ebwy, sydd hefyd yn adlais o *Penycae*, y ffugenw a ddefnyddiwyd gan Robat Powel, prifardd cyntaf y dref, pan enillodd y Gadair yn y Rhyl ym 1985.

Roedd darllen yr holl gynnyrch yn siwrne ddiddorol iawn ac yn gyfle i ddysgu cymaint am hanes, daearyddiaeth a llenyddiaeth sawl ardal yng Nghymru. Mae sawl un o'r cynigion yn haeddu cael eu darllen gan gynulleidfa ehangach. Ond gan mai chwilio'r oeddwn am erthygl addas i bapur bro, gan gofio'r cyfyngiadau ar ei hyd, *Hesb Alun, Ffawydd, Tristan, MJRh, Pen-Cae* a *Barlwyd* a ddaeth i'r brig gyda *Hesb Alun* yn cael y wobr y tro hwn.

Yr Erthygl

DILYN AFON ALUN

Go brin fod enwau mwy hynafol yn y Gymraeg na'r enwau a roddwyd ar afonydd ein cenedl, gan gynnwys Afon Alun. Myn rhai fod tarddiad yr enw'n mynd yn ôl mor bell ag un o dduwiau'r hen Geltiaid, 'Alaunos', a bod a wnelo'r enw â thuedd yr afon arbennig hon i grwydro ac ymddolennu ar ei thaith.

Wedi tarddu ar fryniau Cyrn y Brain uwchlaw gweundir Landegla, mae Afon Alun yn mynd ar ei phen oddi yno i gyfeiriad y gogledd, heibio i bentrefi Landegla a Llanferres a'r llecyn sy'n dwyn yr enw gogleisiol, Loggerheads. Ar y rhan hon o'i thaith, mae'n fwrlwm i gyd, ar gymaint o frys fel nad oes ganddi amser i godi cap i gyfeiriad rhai o enwogion y fro a fagwyd ar ei glannau, megis Tegla Davies a John Davies o Fallwyd, heb sôn am dalu gwrogaeth i un o arlunwyr blaenaf Cymru a fu'n byw yng Ngholomendy, gerllaw Loggerheads, neb llai na'r enwog Richard Wilson, y gŵr a baentiodd yr arwydd ar y dafarn leol a hynny am dâl o beint o gwrw, os gwir y sôn.

Rhwng Loggerheads a Rhyd-y-mwyn, ceir golwg ar un o ystranciau'r afon. Mae un o enwau'r fro yn tystio i hynny – 'Hesb Alun' – gan fod yr afon yn y cyffiniau hyn yn mynd dan ei gwely ym misoedd yr haf, a'i dyfroedd yn diflannu trwy'r mynych lyncdyllau sydd i'w gweld ar ei gwely. Mae hen chwedloniaeth y fro yn rhoi'r bai ar Benlli Gawr am ddiflaniad yr afon. Yn yr oesoedd cynnar, pan oedd cewri'n rhodio'n daear, yr oedd Cynhyfal Sant wedi pentyrru tân ar ben Benlli Gawr, a drigai ar Foel Fenlli Uwchben dyffryn Alun. Yng ngwewyr ei boenau arteithiol, neidiodd Benlli i Afon Alun, ond gwrthododd yr afon wneud dim oll i liniaru poenau'r Cawr; dewisodd yn hytrach ymguddio dan ei gwely!

Mwy credadwy – os llai cyfareddol – yw'r ffaith fod yr afon, yn y rhan hon o'i thaith, yn llifo dros galchfaen carbonifferaidd, mandyllog gan ei erydu dros amser, a thrwy hynny'n ffurfio llyncdyllau ac ogofâu, rhai ohonynt yn sylweddol eu maint. Digwyddodd hynny yn hanes Afon Alun rhwng Loggerheads a Rhyd-y-mwyn gan beri anawsterau dybryd i'r diwydianwyr hynny a aeth ati i gloddio am blwm yn yr ardal, yn bennaf yn y ddeunawfed ganrif a'r bedwaredd ganrif ar bymtheg.

Wrth ddilyn cwrs yr afon dan gysgod y Garreg Wen, craig o galchfaen sy'n sefyll fel tŵr gwarcheidiol uwchben Loggerheads, mae'n anodd dychmygu'r newid a fu yn nhirlun y fro dros y canrifoedd diweddar. Heddiw, un o atyniadau Parc Gwledig Loggerheads (fel y'i gelwir) yw cerdded llwybr y Leete – neu'r 'Gob' yn iaith yr hen frodorion – wrth ochr yr afon, ac ymhyfrydu ym mhrydferthwch coediog un o lecynnau harddaf gogledd Cymru. Go brin fod estroniaid a ddaw i'r fro yn sylweddoli eu bod nhw'n cerdded ar olion hen gamlas a gynlluniwyd gan ddiwydiannwr o'r enw John Taylor (1779-1862). Rhedai'r gamlas am dair milltir o Loggerheads i Ryd-y-mwyn a bwriad Taylor oedd sicrhau cyflenwad o ddŵr hyd yn oed yn yr haf, pan fyddai'r afon yn sychu, ar gyfer pwmpio'r dŵr o'r siafftiau a'r pyllau a frithai'r dyffryn. Cofied y sawl sy'n cerdded y Gob rhwng Afon Alun a'r gamlas fod y dyffryn hwn yn atseinio gynt i sŵn morthwylio a chlindarddach offer y gweithwyr plwm, yn wŷr a gwragedd, a fu yma'n ennill bywoliaeth gyndyn a rhyfedd o beryglus.

Gellir cerdded y Gob mor bell â Rhyd-y-mwyn, gan groesi pont fach gul a simsan mewn un man, uwchben Ceunant y Cythraul, a syllu ar yr afon droedfeddi lawer islaw'r llwybr. Yn Rhyd-y-mwyn ceir cofeb yn cofnodi bod y cerddor Felix Mendelssohn, wrth gerdded y Gob, wedi ei ysbrydoli i gyfansoddi 'The Rivulet', un o'i weithiau telynegol ei natur sy'n mynegi'r gyfaredd a brofodd wrth wrando ar dreigl dyfroedd grisial yr afon.

Ond os oes cyfaredd gan Afon Alun ger Rhyd-y-mwyn, mae arswyd yno hefyd. Wrth ddilyn yr afon, bydd y teithiwr yn darganfod ei bod, mewn un man arbennig, yn cael ei dargyfeirio trwy sianel o goncrid. Y rheswm am y dargyfeirio oedd bod Alun, adeg yr Ail Ryfel Byd, wedi gwasanaethu anghenion ffatri gudd a oedd yn cyflogi 1700 o weithwyr, a'r cyfan yn digwydd dan yr amodau cyfrinachol mwyaf llym. Y rheswm am y cyfrinachedd oedd bod ffrwydron nwy mwstard yn cael eu cynhyrchu yno, a'u storio yn ogofâu'r ardal – ogofâu a luniwyd yn wreiddiol gan ddyfroedd yr afon ond a helaethwyd i ddibenion y fasnach arfau. Clywsom lawer am 'arfau dinistr torfol' yn Irác, ond pwy feddyliai y byddai'r fath arfau barbaraidd yn cael eu darparu a'u storio ar dir Cymru?

Yn Rhyd-y-mwyn, hefyd, y ceir enghraifft arall o ystranciau afon Alun. Gwelsom eisoes fod ei thrywydd cyntaf i gyfeiriad y gogledd. Ond yn Rhyd-y-mwyn mae'n gwyro'i gwely i gyfeiriad sydd am y pegwn eithaf â'i thrywydd gwreiddiol, gan lifo i'r de-ddwyrain heibio i'r Wyddgrug. Myn y rhai sy'n arbenigwyr ar ystranciau afonydd fod rhaid mynd yn ôl ymhell, bell i Oes yr Iâ am eglurhad. Eu damcaniaeth yw bod rhewlifiad grymus wedi atal llwybr yr afon a'i gorfodi i chwilio am lwybr arall ar y ffordd i'r môr. Does ryfedd fod Isaac Foulkes, cofiannydd Daniel Owen, wedi gwneud y sylw sychlyd bod Alun 'yn cymryd cwmpas hir'.

Gwyddai Daniel Owen, ein prif nofelydd yntau, am beryglon yr afon. Gweithiai glowyr ardal yr Wyddgrug dan amodau rhyfedd o beryglus, gan ofni bygythiad y dŵr a lifai'n ddirybudd i'r ffas lle'r oeddent yn torri'r glo, lawn cymaint ag a wnâi'r gweithwyr plwm hwythau. Ceir un hanesyn ingol ganddo yn ei hunangofiant:

Ffair Glamai, Medi l2fed, 1837, torrodd y dŵr yn y gwaith [Pwll yr Argoed] a boddwyd fy nhad a'm dau frawd, ac amryw eraill. Gadawyd fy mam yn weddw gyda phedwar o blant – myfi yn blentyn saith mis oed. Amgylchiad ofnadwy oedd hwnnw i fy mam, a bu agos allan o'i phwyll am lawer o wythnosau, gan godi bob awr o'r nos wedi claddu ei gŵr a'i dau fab, ac agor y ffenestr, gan ryw led-ddisgwyl eu gweled yn dyfod adref o'r gwaith.

Mae Afon Alun yn llifo o gyffiniau'r Wyddgrug trwy ddyffryn llydan heibio i ddau bentref sydd o bosibl yn ddyledus i'r afon am eu henwau hynod. Y naill yw Llong, ond camgymeriad fyddai disgwyl gweld unrhyw long, fach neu fawr, yn angori yno. Ystyr 'llong' yn yr achos hwn yw 'tir gwlyb, neu gorslyd', a diau mai ar Alun y mae'r bai am hynny. Y pentref arall yw Caergwrle. Mae twyll yn yr enw; hawdd credu mai enw cwbl Gymraeg ydyw ond y gwir yw mai hanner yr enw sy'n Gymraeg, sef 'Caer' – mae hynny'n amlwg. Ond Saesneg yw'r hanner arall, mae'n debyg. Cofnodwyd yr enw mor gynnar â'r bedwaredd ganrif ar ddeg fel 'Caergorley' a dyfalwyd mai ystyr yr enw 'Corley' yw 'garan y ddôl' ('river-meadow crane'). Gydag ychydig bach o ddychymyg, gellir beio Alun am yr enw hynod hwnnw, hefyd, gan mai hi yw'r afon sy'n llifo trwy'r ddôl honno.

Enw'n dwyn i gof y dyddiau mwy hamddenol a fu gynt yw 'Caergwrle', felly, ond erbyn heddiw mae hon yn ardal boblog, brysur, heibio i Abermorddu a Chefn-y-bedd, ac erbyn cyrraedd Llai mae'r afon yn llifo drwy olion diwydiannol, er bod pyramid yr hen lofa, 'Llay Main', bellach wedi ei symud o'r tirlun. Ond mae'r fryngaer, Bryn Alun, wedi bod yn cadw gwyliadwriaeth ar yr afon oddi ar oes yr arth a'r blaidd, gellid tybio. Gwelodd rhywrai gyfle i droi glannau'r afon yn warchodfa natur ac yn barc hamdden, ac erbyn heddiw mae'n braf clywed lleisiau brwd plant a theuluoedd ifainc yn chwarae ym Mharc Dyfroedd Alun.

Mae Alun yn gwneud un tro sydyn arall gan ddilyn llwybr yr A483 cyn troi am Yr Orsedd Goch, neu Rossett, yn union fel pe bai'n awyddus i roi siâr o'i dyfroedd i droi'r olwyn fawr yn yr hen felin yno. Bellach, mae'n llifo ar wely sy'n go wahanol i'r calchfaen a nodweddai ei gwely'n gynharach ar ei thaith. Yn awr, tywodfaen a graean yw ei gwely wrth iddi lifo'n araf a hamddenol i gyfeiriad Afon Dyfrdwy. Ei pherygl hi, fel pob afon arall, wrth lifo trwy'r gwastatir, yw torri dros ei glannau. Gwnaeth hynny'n gymharol ddiweddar, yn y flwyddyn 2000, gan beri gofid a phryder i sawl aelwyd yng nghyffiniau Trefalun.

Ond yn hytrach na chodi dwrn ar yr hen afon ystranclyd a'i melltithio, cofiwn am y fendith a ddaeth i fröydd y gwastatir drwyddi; dros y canrifoedd, cludodd Alun faeth a braster yr ucheldir gyda hi, a'i daenu'n achles ar y tir o gwmpas ei glannau.

Yr olwg olaf un a gawn ar Alun gastiog a chwareus yw wrth iddi hi ei hun gael ei llyncu gan afon fwy grymus ei llif, sef y Ddyfrdwy, a'i chludo yn ei mynwes i gyfeiriad yr aber llydan, y tu hwnt i ddinas Caer.

Hesb Alun

Portread: Agored (heb fod dros 2,000 o eiriau)

BEIRNIADAETH ANGHARAD MAIR

Tasg bleserus iawn oedd darllen y deunaw o bortreadau a anfonwyd i'r gystadleuaeth a diolch i bob un ymgeisydd am waith diddorol a graenus. Roedd croestoriad eang o bortreadau ac roedd hi'n fraint dod i adnabod amrywiaeth o gymeriadau ein gwlad yn well.

Roedd un peth yn fy mhoeni, fodd bynnag. Beth yn union yw'r diffiniad o bortread? Roeddwn wedi disgwyl y math o erthygl bortread a welir mewn papur newydd neu gylchgrawn ond nid dyma oedd y mwyafrif o'r cynigion. Roedd erthyglau ac ysgrifau coffa a thraethodau â naws hanesyddol iddynt, ac o'r deunaw portread a ddaeth i law dim ond pedwar o'r gwrthrychau sydd yn fyw ac roedd un o'r rheiny'n ful!

Efallai y byddai cystadleuaeth ychydig yn fwy penodol fel 'Portread – i gylchgrawn fel *Golwg* neu *Barn*' yn gymorth i gystadleuwyr fynd ati i ysgrifennu'r hyn yr oeddwn i'n ei ddisgwyl fel portread, sef cyfweliad newyddiadurol dadlennol lle mae cymeriad a phersonoliaeth yn dod yn fyw i'r darllenydd. Ond gan mai 'Portread: Agored' oedd teitl y gystadleuaeth hon eleni, rwyf wedi penderfynu derbyn bod y cyfan yn ddilys.

Rwyf wedi beirniadu yn y drefn y cyflwynwyd nhw i mi ac wedi mynd ati i wobrwyo'r gwaith a lwyddodd orau i roi portread cyflawn, gan lwyddo hefyd i ddod â chymeriad yn fyw wrth roi naws bersonol i'r gwaith.

O Barch: 'Elis o'r Nant – Cynrychiolydd y Werin'. Portread o Ellis Pierce (neu Elis o'r Nant) sy'n rhoi blas i ni nid yn unig o fywyd y cymeriad hynod liwgar a diddorol hwn ond o fywyd yng Nghymru yn y bedwaredd ganrif ar bymtheg. Bai mwya'r gwaith yw bod gorbwyslais ar hanes y cyfnod yn hytrach na mynd o dan groen y cymeriad ei hun. Dysgwn ei fod yn newyddiadurwr tanbaid di-flewyn ar dafod, yn amlwg ym myd gwleidyddiaeth, ac wedi gorfod ymfudo i dalaith Efrog Newydd am gyfnod. Cawn wybod bod 'ei hanes yn America yn dra diddorol, a dweud y lleia' ond dim mwy na hynny am ei gyfnod yn y wlad honno. Byddai canolbwyntio ar ambell agwedd o'i waith a'i fywyd wedi bod yn well na cheisio disgrifio bywyd cyfan mewn cyn lleied o eiriau.

Treflys: 'Marged Pritchard'. Portread diddorol o enillydd y Fedal Ryddiaith yn Eisteddfod Genedlaethol Aberteifi 1976. Mae'n bortread manwl a thwymgalon sy'n disgrifio'i chymeriad yn arbennig o dda ond mae'r ysgrifennu'n ymdebygu'n ormodol i *C.V.* a'r hanes yn rhy gronolegol. Rydym bron wedi cyrraedd diwedd y portread cyn i ni ddod i wybod am ei champ. Wedi dweud hynny, mae'n amlwg fod *Treflys* wedi adnabod y gwrthrych yn dda ac mae teyrnged hyfryd yma i Marged Pritchard. Mae'n bortread sy'n cyffwrdd â'r galon ac fe ddaeth yn agos iawn i'r brig.

Pererin: 'Y Gwir Barchedig Anthony Crockett'. Portread ohono o'i gyfnod fel myfyriwr disglair hyd at ei waith fel Esgob Bangor. Ceir yma ysgrifennu gloyw ac er bod digon o fanylion personol ac anecdotau i ni ddod i adnabod y dyn yn well, unwaith eto y bai mwyaf yw bod y gwaith yn darllen yn ormodol fel disgrifiad o fywyd y cymeriad yn hytrach na phortread.

Crwtyn Bach o'r Betws: 'Yr Arglwydd Gwilym Prys Davies'. 'Y mae un peth yn sicr, go brin y gwêl y Blaid Lafur yng Nghymru fyth eto wleidydd mor Gymraeg ei anian a'i agwedd a'i argyhoeddiadau â'r Arglwydd Gwilym Prys Davies'. Cafwyd dechrau grymus i bortread arbennig o hanes a gwaith y gwladgarwr yma. Mae'n bortread llawn edmygedd gan ffrind iddo ac mae tipyn o hanes gwleidyddiaeth Cymru yn yr hanner canrif ddiwethaf wedi ei weu'n grefftus i'r gwaith. Ond gormodedd sydd yn y portread yma sy'n ymylu ar fod yn draethawd hanesyddol, gormodedd o fanylion a ffeithiau, nes bod gwir neges y portread, sef poendod yr Arglwydd Gwilym Prys Davies am ddyfodol ein cymunedau Cymraeg a'r iaith, yn cael ei cholli.

'dros gantel yr anwel': 'John Roderick Rees'. Portread agosatoch wedi ei ysgrifennu gan rywun a oedd yn sicr yn adnabod ei arwr yn dda ac mae'r iaith yn goeth a chaboledig. Mae'r portread wedi ei grefftio'n gelfydd hefyd gan osgoi camgymeriad cronolegol cynifer o'r lleill. Cawn fanylion a disgrifiadau personol sy'n rhoi darlun clir i ni o bryd a gwedd y bardd a'i gymeriad yn ogystal â chael gwybod beth a gyflawnodd. Portread hyfryd a gydiodd yn syth.

Y Garnedd Wen: Dyddiadur yw hwn, yn y person cyntaf, a diolch am y nodyn a ddaeth gyda'r gwaith i esbonio pwy oedd John Evans, sef cyfreithiwr a chlerc goruchwylio'r gwaith o gau'r tiroedd ym mhlwyf Llanddeiniolen ym 1808. Mae llawer mwy na 2,000 o eiriau yma ac felly mae *Y Garnedd Wen* yn torri rheolau'r gystadleuaeth. Mae'r cyfan wedi ei ysgrifennu yn iaith rywiog ardal Caernarfon ac mae'n hanes hynod ddiddorol a brawychus hefyd ond caf yr argraff mai stori ar ffurf dyddiadur ar gyfer cystadleuaeth arall oedd hon yn wreiddiol.

Cyfa'll mul o'r enw Ned: Portread o ful a geir yma o'r enw Ned-penstiff. Eto, nid portread 'chwaith ond stori am ddigwyddiad un diwrnod arbennig pan giciodd yr asyn yn erbyn y tresi gan beri i griw o blant awtistig swil chwerthin yn iach. Wnaeth hwn ddim apelio ata i oherwydd yr elfen storïol gref ac am mai portread o ful ydoedd yn hytrach nag o berson.

Menna Lili: Portread o 'Shinc' neu Harold Jenkins, rheolwr llawr yn y BBC yng Nghaerdydd tan ei farwolaeth sydyn yn 28 oed. Hwn oedd yr unig bortread a wnaeth i mi chwerthin ac a lwyddodd hefyd i'm tristáu a chydymdeimlo gyda'r rhai oedd yn adnabod y gwrthrych. Tipyn o gamp. Daeth Shinc yn fyw yn y portread hwn ac roedd straeon amdano'n helpu ar ffermydd Pontrhydygroes adeg cneifio a hanesion am y cellwair a'r tynnu coes wrth rannu tŷ yn y brifddinas yn dweud llawer wrthym ni am y gŵr ifanc a gollwyd mor ddisymwth. Daeth y portread hwn yn agos iawn at ennill a hwn yn fwy na'r un o'r lleill sydd wedi aros yn y cof.

Meddyg Merthyr: Portread sydd yma o ferch Iddewig ddienw a oroesodd Auschwitz er i'w theulu farw yno. Stori o hunllef, ie, a stori greulon a dirdynnol sydd angen ei hadrodd, gyda neges gref ar y diwedd wrth ofyn y cwestiwn beth fyddai gan y ferch i'w ddweud am ryfeloedd heddiw. Ond mae'r gwaith yn wan oherwydd nad oes dim byd yn yr ysgrifennu sy'n fwy dadlennol am fywyd go iawn y ferch ifanc nac yn dweud mwy na'r hyn sy'n wybyddus i ni i gyd mewn llyfrau hanes.

Pen y Fedw: 'Idris'. Portread o Idris Davies neu Idris Tŷ'n Celyn, y ffermwr a ddaeth yn enwog am ei ddawn fel arweinydd Eisteddfodau. Mae'n bortread annwyl iawn ac mae'r defnydd o idiomau a chyferbyniadau yn arbennig a'r iaith Gymraeg yma ar ei gorau. Ond er bod ambell ddyfyniad doniol o gamp Idris wrth arwain Eisteddfodau, ac er bod disgrifiadau manwl a chelfydd ohono wrth ei waith ar y fferm, mae rhywbeth rywsut ar goll gan nad ydym yn cael mynd o dan groen y gwrthrych yn ddigonol i ni ddod i wybod rhywbeth newydd am ei gymeriad. Serch hynny, ymgais wirioneddol dda ac yn sicr yn un o'r goreuon.

Wyre: 'Alun Creunant Davies, 1927-2005'. Crynodeb o fywyd a gwaith arloesol Alun Creunant Davies a geir yn y portread hwn. Mae'n amlwg fod y cystadleuydd yn adnabod y gwrthrych yn dda ac mae'n portreadu ei argyhoeddiad a'i waith diflino. Ond, wedi dweud hynny, teimlais fod y portread hefyd braidd yn arwynebol; roedd y ffeithiau i gyd yma ond fe fyddwn i wedi hoffi dod i wybod mwy am beth oedd yn gyrru ac yn ysbrydoli'r gŵr arbennig hwn.

Y tyfwr tatws: 'John Elwyn Ifans, Yr Hafod'. Portread annwyl o'r hynafgwr, John Elwyn Evans, gwerinwr yng ngwir ystyr y gair a'r capel yn uchafbwynt ei fywyd. Cafwyd disgrifiadau trawiadol ac er fy mod wedi beirniadu eraill am raffu gormod o fanylion am fywydau unigolion, efallai nad oedd digon fan hyn ac, o'r herwydd, ni theimlais i mi ddod i adnabod John Elwyn Ifans yn ddigon da. Mae'n ysgrif goffa benigamp i bobl ei ardal a fyddai wedi ei adnabod ond er cystal yr ysgrifennu doeddwn i ddim yn teimlo fy mod wedi dod i adnabod y cymeriad go iawn.

Normandi: 'Dan Jones'. Hanes bywyd a gwaith Dan Jones – o'i gyfnod fel milwr ifanc yn yr Ail Ryfel Byd nes dod yn brifathro ar ysgol yn Nantwich. Ceir yma gyffyrddiadau hyfryd ac roedd yn bortread celfydd a'r disgrifiad o'r cerrig ar afon Ogwr yn sail i gerrig milltir bywyd yn drawiadol. Mae *Normandi* wedi llwyddo i ddod â Dan Jones yn fyw ond gan mai catalog o fywyd y gwrthrych a geir yma mae'n darllen fel ysgrif goffa yn hytrach na phortread.

Hillside: 'Annie Pugh Owen'. Hanes dynes sy'n nodweddiadol o sawl un arall o ferched Cymru. Mae manylion ei bywyd yn y portread hwn – o'r ysgol fach i'r Ysgol Ramadeg cyn dod yn athrawes ymroddedig a phriodi gweinidog. Rwy'n dyfalu mai'r un cystadleuydd yw *Hillside* a *Normandi*. Mae'n gymeriad o'r un ardal â Dan Jones a chawn eto'r un syniad o daith bywyd. Ysgrif goffa sydd yma yn hytrach na phortread celfydd a theimlaf yn gryf ar ôl darllen hwn a sawl un arall pa mor bwysig ydyw eu bod nhw'n cael eu cyhoeddi yn rhywle er mwyn cadw cofnod ar gof a chadw o bobl fel Annie Pugh Owen, a fu'n asgwrn cefn cymuned.

Penyberth: 'Dic yr Hendre'. Portread o'r prifardd a'r cyn-Archdderwydd Dic Jones a geir yma. Anodd yw ysgrifennu portread o rywun mor adnabyddus heb allu cynnig rhywbeth newydd, ac rwy'n cael yr argraff wrth ddarllen y gwaith hwn nad oedd yr awdur yn adnabod Dic yr Hendre 'chwaith oherwydd nad oes cyffyrddiadau personol yma. Ceir ambell ddyfyniad o'i eiriau ei hun ond gan nad yw'r portread yn cynnig gwedd newydd neu ogwydd personol, nid yw'r dyfyniadau'n swnio fel geiriau a lefarwyd wrth yr awdur ei hun.

Lleuad Las: 'Portread o Filwr'. Portread brawychus ac amserol iawn o Allan Jones, milwr fu'n un o'r Paras ac yn rhan o gyflafan Bloody Sunday ond yn methu dygymod wedyn â'r erchyllterau a welodd ac wedi troi'n alcoholig cyn marw'n ifanc yn 51 oed. Ceir ysgrifennu cyhyrog yma ac er bod y portread yn tueddu i fod braidd yn arwynebol, gan nad oes yma ddigon o fanylion am fywyd Allan Jones, mae'n bortread sy'n aros yn y cof ac yn llwyddo i ddod â'r cyn-filwr a thristwch ei fywyd yn fyw. Roedd hwn yn sicr yn un o bortreadau gorau'r gystadleuaeth.

Cydymaith: 'Mair Davies, y Wladfa'. Hanes rhyfeddol Mair Davies a aeth o'i milltir sgwâr yn ardal Llandysul i'r Wladfa a byw yno o 1963 hyd ei marwolaeth yn 2009. Mae'n bortread syml o fywyd y wraig arbennig hon a heb wastraffu geiriau mae'r awdur yn llwyddo'n gynnil i gyfleu bywyd y genhades ddiflino yn y Wladfa. Mae'n ysgrif goffa gynnes ac mae hon hefyd yn un a ddylai gael ei chyhoeddi er mwyn sicrhau bod holl werthoedd a bywyd anhunanol y wraig hon yn gofnod cyhoeddus.

Yr Alarch: 'Dafydd Islwyn, Y Bargoed'. Portread o fywyd a gwaith Dafydd Islwyn a geir yma ac mae'n bortread cynhwysfawr wedi ei ysgrifennu'n gelfydd. Eto, mae'n bortread hyd braich braidd heb gynhesrwydd ynddo. Disgrifiad traethodol o fywyd Dafydd Islwyn yw hwn heb y cyffyrddiadau personol y byddai rhywun yn disgwyl eu gweld mewn portread i ni gael dod i adnabod cymeriad a phersonoliaeth y gŵr yma'n well.

Mae'n bleser mawr gen i gyhoeddi mai *'dros gantel yr anwel'* a'r portread o John Roderick Rees sy'n fuddugol, ond byddai'n wych o beth pe bai sawl un arall o'r portreadau o gymeriadau lleol yn cael eu cyhoeddi ac rwy'n annog yr ysgrifenwyr i anfon eu gwaith i bapurau bro er mwyn sicrhau bod rhai o gymeriadau lleol Cymru yn cael eu cofio'n haeddiannol. A llongyfarchiadau calonnog i *'dros gantel yr anwel'* sy'n llawn haeddu'r wobr gyntaf.

Y Portread

'Mae'n well gen i fod yn *maverick* nag yn *clone*'. Geiriau Jac y Plow, dyn a oedd, er gwaethaf pob ymdrech yr oes sydd ohoni i wneud pawb yr un fath, yn mynnu bod yn ef ei hun. Y *maverick* gwreiddiol oedd y *rancher* hwnnw yn yr Amerig a fynnai frandio'i wartheg yn wahanol i'r cowbois eraill ac o dipyn i beth glynodd yr enw wrth unrhyw un oedd yn torri'i gŵys ei hun mewn unrhyw faes. Ond tyddynnwr oedd Jac, nid *rancher*, a Phenuwch oedd y *prairie*. Yno, yn y bwthyn gwyngalchog sydd ynghlwm wrth y beudy, y daeth i'r byd ac yno, dros bedwar ugain ac wyth o gylchoedd y rhod yr arhosodd yn driw i gors y bryniau. Mae un peth yn sicr, beth bynnag am ddadl llywodraeth gwlad, nid oedd angen cerdyn adnabod ar Jac. Roedd pawb yn ei adnabod beth bynnag ac, yn bwysicach fyth, yr oedd ef yn ei adnabod ei hun. Ychydig a freiniwyd â'r ddawn brin honno. Myfyriodd ar y pethau mawr gan fodloni ar y pethau bach. Gwyddai hefyd fod perlau bywyd o gylch ei draed.

O ran pryd a gwedd, safai'n gymharol dal, 'modfedd neu ddwy'n brin o ddeunaw llaw' yn ei eiriau ef ei hun. Pen golau'n sicr, â'r gwallt yn cwafrio'n donnog pan oedd yn iau, a hyd yn oed yn ei wyth degau daliai i gadw'i liw a'i le. Yn yr oed hwnnw, ac er gwaethaf treigl y blynyddoedd, o hongian plwmen o'i wegil fe ddisgynnai bron yn unionsyth y tu ôl i'w sawdl, – talsyth heb argoel o 'gefen cath wmla' nac owns o gig wast. Daliodd yn ifanc, ond 'na fe, mater o feddwl yw oed. Cyfunodd haul Awst a mileinwynt mis Bach yn eu tro i foldio wynepryd a fyddai'n deilwng o gymeriadau Aneurin Jones, – yr addfwyn a'r gerwin yn un yn y gwladwr gorffenedig.

Ymledai gwên swil ar draws yr wyneb ar brydiau, gwên hanner encilgar ond eto'n siŵr o'i lle; gwên oedd yn cyfleu rhyw ledneisrwydd diymhongar, gwên yr ymddiried. Dyma'r wên oedd yn arwydd eich bod wedi eich derbyn i gwmnïaeth y gŵr mwynaidd fel awelon Mai â'i bersonoliaeth yn gwlitho fel glaw mân y mis hwnnw. Nid ar chwarae bach y graddiai neb i blith yr etholedig rai hynny. Roeddent yn freintiedig.

Gwisgai'n drwsiadus bob amser – coler a thei a siaced, a throwser rib ar brydiau pan oedd wrth waith y fferm. Nid oedd yn gysurus yn gwisgo cap a phan wnâi nid oedd ar sgi-wiff 'nôl y ffasiwn leol ond yn unionsyth ac ychydig dros ei lygaid. Ni wn paham ond awgrymai hynny i mi mai ffermwr anfoddog a dyn llyfrau o'i fodd oedd Jac. Roedd ei osgo o gylch y clôs hefyd, am ryw reswm, yn cadarnhau'r gred honno i mi. Dangosai ryw urddas anymwthgar ymhob ystum a chyfarchiad.

Daliodd yn sionc ei droed pan oedd mewn gwth o oedran gan godi i hanner trot wrth frysio i agor iet y clôs neu dywys car ymwelydd allan i'r hewl fawr. A pha syndod – oni fu'n cyd-redeg â'r mawrion, Brenin Gwalia a Rhosfarch Frenin, cobiau oedd â'u pedair troed yn bwyta daear pan oeddynt yn eu hwyliau yng nghylch mawr Llanelwedd. Dau gyda'r mwyaf gosgeiddig a fu, yn enwog am eu symud pert – y coesau blaen yn difa'r llathenni a'r coesau ôl yn codi'n uchel at y tor. Jac yntau, yng ngeiriau D. J. Morgan gynt, 'yn llencyn penfelyn disglair wrth y llyw'. Arhosodd yr ias yn ei lygad.

Ganwyd ef ym 1920 a chafodd ei fagu, fwy neu lai rhwng y ddau ryfel byd. 'Lle bach' oedd Bear's Hill, y cartref, fel y mwyafrif o ddaliadau Penuwch. Tafarn y 'Plough' oedd yma unwaith ond newidiwyd yr enw, gyda'r 'Bear' yn deillio o'r afon Arth gerllaw. Roedd yn ffasiynol ganrif yn ôl i glodfori rhyw urddas estron drwy enwi'r tai yn Saesneg. Awgrymwyd droeon iddo y dylai Gymreigeiddio'r enw ond mynnai Jac fod 'Bear's Hill' yn aros am ei fod ar garreg fedd ei rieni. Parch di-syfl i'w gyndeidiau oedd y llinyn mesur pennaf iddo ef. Er gwell neu er gwaeth, roedd ddoe'n pwyso'n drwm drwy ei oes ar Jac; heb gof, iddo ef, nid oedd gwareiddiad.

Collodd ei fam yn ddyflwydd a hanner oed ac ymfalchïai yng ngeirda cymdogion a chydnabod iddi. Golygai lawer iddo. Roedd ei dad, Dafydd Rees, fel ei dad yntau, Thomas, ymhlith y pennaf o arloeswyr a bridwyr y cobyn Cymreig. Daliodd Jac yntau'n driw i'r hen deip – stwffwl o geffyl cryf at waith, gwar osgeiddig a chefn byr gyda'r pedair coes yn codi'n rymus ac nid rhyw lusgo-mynd fel buwch! Roedd y daliadau hyn yn rhan o'i gynhysgaeth, waeth ym myd y cobiau, yn gam neu'n gymwys, llinyn mesur ei dad oedd llinyn mesur Jac. Er, yn dawel bach, cyfaddefai nad oedd gystal dyn ceffyl ag ef. Fe'i galwai'n 'athrylith cynhaliol y cob'. Roedd canrif mewn lluniau ar wal y gegin fach, o ddyddiau King Briton ymlaen â'u mabinogi'n llond pob ffrâm. Yntau, y Cyfarwydd, yn ei elfen o gael clust i wrando â'i drem yn disgleirio wrth adrodd stori Mathrafal Brenin yn dod ar y trên o St Albans bell. Uchafbwynt y seiat fyddai mynd allan i'r stabl i weld stâl yr hen 'Frenin'. Melyngoch oedd cot y 'Brenin' gyda blew gwynion yn ymwthio trwodd a dawn trin geiriau Jac a'i bedyddiodd yn got 'llaeth a chwrw.'

Dyna'r dweud pert a amlygwyd yn y bachgen ifanc pan gipiodd Gadair Ysgol Tregaron. Disgleiriodd yno'n academaidd ond tynfa'r tir a orfu. Bu'n ffermio'n llawn amser ym Merthlwyd am naw mlynedd cyn mynd i'r Coleg ger y Lli a graddio ag anrhydedd mewn Saesneg a Chymraeg. Bu'n ôl ar y tir ac yn dysgu yn Aberystwyth cyn dod yn bennaeth y Gymraeg yn ei hen ysgol o 1957 tan 1973. Yno, ystyriai'r disgyblion ef fel ffrind a phlannodd egin cariad at lenyddiaeth mewn cenhedlaeth o blant yn ogystal â bod yn athro i gylch eang o feirdd ar eu prifiant y tu allan i furiau'r ysgol.

Daliodd i dorchi llewys yn y lle bach yn ogystal â dysgu er ei bod yn deg dweud na fu'n rhy frwd i foderneiddio o ran peiriannau a bridiau newydd. Roedd ei natur larïaidd yn gwneud mynd ag anifail i'r mart yn orchwyl anodd. Deuai'r fuwch, y mochyn, y ceffyl a'r ci wrth eu henwau ar glôs Bear's Hill. Un hwyrnos ac yntau wrthi'n carthu'r beudy ar ôl dod o'r ysgol, pwy laniodd ar y clôs ond ei arwr mawr, Syr T. H. Parry Williams. Sylw ei gyn-ddarlithydd oedd, 'Dyma ŵr sydd yn gweithio ar ôl gweithio'. Adroddai Jac y frawddeg honno â balchder gan ddynwared llais unigryw'r sgolor o Ryd-ddu. Roedd sonedau 'Parry bach' i gyd ar ei gof ond taenai ei rwyd yn eang – dyfynnai Eirwyn Pontshân a Lloyd George, Waldo Emerson neu Luther King, fel y mynnai. Tyfai ei briod-ddull o'r pridd; eto, roedd y clasurol ar flaenau ei fysedd.

Enillodd Gadeiriau lu â'i gerddi'n llathru â gloywder yr iaith gyhyrog a glywid ar wefusau'r werin yn oes y ceffyl. Yn ôl un beirniad, 'canu telynegol heb sentimentaliaeth', 'canu clir heb fod yn arwynebol' – gwirebau am John Roderick Rees, y dyn a'r bardd. Mewn sgwrs, fel yn ei gerddi, byddai'r meddwl clir, treiddgar yn pwyso a mesur pob gair ac yna'n arllwys ei berlau'n gywrain a chytbwys. Clywais ef yn dweud am bwysigyn oedd yn amlhau geiriau heb ddweud llawer ei fod 'yn rhoi bach gormod o ddŵr ar y rhod'! Y dweud syml, cyrhaeddgar oedd arddull Jac; cynnil, deifiol a didwyll. Gwerinwr yn defnyddio geiriau cyffredin i ddweud pethau anghyffredin.

Daeth yn agos i'r brig am y Goron Genedlaethol ddwywaith yn y chwe degau ac yn ddi-os cafodd ei siomi a chredaf ei bod yn deg dweud na chiliodd y graith. O'i greithio a'i groesi, gallai fod yn benderfynol-benstiff. Nid dyn na bardd i blesio'r dorf ydoedd. Yn yr un modd yn ei grefydd, profiadau bywyd a'i oleuni mewnol ei hun oedd seiliau ei ffydd seml, resymegol, hollol unigolyddol. Pwysleisiai agosatrwydd a theyrngarwch creadur yn barhaus gydag arlliw o awgrym nad oedd y rhinweddau hynny'n or-amlwg mewn rhai pobl. Ar y llaw arall, roedd ffrind yn ffrind am oes a'i ymlyniad ato'n ddi-feth. Cyfrannai at achosion dyngarol o waelod calon. Fel pob Cardi da, ni châi flas ar wario ond câi foddhad o roi. Ym mhopeth, dangosai gariad dwfn at ei bobl a'u cilcyn tir. Ei filltir sgwâr oedd ei gyfanfyd, golygai bopeth iddo. Un ffaith fach arall, gyrrwr o raid yn unig ydoedd. Roedd yn well ganddo bedair coes na phedair olwyn a braidd yn ysgafn oedd ei droed dde! Roedd mwynhau'r daith lawn mor bwysig â'r cyrraedd.

Llawenychodd Sir Aberteifi benbaladr o weld y gŵr o Benuwch yn ateb galwad y corn gwlad yn Llanbed ym 1984. Sir Aberteifi, gyda llaw, ac nid Ceredigion, oedd cartref y Cardi i Jac. Yn y bryddest 'Llygaid', cystwyodd y Cymry a fu'n 'Darnio'r treftadaethau/ Drib-a-drab,/ Erw yma, erw draw/ Am y deg-darn-ar-hugain'. Fe'i barnwyd am hyn ond nid un i bilo wyau i neb oedd Jac. Mesurai â'i ffon fesur ei hun a neb arall! Eto gellid uniaethu'r dyn a'r bardd yn y bryddest, waeth un o 'geidwaid y ceyrydd' oedd ef; nid oedd yn perthyn i'r 'gwareiddiad pop-a-chrisps'. Dyn oes y cêl broc oedd Jac y Plow, nid dyn 'w driphlyg dot com'. Un o'r deri nas diwreiddiwyd.

Y flwyddyn ddilynol, cyflawnodd yr un gamp yn y Rhyl. Canu i Jane Walters, ei fam faeth, a wnaeth; gorffennodd ddysgu'n gynnar i ofalu amdani dros saith mlynedd o gystudd blin. Hi a'i hanghenion oedd bwysicaf iddo. Dyna Jac ichi – gŵr yr hen werthoedd, gŵr di-droi'n-ôl y gofal dwys. Erys 'Glannau' yn frenhines y pryddestau mawr.

Beirniadodd gerddi'r goron deirgwaith gan anghytuno'n chwyrn ddeudro â'i gydfeirniaid. Dyna pryd y cafodd ei alw'n '*maverick*' ond roedd sylwadau coeth Jac yn rhai y dylid eu parchu – clir, croyw, cryno, gydag ambell alwad 'am fwy o ymatal a llai o baent' yn hollol nodweddiadol o brifardd Penuwch. Galwyd arno rywbryd i adolygu cyfrol gan y Dr Bobi Jones, academydd rhonc na feiddiai neb lyfnhau corneli ei ysgolheictod. A dyma'r tyddynnwr ati – 'y gorlif ymenyddol yn golchi tros y sawl a gâr gynildeb ac awgrymusedd y gair unigol'. Crynhodd yn gofiadwy a di-ffrils: 'Nid oes rhinwedd mewn tywyllwch na mawredd mewn meithder' – Jac y Plow fel arfer yn gyllellog eglur.

Os bu erioed ymgorfforiad o baradocs, Jac oedd hwnnw. Y dyn swil, unig am wn i, a drigai'n feudwyaidd bron ond eto a draddodai'n feistrolgar ar lwyfan y Genedlaethol. Y talp o Gymreictod pur y teimlai mewnfudwyr o Saeson yn gartrefol yn ei gwmni; yr ysgolhaig disglair a oedd â daear fawn yn glynu wrth ei draed. Uchelwr o werinwr. Er dringo ysgol academia, ni ffolodd ar ei dysg, waeth bardd gwlad o brifardd oedd Jac, tyddynnwr o ŵr gradd ac fel Brenin Gwalia gynt yn 'Frenin hil werin y bryniau pell'.

Yno yr oedd am fod, lle bo'r haul yn cyndyn grasu'r gwair cwta a'r llen glaw mân yn treiddio hyd at yr asgwrn. Mae crafanc daear fawn am ei phobl a dychwelodd i'w chôl ar y deuddegfed o Hydref y llynedd. Yn ei waeledd olaf, cafodd aros yn ei gartref gyda lleng o gymdogion yn gofalu'n dyner amdano. Dywed hynny'r cyfan, 'dyw blodau caredigrwydd byth yn gwywo.

Ddechrau'r saith degau, tywyswyd Tywysog Cymru i fryniau Pcnuwch ac i gwmni Dafydd Edwardes, gwladwr o hen gyff. O weld y rhostir diffaith a'r giachod yn hollti'r brwyn, cwestiwn Ei Fawrhydi oedd, 'What can you raise in such a place as this?' Atebodd Edwardes fel ergyd o wn: 'Men, sir'.

Dynion fel y Prifardd John Roderick Rees. Cyfoethog y rhai a'i hadnabu.

'dros gantel yr anwel'

166

Stori ffantasi i bobl ifainc (hyd at 5,000 o eiriau)

BEIRNIADAETH BETHAN GWANAS

Chwe stori ddaeth i law, ac mae arna i ofn mai cystadleuaeth braidd yn siomedig oedd hi ar y cyfan. Straeon ar gyfer pobl ifainc oedden nhw i fod ond roedd yr awduron naill ai wedi anghofio hynny neu heb sylweddoli sut i apelio at y to ifanc y dyddiau hyn. Roedd arddull ac ieithwedd bron pawb yn llawer rhy ffurfiol, llenyddol a hen ffasiwn. Hoffais y rhan fwyaf o'r syniadau ond ychydig iawn oedd wedi eu hysgrifennu mewn modd a fyddai'n denu pobl ifainc i'w darllen o'r dechrau i'r diwedd. Felly, do, mae'r gystadleuaeth hon wedi rhoi cur pen go iawn i mi.

Drudwy: 'Ynys yr Ofn'. Syniad da am fachgen oedd mewn damwain awyren yn deffro ar ynys ddieithr yn llawn pobl sy'n siarad Cymraeg hynafol ac yn gwisgo dillad o'r oes o'r blaen. Rhyw gyfuniad o'r Mabinogi a 'Lost'. Ond mae arna i ofn fod *Drudwy* wedi colli cyfle i gydio yn nychymyg y darllenydd; roedd yr arddull, gwaetha'r modd, yn dweud yn hytrach na dangos, a braidd yn ailadroddus. A pham dechrau'r stori drwy ganolbwyntio ar gymeriadau na fyddem yn gweld fawr mwy ohonyn nhw yn y stori? Ro'n i'n gorfod mynd yn ôl o hyd i weld pwy oedd y cymeriad yr oedd y stori amdano mewn gwirionedd. Mwy o ofal y tro nesaf, *Drudwy*.

Iolo: 'Yr Ogof'. Dau fachgen ifanc yn gwersylla ar y Bannau ac yn cael eu herwgipio gan ddau gyn-aelod o'r SAS sydd ar berwyl drwg. Hm! Unwaith eto, syniad digon difyr ond mae 'na dyllau mawr yn y plot. Pam ar y ddaear y mae'r ddau ddyn drwg yn egluro'u cynllwyn mor sydyn? A does bosib na fyddai ganddyn nhw well cynllun na herwgipio dau foi bach oedd yn digwydd gwersylla wrth ymyl ogof gyfrinachol y Fyddin Brydeinig? Ond mae'r stori'n gwella'n arw wrth fynd yn ei blaen, er bod gormod o dd'eud yn hytrach na dangos unwaith eto. A da chi, *Iolo*, osgowch bethau fel: '... a cheisio ail-ddychwelyd i freichiau cwsg'. Ych! Ie, mater o chwaeth, ond chwaeth y beirniad sy'n cyfrif, a fi ydi'r beirniad!

Bronfawr: 'Athibi'. Pan welais i'r ffugenw, ro'n i'n ddrwgdybus. Pan ddarllenais i fod cymeriadau o'r enw Stalwyn, Cala a Tethwen yn y stori, ro'n i'n ofni'r gwaethaf. Efallai bod *Bronfawr* yn un am dynnu coes ond mae'r canlyniad yn un digon digri, ac wedi ei ysgrifennu'n dda. Dyma'r un sydd agosaf at yr arddull ro'n i'n ei ddisgwyl ar gyfer pobl ifainc, er bod pawb yn siarad braidd yn ffurfiol yn hon hefyd. Hanes mewn dwy ran ydi hi: teulu ar Ynys (hapus) Athibi yn dod o hyd i aur ar eu fferm, a merch nwydus yn gwneud ei gorau i fachu'r mab – Stalwyn. Ac yn llwyddo mewn golygfa braidd yn rhy fanwl i'r *Cyfansoddiadau*. Cynnig gwahanol, a lwyddodd i roi gwên ar fy wyneb, ond mae arna i ofn nad yw'n dod i'r brig y tro hwn, *Bronfawr* – nid yn unig oherwydd nad yw'r *Cyfansoddiadau*'n barod am yr olygfa ryw ond am fod angen gwell saernïo arni.

Madge: 'Y Fodryb'. Mae hon wedi dechrau yn y lle anghywir – doedd dim angen yr holl egluro pwy a beth ydi hanes Modryb Nansi ar y dechrau. Roedd hyn braidd yn ddiflas, mae arna i ofn. Dylid ceisio dechrau stori yn ei chanol, fel petai, a datgelu unrhyw wybodaeth berthnasol wrth i'r stori ddatblygu, a doedd dim angen iddi fod mewn pedair rhan 'chwaith. Esgus dros beidio â gadael i ni ddod i nabod Modryb Nansi oedd hyn! Mae'r stori'n dechrau codi stêm yn y drydedd ran, a dyna pryd y dechreuais i fwynhau ei darllen o ddifri. Chwip o syniad sy'n cynnwys bwrdd syrffio, halen (hudol) Moelfre, llun Salem a'r daith ar y *Mimosa* i Batagonia ym 1865. Cynnig da sy'n dangos potensial ond mae angen mwy o saernïo a gofal y tro nesaf.

Hen: 'Wisgi'. Stori ddifyr am ddyn ifanc sy'n treulio noson yn yfed hen, hen wisgi 'wedi ei wneud yn ôl rysáit a ddyddiai'n ôl i'r cyfnod cyn y Diwygiad Methodistaidd' gyda chriw o hen ddynion. Fel y dywed yr awdur, ' ... mae gwerth mewn hynny i ddyn ifanc – os dim arall, fe gaiff ddysgu nad ar ei enedigaeth o y dechreuodd y byd'. Mae'n stori sydd wedi ei saernïo'n dda ac sydd â diweddglo cwbl annisgwyl iddi. Ond roedd angen mwy o ofal (e.e. 'saemllyd', ac mae pethau bach fel 'melysder' yn lle 'melyster' yn mynd dan fy nghroen i, ac onid 'casgen' fyddai pobl o'r ardal hon yn ei ddweud, yn hytrach na 'baril'?) ac mae'r arddull yn ymdrechu'n rhy galed weithiau. Mae'r iaith yn gyfoethog ond yn ymylu ar y blodeuog, yn enwedig ar y dechrau, ac ychydig iawn o'r gynulleidfa darged fyddai'n gallu dal i fynd drwy'r uwd dechreuol. Ond eto, mae 'na rywbeth dw i'n ei hoffi am y stori hon.

Absinthe: 'Yr Hydd Gwyn'. Gŵr ifanc, unig yn mentro mynd am bryd o fwyd yn 'Yr Hydd Gwyn' ac yn ei ddarganfod ei hun mewn sefyllfa gwbl swreal gyda 'gŵr canol oed, barfog a blonegog' yn ei herio i ornest hen ffasiwn gyda phistolau. Mae tro annisgwyl yng nghynffon hon hefyd, ac mae'r awdur yn llwyddo i greu awyrgylch rhyfedd y bwyty i'r dim. Er bod mwy o ôl gwaith gofalus ar y stori hon nag ar y rhan fwyaf o'r straeon eraill, mae lle i wella ar hon hefyd, yn sicr. Byddai'n well gen i pe bai'r dyn ifanc yn defnyddio ieithwedd 'iau' na'r cymeriadau eraill, er enghraifft, ac mae'r dechrau'n rhy hirwyntog o lawer. Hefyd, byddai arddull lai ffurfiol yn gweddu'n well i ofynion y gystadleuaeth.

Mae hi rhwng *Absinthe* a *Hen*. Ond, o bori drwy fy hen gopïau o'r *Cyfansoddiadau a Beirniadaethau*, sylwais fod *Absinthe* wedi cystadlu gyda'r stori hon eisoes – yn Eisteddfod Sir y Fflint a'r Cyffiniau, 2007. A thrydydd mewn cystadleuaeth o dair stori oedd hi'r flwyddyn honno, a dw i ddim yn meddwl bod yr awdur wedi gwrando ar gyngor y beirniad, Non Indeg Evans, bryd hynny: '... mae tudalennau cyntaf y stori braidd yn hirwyntog ... Teimlaf y byddai darllenwyr ifanc yn colli diddordeb ... oherwydd hyn'. Wel, mae arna i ofn 'mod i'n cytuno â Non. Ond mae'r un peth yn wir am stori *Hen* hefyd. Felly a oes teilyngdod? Wel, pe bai *Absinthe* yn dileu'r ddau baragraff cyntaf ac yn dechrau gydag 'Un noson ar ôl i Elen fy ngadael ...' byddai'n well o lawer, ac mae'r un peth yn wir pe bai *Hen* yn dechrau gyda 'Feddyliais i erioed y byddwn i'n magu blas at wisgi'. Wedi eu darllen eto gyda'r gwelliannau hynny, *Hen* sy'n mynd â hi – o drwch blewyn. Ond bydd yn rhaid ei chyhoeddi yn ei chyfanrwydd yng nghyfrol y *Cyfansoddiadau a Beirniadaethau*.

Y Stori Ffantasi i Bobl Ifainc

WISGI

Mae ystafell y bar yn loyw a chynnes. Mae du'r pileri derw a'r trawstiau trwm yn gryfder cadarn yn ymyl gwynder y muriau calch a'u lluniau oes arall, disylw. Mae yna lawnder yn y jygiau sy'n crogi o'r to a sglein golau, gwresog yn y brasys ceffyl ar eu hoelion o boptu'r lle tân. Mae oglau miniog llosg yn treiddio o'r tân a sawrau cymysg, melys y gwirodydd a fu, ac sydd, yn yr awyr, a'u hawyrgylch yn gwilt i mi i'w lapio o 'nghwmpas a gorffwys yn gynnes ynddo.

Mae pob dim wedi chwyddo y tu hwnt i'w gyflwr arferol – pob gwên yn lletach, pob gwefus a boch yn gochach, pob gair yn ddigrifach, pob ystum yn fwy hoffus, pob symudiad yn ysgafnach, pob defnydd yn feddalach. Byd braf. Fy myd i. Byd wisgi.

Feddyliais i erioed y byddwn i'n magu blas at wisgi. Rhywbeth a gymerai Nain fel ffisig cyn mynd i'w gwely, neu i'w roi i oen oedd ar drigo, oedd wisgi i mi'n blentyn. A phan, yn ŵr ifanc, y dechreuais i hel tafarnau, yr oedd hud *macho* Y Peint arna' i ac fel pawb arall fe lyncais fytholeg yr Yfwr Mawr. Mae pawb, hyd y gwela' i beth bynnag, yn mynd drwy ryw gyfnod o fod yn yfwr 'mawr'. Mae o'n gyfnod braf ar un ystyr – cyfnod o frawdoliaeth arbennig y mae dyn yn ei deimlo wrth iddo swagro at y bar, neu with ddangos ei haelioni with brynu; cyfnod o fawredd clyd with iddo chwerthin a'i 'deud hi fel y ma' hi'. Mae o'n naturiol bron i hogyn o'r wlad. A 'dydi wisgi ond yn rhywbeth i'w gymryd ar ddiwedd noson pan mae rhaid i ddyn yfed i gadw cwmpeini a bod swmp a phwysau'r cwrw wedi mynd yn ormod iddo a dechrau cronni'n lwmp ymwthiol yn ei fol a bygwth codi i'w geg.

Mae wisgi hefyd yn ddiod i *hen* ddynion. Mae dyn ifanc fel arfer yn swil o wneud rhywbeth gwahanol i arferion ei gyfoedion, yn arbennig rhywbeth a fyddai'n ei gysylltu â *hen* bobl, ond 'wnaeth hynny mo 'mhoeni i. Ar ôl tro neu ddau ar y chwirlen chwydu a deffro yn surni seimllyd chwd cwrw, a gorfod cysgu yn ei oglau fo am fisoedd wedyn – er gwaethaf ymdrechion gorau'r peiriant golchi a Dettol ar y fatras – cefais i ddigon arno. Dechreuais yfed wisgi a dod i 'nabod, o'r herwydd, 'hen griw' tap rŵm yr Eagles. Y rhain oedd hen rebals y pentre' – nid bechgyn ifanc wedi troi'n rafins ond dynion na chofiais i erioed mohonyn nhw'n ddim ond hen a bychain a chrwm. Roedd eu hwynebau'n wynebau tywydd, rhychog a main, a chroen na lyfnwyd byth gan siafio ond yn hytrach a grebachai'n wyn o gwmpas gwreiddiau blew caled, brith. Roedd eu coesau fel coesau ceiliog, yn falch ac yn fain â'r cyhyrau'n lapio'n dynn ac yn ddifraster amdanyn nhw, a'u dwylo'n greithiog ac yn galed, mor galed nes ei gwneud hi'n anodd iddyn nhw afael mewn peth mor fychan â gwydryn diod gadarn. Y rhain oedd y dynion y dywedwyd straeon amdanyn nhw, am eu dywediadau ffraeth, a brith, am eu hehofndra wrth wynebu'r drefn, am eu castiau drwg – ac am eu dirywiad wedi iddyn nhw ymddeol o'u ffermydd ac i'r Eagles. Yno'r aen nhw gyda'r nosau ac roedden nhw'n gwmni diddan i'w gilydd.

'Adewais i mo fy ffrindiau, fy nghyfoedion, ond dechreuais dreulio mwy a mwy o amser yng nghornel yr hen griw. Gwyddwn mai dieithryn oeddwn i yn eu byd nhw ac mai fy lle i oedd gwrando a dim ond rhoi 'mhig i mewn pan fyddai gwahoddiad i mi wneud hynny. Ond mae gwerth yn hynny i ddyn ifanc – os na chaiff ddim arall fe gaiff ddysgu nad ar ei enedigaeth o y dechreuodd y byd. Yn raddol, fe gefais fy nerbyn ganddyn nhw. Dechreuon nhw fy nghynnwys i yn y rownd brynu ac, o dipyn i beth, fe dyfodd yno le i mi, a theimlwn, o'r croeso, fy mod i'n un ohonyn nhw – ddim ym mhob peth, wrth reswm, doedd gen i mo'r profiad o fywyd oedd ganddyn nhw, ond peth braf ydi perthyn.

Mi ddysgais i lawer iawn o gwmpas bwrdd cornel y tap rŵm yng nghwmni'r hen griw. Cymry oedden nhw ac felly troi o gwmpas pobl a phrofiadau, gwybodaeth a digwyddiadau, fyddai'r sgwrs bob amser, yn hytrach nag amdanyn nhw'u hunain. Fel hen Gymry, doedd ganddyn nhw mo'r angen i fwrw bol yn gyhoeddus, i frolio ynghylch mân orchestion neu sicrhau bod pawb yn gwybod eu barn nhw ar fanion y byd a droellai o'u cwmpas. Efallai nad oedd llawer o gadernid y piwritan o'u cwmpas nhw, ond mae un peth yn sicr: o wrando arnyn nhw, rydw i bellach yn gweld y byd drwy ffenestr o wydr gwahanol.

Un testun sgwrs cyson gan y criw oedd wisgi. Roedd gan yr hen griw'r wybodaeth fwyaf rhyfeddol am ei hanes, dulliau ei gynhyrchu a phren ei gasgenni, am gymeriad gwahanol nentydd a mawn ac effaith y rheini ar y blas. Roedd o'n brofiad rhyfeddol gwrando arnyn nhw'n siarad. Yn wir, roedd eu gwybodaeth mor drylwyr nes bod unrhyw un ohonyn nhw, ar ddechrau noson, yn gallu enwi pob un wisgi oedd ar silffoedd yr Eagles (a mwy, 'dybiwn i) o'i flas a'i oglau'n unig, heb weld y botel. Ar ddechrau noson, cofiwch. "All neb wahaniaethu ar ôl y seithfed' – roedd hwnnw'n un o'r dywediadau – nid dwys ond digon doniol – a ddysgais i ganddyn nhw. Ac yn digwydd bod, mae o'n wir hefyd.

Un noson, fe benderfynais i holi ynghylch hanes wisgi yng Nghymru. Mae wisgi Penderyn wedi ennill ei blwyf erbyn hyn ac yn haeddu ei enw da, ond peth cymharol newydd ydi o – creadigaeth yr oes hon yn hytrach na phlentyn newydd hen linach. Gwyddwn am effaith y Diwygiad Methodistaidd ar ddawnsio a chanu a cherddoriaeth Gymreig. Ond a oedd yna agweddau eraill ar yr hwyl a ddifethwyd? Fe godais i'r pwnc efo'r hen griw. Soniais am ddylanwad myglyd y Methodistiaid ar arferion y werin. Dywedais mai un o'r canlyniadau oedd y ffaith nad oedd yna erbyn hyn ond rhyw lond dwrn o dafarndai ag enwau Cymraeg, a'r rheini'n bennaf mewn llefydd diarffordd a gadwodd at eu harferion eglwysig. Nodais fod yr Eagles yn un a gadwodd ei henw Cymraeg, gan mai llurguniad Seisnig o'r gair 'eglwys' – sydd y drws nesaf – oedd 'Eagles'. Gorffennais fy mhwt drwy holi a wyddai'r hen griw am arferion eraill a oedd wedi aros yma, fel yr enw, yn guddiedig mewn rhyw fodd.

Ddywedodd neb yr un gair. Meddyliais yn y distawrwydd mai fy 'mrwdfrydedd' i oedd ar fai, fy mod i wedi bod braidd yn llawn ohonof fi fy hun with draethu – fel y bydd dyn sy'n sôn am bwnc sy'n newydd ac yn ddiddorol iddo fo – a bod hynny wedi creu embaras o gwmpas y bwrdd. Ond nid dyna oedd.

"Weli di'r poteli wisgi 'cw?' Cyfeiriodd William Pughe ei olwg ac amnaid at resiad o hen boteli dan yr hopys sych ar y silff ucha y tu ôl i'r bar. Roedd eu siâp a'u maint nhw'n ddigon tebyg i siâp a maint unrhyw botel wisgi arall. Ond doedd yna'r un label ar y rhain ac, yn wahanol i boteli cyfoes sy'n cau â phlwg plastig mewn cap bach metal gloyw a'r enw'n foglynwaith del o'i gwmpas o, roedd y poteli yma wedi eu cau â chorcyn. Roeddwn i wedi eu gweld nhw droeon ond erioed wedi rhoi unrhyw sylw iddyn nhw. Ac roeddwn i wedi 'sidro pam eu bod nhw yno.

'Mae'r rheina yna ers cyn y Diwygiad Methodistaidd.'

Gofynnais yn syn: 'Ydi'r wisgi ynddyn nhw'n dyddio o'r cyfnod hwnnw hefyd?' 'Go brin. Ond mae'r rhiseb ar ei gyfer o'n hen ddihenydd. Wyt ti'n gwybod be' 'di rhiseb?' Roedd o'n air newydd i mi.

'Rysáit' ydi be' 'se pobl Ysgol Gymraeg, fath â chdi, 'n ei ddeud,' Aeth Wiliam Pughe yn ei flaen yn ofalus, 'Un peth sy'n sicr. Mae ei flas a'i gymeriad o'n union fel y bu o erioed.'

Am ddarganfyddiad. Wisgi Cymreig wedi ei wneud yn ôl rysáit a ddyddiai'n ôl i'r cyfnod cyn y Diwygiad Methodistaidd. Tystiolaeth arfer na wyddai neb amdano. A'r dystiolaeth honno ar silff o'm blaen i. Roeddwn i am ei brofi o yn y fan a'r lle.

Ond wrth godi i fynd at y bar i archebu mesur ohono, fe sylwais unwaith eto ar y tawelwch ymhlith y criw. Edrychais arnyn nhw'n ymholgar. Ac yna gofyn, 'Ydi o'n iawn i mi gael peth?'

Nodiodd William Pughe ei ben. 'Yndi, yndi. Mi fydd o'n brofiad i chdi.' Trois at y bar. Roeddwn i'n fwy chwilfrydig fyth.

O ystyried bod y wisgi yn yr hen boteli'n unigryw, roedd ei brynu o'n fater digon syml. Dim ffanffer, dim ffwdan. Dim ond gofyn i Rianwen, y barméd, a dyma hithau'n estyn am un o'r potell, a gwydryn, yn datgorcio'r botel a thollti'r wisgi. Estynnais bapur pumpunt iddi ond gwrthododd ei dderbyn.

'Gei di hwn.'

Pwyntiodd at Wiliam Pughe oedd wrthi'n arwyddo mai fo oedd yn gyfrifol am y bil. 'Grét,' medda fi wrthi. 'Diolch.'

Edrychodd Rhianwen arna' i a chodi bys o rybudd. 'Bydd yn ofalus ... rhag i ti feddwi arno.' Teimlais ei bod hi'n gwneud hwyl am fy mhen i ac roeddwn ychydig yn ddig wrth fynd â'm diod yn ôl at y bwrdd. Eisteddais yn fy lle a 'nghlustiau'n boeth. Damia unwaith! Cymerais anadl ddofn a diolch yn barchus i William Pughe. Yna gosodais y gwydryn ar y bwrdd o'm blaen.

Syllais arno.

Roedd y ddiod yn dâl i symud, ddim ar yr wyneb, a oedd mor wastad â llonydd â llechen, ond yn ei ganol o, lle'r oedd colofn o ddafnau gloyw i'w gweld yn troi fel troell aurfelyn byw.

'Wel?' meddai Wiliam Pughe. 'Wyt ti'n mynd i'w brofi o?'

Codais y gwydryn yn araf a'i ddal o dan fy nhrwyn – roedd gen i isio clywed ei wynt o. Mae rhan fawr o flas unrhyw beth yn ei oglau fo ac roeddwn i am brofi hwn yn ei lawnder.

Doedd o ddim yn debyg i oglau unrhyw wisgi arall y bu i mi ei brofi o'r blaen. Oedd, roedd yna ôl mawn a naws sur a brathog dôl frwynog ynddo. Roeddwn i wedi disgwyl hynny. Ond roedd yna naws hen ffrwythau iddo hefyd – y math o naws y mae rhywun yn ei chlywed wrth gerdded i selar 'falau oer yn y gaeaf, a hynny'n gymysg â sawr yr anwedd sy'n codi o gaead jam plwmws pan fyddwch chi'n agor y jar am y tro cyntaf. Cymerais sip ohono. Gwelwn y criw'n gwenu'n ddoeth wybodus ar ei gilydd ar f'ymateb syn.

Pan fydd rhywun yn cymryd ei flas cyntaf o wisgi newydd, mae o'n ymateb yn gyntaf i boethder y ddiod ac i'r ffordd y mae ei hanwedd hi'n llenwi'r geg – ymateb sydd gan rai yn dagu a phesychu. Dyna sy'n digwydd fel arfer, a dim ond ar ôl mynd heibio'r brathiad cyntaf y bydd rhywun yn gallu dechrau dadansoddi'r blas.

Ond nid felly'r wisgi hwn. Yr hyn a 'nhrawodd i gyntaf oedd ei felyster – nid melyster siwgwr ond, yn hytrach, sut dweda' i, melyster diwrnod o haf ers talwm. Roedd o'n fwy o deimlad nag o flas ar y tafod. Yna, wedi i hwnnw gilio fe glywn i unwaith eto sawr y mynydd, y mawn a'r brwyn. A dim ond wedyn y clywais i'r chwerwedd nodweddiadol, y mygu yn y geg a phoethder y wirod.

'Rargien.'

Gwenai'r criw o hyd. 'Wyt ti'n ei hoffi o?' Nodiais. 'Mae o'n dda.'

Ac fe drodd y sgwrs at wisgi'n gyffredinol. Cymharwyd nodweddion y wisgi o'r hen boteli â wisgis eraill. Soniwyd fel yr oedd natur wisgi'n adlewyrchu natur yr ardal lle'i cynhyrchwyd o a'r bobl a'i gwnaeth o. Roeddwn i'n llawn o ddweud bod natur y faril y rhoddwyd y wisgi i'w gadw ynddi'n bwysig, ond doedd hynny ddim fel pe bai o ryw lawer o bwys i'r criw. Yr hyn a gymerai eu bryd oedd cymeriad y person a oedd ynglŷn â'r ddiod.

'D'uda, rŵan,' meddal C'radog Richards, gan droi ata' i, 'Sut fath o flas a chymeriad fuaset ti'n ei roi i wisgi?'

''Dwn 'im,' medda fi. Ac yna, wedi 'sidro ychydig a chan wenu: 'Rhywbeth mwy ffres na chi i gyd, mae'n siŵr.'

'Y cenna' bach,'' meddai C'radog Richards, gan chwerthin. 'Trio d'eud 'mod i angen bath wyt ti, ie?'

'Y chi neu'ch 'sgidie Sir Drefaldwyn,' atebais innau'n ddireidus.

Chwarddodd pawb yn uchel ac yn iach. Roeddwn i'n mwynhau fy hun. Teimlwn yn rhan o'r criw, bod yna le i mi, fy mod i'n bwysig iddyn nhw. Does yna'r un teimlad gwell i'w gael na hwnnw a gewch chi pan fo'r bobl sy'n bwysig i chi'n eich gwerthfawrogi chi. Dyma mae dyn yn ei gyrchu o'i blentyndod, yr union beth hwn. Ac fe wnes i 'ngorau o 'nghyfle'r noson honno.

Yn rhy fuan o lawer fe ddaeth y noson i ben a bu'n rhaid i bawb droi am adre'. Roedd arna' i angen mynd i'r lle chwech cyn mynd, fodd bynnag, ac mae'n rhaid fy mod i wedi mynd i synfyfyrio tra 'mod i yno oherwydd roedd y tap rŵm, erbyn i mi gyrraedd yn ôl, yn wag a Rhianwen yn sefyll wrth y drws yn barod i'w gloi. Estynnais fy nghôt, diolchais i Rianwen am aros amdana' i ac es allan i'r nos.

Yno, fe'm trawyd gan y distawrwydd. Clywn Rhianwen yn cau ac yn cloi'r drws y tu ôl i mi a'r bolltiau'n cael eu taro i'w lle, yna sŵn ei sodlau'n triptrapio ar draws y llawr slabiau llechi am y cefn, ac yna dim. Yr unig beth a wnâi sŵn oedd y nant yr ochr draw i'r ffordd. Sisialai o hyd fel gwnâi, yn ddi-hid, erioed. Roedd popeth arall wedi ei glustogi.

Roedd hi wedi bwrw eira. Roedd noswaith tafarn o blu wedi disgyn ymhobman a gorweddai ei drwch pum modfedd yn ewyn bowdr dros bob wyneb lle gâi lonydd. Doedd dim sŵn na sôn am neb yn unlle. Trois at ddrws y bar. Na, roedd y goleuadau i gyd wedi'u diffodd a Rhianwen wedi mynd. Doedd dim pwrpas ceisio lle am y nos yn fan'no – nid bod unrhyw ddebygrwydd y cawn i gynnig, beth bynnag. Roeddwn i'n synnu, serch hynny, nad oedd neb, yn arbennig felly neb o'r hen griw, wedi aros i gynnig lifft i mi.

Doedd dim amdani and cerdded adre.

Doeddwn i ddim yn poeni. Fûm i erioed yn un i gwyno a doedd yr eira ddim yn ddiflas nac yn neilltuol o anodd cerdded drwyddo. Ond roedd hi'n ganol gaeaf ac roeddwn i'n chwysu, wrth reswm, ac mi es i'n fferllyd oer am bwl. Dechreuais boeni. Ond, yn wir, mae'n rhaid ei fod o'n rhywbeth a wnelo â'r wisgi 'na – yn sydyn reit, fe deimlais i'r gwres mwyaf rhyfeddol yn dod drosta' i …

Ond 'ta waeth am hynny, heno rydw i'n ôl yn yr Eagles. Mae hi'n gynnes braf yma ac mae pawb, fel y dywedais i ar y dechrau, yn edrych yn hynod o dda. Dydi'r criw ifanc efallai ddim mor llawn ohonyn nhw eu hunain ag arfer. Mae'n amlwg fod rhywbeth wedi sigo'u hwyliau nhw. Efallai eu bod nhw'n nabod y bachgen yna y cafodd lori swch eira'r Cyngor hyd i'w gorff o'r diwrnod o'r blaen. Wedi marw o hypothermia, debyg; wedi colli ei wres oherwydd iddo fod yn yfed. Beth bynnag amdanyn nhw, mae'r hen griw yn eu cornel yn dal i sgwrsio a chwerthin fel arfer.

A, wel, wel, mae o'n edrych fel tro William Pughe i brynu'r rownd. Dyma fo'n dod draw at y bar a'i fys crwm yn yr awyr i ddal sylw Rhianwen. A dyna fo'n agor ei waled ac yn modi'r papurau sychion, ac yn edrych arna' i. Pam 'mod i'n teimlo'n anghyfforddus, 'dwch? Ydi o'n awgrymu y dylwn i dalu am ei rownd o?

Dyna ni. Mae o 'di rhoi ei archeb – pedwar wisgi. Mae Rhianwen yn estyn pedwar gwydryn glân ac yn eu gosod nhw ar y bar. Mae hi'n troi at y silffoedd ar wal gefn y bar ac yn estyn am un o'r poteli – un o'r hen boteli. Yr un yr ydw i ynddo fo.

Hen

Erthygl: Paratoi cinio i dri chymeriad hanesyddol neu lenyddol gyda rysáit am saig addas i bob un

---

BEIRNIADAETH HEULWEN GRUFFYDD

Yr oedd geiriad y gystadleuaeth hon yn rhoi tipyn o raff i'r cystadleuydd ond y gamp, yn fy marn i, oedd rhoi pwrpas a swyddogaeth i'r seigiau a oedd i'w paratoi ar gyfer y gwesteion. Ac yma, rhaid gofyn beth yw 'saig'? Yn ôl y geiriaduron, y mae sawl dehongliad. Pa ystyr bynnag a ddewisir, mae'r bwyd yn ganolbwynt pwysig i'r holl beth.

Dim ond dwy ymgais a ddaeth i law – gan *Y Gogyddes gudd* ac *Epic-Iw-Rian*.

Epic-Iw-Rian: Cafwyd cyfrol swmpus yn llawn ffeithiau am dri gwestai o feysydd lled wahanol, sef Dafydd ap Gwilym, Cleopatra a Lewis Morris. Mae ôl gwaith mawr ar yr erthygl hon ond ni ddengys ond ychydig iawn o wreiddioldeb. Gwaetha'r modd, ni fedrodd y cystadleuydd ddefnyddio'r bwyd a'r bwrdd cinio'n effeithiol gan fod y cysylltiad rhwng y gwesteion â'r seigiau yn wan. Cyflwyna'r gwesteion nid trwy gyfrwng y seigiau ond yn hytrach trwy fywgraffiadau y gallasai fod wedi eu canfod yn y llyfrgell neu ar y we ac ni ddangosodd y dychymyg a ddisgwyliwn wrth gyplysu tri pherson â'u bwyd. Roedd y ryseitiau ar gyfer y seigiau'n hynod fanwl ond roedd tueddiad cryf i chwilio am resymau i gysylltu'r pryd efo'r gwestai yn hytrach na bod y bwyd yn creu cysylltiad amlwg. Sylwaf fod llawer o wallau iaith yn y cyflwyniad hwn.

Y Gogyddes gudd: Nid erthygl gyflawn a gafwyd ond fe gefais lond bol o chwerthin! Yr oedd y cystadleuydd wedi dewis defnyddio'r ryseitiau, er yn rhai anghyflawn, fel yr unig gyfrwng i gyflwyno'r gwesteion. Mae swyddogaeth y saig yn berffaith eglur ganddo. Gwahoddodd Enoc Huws, Blodeuwedd a Winni Finni Hadog at y bwrdd i wledda. I Flodeuwedd, cynigiodd gawl y blwmars, i Enoc gig oen llwyn-a-pherth ac i Winni, jeli'r crachod! Roedd y cyfarwyddiadau byrion, ffwrdd-â-hi yn ddigri' ac awgrymog, gan gynnwys cyfeiriadau clyfar a ddibynnai ar wybodaeth o'r Mabinogi a gweithiau Kate Roberts a Daniel Owen i'w gwerthfawrogi. Awgrymodd mai llwy garu fyddai'n addas i droi cawl Blodeuwedd a rhoddodd *croutons* siâp tylluan i nofio ar ei wyneb! Dyma sail i erthygl wych a doniol. Ond dim ond sgerbwd ar ei chyfer a roddodd inni ac efallai mai tynnu coes y beirniad oedd y bwriad! Ond mae dawn gan y tynnwr coes a gresyn na fyddai wedi defnyddio'i dalent i roi llawer mwy o gig ar yr esgyrn. Yn wir, gallasai fod wedi datblygu'r ryseitiau i'r graddau na fyddai angen enwi'r gwesteion, a gadael hynny i ni!

Ofnaf nad oes yr un o'r ddwy ymgais yn cyrraedd safon sy'n deilwng o'r wobr.

Erthygl hyd at 3,000 o eiriau am un o gewri chwaraeon Cymru a fyddai'n addas i'w chyhoeddi mewn cylchgrawn fel *Barn* neu *Taliesin*

BEIRNIADAETH ALUN WYN BEVAN

Fe ddaeth yr anrheg ar Fore Nadolig 1958 gan y ddau grwt drws nesa', Siôn a Guto Eirian, a rhaid cyfadde' bod y gyfrol *Crysau Cochion* a olygwyd gan Howard Lloyd wedi bod yn gyfaill parhaol imi fyth ers hynny. Roedd yna gyfraniadau gwych gan rai o gewri byd y campau; ambell un yn eiddo i Viv Jenkins, Joe Mercer a Bryn Thomas wedi'u cyfieithu o'r Saesneg. Ond roedd eraill wedi'u creu â gofal gan Carwyn James, Gwyn Davies, Dr Thomas Richards, Eic Davies, a Jac Elwyn Watkins. Roeddent yn enghreifftiau campus o ysgrifau bachog a diddorol o fyd y campau. Aeth Howard ati i olygu dwy gyfrol arall, sef *Pencampwyr* (1974) a *Cricedwyr Cymru* (1974), yn ogystal â chyfrannu erthyglau niferus i gylchgronau a phapurau newydd y cyfnod. Ond oni bai am lyfr ardderchog Geraint Jenkins, *Cewri'r Bêl-droed yng Nghymru*, a chyfraniadau wythnosol pobol o galibr Eic Davies yn *Y Cymro* a'r *Ddraig Goch*, prin oedd y cynnyrch am fyd y campau tan yn gymharol ddiweddar. Bellach mae 'na erthyglau rif y gwlith yn dadansoddi a beirniadu – ar lefel leol a rhyngwladol. A da o beth yw hynny.

O ran y gystadleuaeth hon, ro'n i'n rhyw led-obeithio y byddai rhywun wedi bwrw ati i 'sgrifennu am rai o arwyr milltir sgwâr yr Eisteddfod – y cricedwr Allan Watkins o Frynbuga; y peldroediwr Ronnie Burgess a'r chwaraewr snwcer Mark Williams o bentre' Cwm; a Ken Jones, yr athletwr Olympaidd ac un o fawrion byd y bêl hirgron neu reng flaen chwedlonol Pont-y-pŵl? A beth am ysgrif ar Nicole Cooke ar ôl iddi goncro'r bydysawd yn 2008? Gwaetha'r modd, 'chafwyd mo hynny. Ond mae Pwyllgor Llên Eisteddfod Genedlaethol Blaenau Gwent a Blaenau'r Cymoedd 2010 i'w ganmol am greu cystadleuaeth sy wedi tanio dychymyg deg o gefnogwyr pybyr a selog byd y campau a braf yw dweud bod y safon yn dderbyniol. Gymaint felly fel y gellid bod wedi gwobrwyo nifer fawr o'r traethodau a gyflwynwyd. Fe fyddai'n hyfryd gweld rhai'n cael eu cyhoeddi mewn cyfrol yn ogystal â chael eu cynnwys ar dudalennau *Barn* a *Taliesin*.

Ysbrydolwyd y cyfranwyr gan ddoniau lledrithiol unigolion a lwyddodd i greu cyffro ar y lefel uchaf un – rhai wedi serennu mewn campau unigol ac eraill fel rhan o dîm. Mae Shane Williams yn enw cyfarwydd o Ddyffryn Aman i blwy' Dunedin ac eraill fel Jonathan Davies a Colin Jackson sy'n eiconau o'r cyfnod diweddar. Ond fe fentrodd y mwyafrif i ddegawdau cynnar yr ugeinfed ganrif a chanolbwyntio ar arwyr megis Tommy Farr, Jimmy Wilde, Ivor Jones a Jack Anthony. Serch hynny, roedd 'na un eithriad oherwydd cyflwynwyd ysgrif ar Rhian Wyn, merch ifanc sy'n prysur wneud enw iddi hi ei hun ar gyrsiau golff Ewrop.

Cefais bleser mawr o'u darllen i gyd a dod i benderfyniad gwahanol ynglŷn â'r enillydd fesul darlleniad. Roedd gan bob un o'r cyfranwyr rywbeth i'w gynnig: 'y caledi ym mêr ei esgyrn oedd un o'r rhesymau am ei lwyddiant' oedd disgrifiad *Yr Heli* o'r chwaraewr rygbi Jonathan Davies. Hoffais sut yr aeth e 'mlaen i sôn am rinweddau Jonathan yn y blwch sylwebu yn ogystal ag ymdrin â'i fawredd fel chwaraewr.

Roedd *Iolo* yn fwy na pharod i ddatgan barn bersonol am Fabolgampau Olympaidd Llundain yn ei draethawd ardderchog ar Colin Jackson. Ac roedd ei barodrwydd i ddweud ei ddweud yn ddi-flewyn ar dafod yn un o gryfderau'r darn. Bwriodd ati i gofnodi'r hyn y tybiai sydd ei angen os am gyrraedd y brig: 'aberth ac ymroddiad a bod yn barod i ymatal rhag mwynhau pleserau arferol ieuenctid'. Mae hon yn neges glir i'r rheini sy am lwyddo ar y lefel uchaf un. Roedd *Iolo* yn fwy na pharod i gyfeirio at gymeriad yr athletwr yn ogystal â'i broffesiynoldeb: 'Ac er nad oedd yn troedio'n fawreddog o gwmpas y lle a pharablu'n hyderus fel rhai o'r Americanwyr, gallai Colin ymgodymu â phob ras yn gwbl hunanfeddiannol a hyderus … Roedd yn hunan-ddisgyblwr llym a didostur'.

Yn sicr, Shane Williams fyddai pwnc arbenigol *Caleb* ar y rhaglen *Mastermind*! Roedd ganddo ribidirês o ffeithiau difyr a diddorol am yr asgellwr chwimwth ac yntau eto'n fwy na pharod i ddatgan barn: 'gellid dadle bod ei gyfraniad e'n fwy gwerthfawr fyth yn y cyfnod hwn nag yng nghyfnod Gerald a Campese hyd yn oed, yn awyr iach o antur ar adeg pan fo'r gêm yn gyffredinol wedi datblygu i fod mor statig a diddychymyg'. Clywch, clywch! Os modd i'r *Western Mail* gynnig cytundeb i *Caleb*?

Pleser o'r mwya' oedd darllen 'Jimmy Wilde: "Y Dyrnwr Esgyrnog"'. O'r frawddeg gynta' i'r cymal ola', ces fy ngwefreiddio gan hanes dirdynnol y bocsiwr o Fynwent y Crynwyr yn ogystal â chan ddawn dweud *Edmygwr Mawr*. Yn sicr, roedd awdur y traethawd hwn yn ymgeisydd cryf am y brif wobr.

Bocsio aeth â bryd *Llygad Llwchwr* a *Ffordd Farr* a'r ddau'n canolbwyntio ar yr anghymharol Tommy Farr. Mae *Ffordd Farr* i'w ganmol am osod gyrfa'r bocsiwr yn ei chyd-destun cymdeithasol gan fod Farr, fel sawl un arall, wedi brwydro'n ddewr yn erbyn tlodi cyfnod y dirwasgiad: 'Deuai wyneb yn wyneb yn ddyddiol â diweithdra a chaledi "lle'r oedd sglein ar bob ceiniog" o'i haml ddefnyddio'.'Rapscaliwn direol' oedd disgrifiad *Ffordd Farr* o'r bocsiwr ifanc a ddatblygodd maes o law yn arwr gwerin.

Roedd ymdriniaeth *Llygad Llwchwr* o Tommy Farr yn ddifyr ac yn ddiddorol ac yn hawlio sylw'r darllenydd. Hoffais y darnau oedd yn cyfeirio at hanesion Tommy yn yr Unol Daleithiau cyn ymrafael â Joe

Louis, a dyfyniad yr awdur ynglŷn â barn y gohebyddion lleol am obeithion Tommy Farr '… ysgrifennodd un gohebydd yn un o'r papurau dyddiol y byddai gwell siawns gan Shirley Temple!' Eto, roedd y cyfeiriadau at y digwyddiadau yn Sir Gâr adeg y rhyfel yn ychwanegu'n fawr at apêl y traethawd.

Erys pedwar. Penderfynodd *Esgair* gloriannu gyrfa'r cricedwr Alan Jones a bwrw ati'n ddisgrifiadol i ganolbwyntio ar ddigwyddiadau mwya' cofiadwy agorwr Morgannwg. Mae'n amlwg fod yna waith ymchwil manwl wedi'i gwblhau a braf oedd ail-fyw gyrfa un o hoelion wyth criced Morgannwg a Chymru. A bod yn deg, mae *Esgair* yn datgan barn bendant bob hyn a hyn ac mae'r ychwanegiadau yma'n cyfoethogi'r cyfanwaith.

Penderfyniad *Bachan o'r Bynea* oedd dilyn trywydd a hanes cyn-flaenasgellwr Llanelli, Cymru a'r Llewod, Ivor Jones. Mae'n amlwg fod yr awdur yn gyfarwydd iawn â hanes y gŵr diymhongar o Gasllwchwr – mae'n bortread cyflawn ohono; dyma ddyn oedd yn deyrngar i'w gymuned a'i Greawdwr. Roedd ganddo '[g]air o groeso i bawb yng nghyntedd y capel, estyn llyfr emynau i hwn a'r llall, cyn ymlacio yn ei gornel ef o'r sedd fawr'. A dyma i chi ŵr sy'n dal yn destun rhyfeddod ma's yn Seland Newydd ar ôl ei berfformiadau i'r Llewod ym 1930!

Penderfynodd *Newydd gyrra'dd twll rhif un deg a naw* ganolbwyntio ar gampau merched Cymru (er mai sôn yn bennaf am *un* ferch a wnaed) ar gyrsiau Golff Cymru a'r byd. Gwaetha'r modd, y tro hwn fe ddatblygodd y cyfan yn gyfres o sylwadau a nodiadau yn hytrach nag erthygl.

Gan *Ffoslas* derbyniwyd erthygl afaelgar am hynt a helynt y joci Jack Anthony. Roedd awdur y llith yn gyfarwydd iawn â'i gamp, yn gw'bod ei bethe ac wrth ei fodd yn adrodd hanes gŵr a anwybyddwyd, i raddau, yn ei filltir sgwâr. Rhaid cyfadde' fy mod i'n gymharol anwybodus yn y maes ond llwyddodd yr awdur i gadw diddordeb ei ddarllenwr â'i ddefnydd o dermau a'i allu i greu cyffro yn ei ddisgrifiadau o rasys *Grand National* y gorffennol. Cystal oedd dawn dweud *Ffoslas* fel y teimlais ar brydiau mai fi oedd y joci oedd wrthi'n marchogaeth o gwmpas cwrs Aintree! Yn sicr, mae angen cyfrol am Jack Anthony – un o hoelion wyth y campau a'r mwyafrif ohonom heb fod yn gwybod fawr ddim amdano.

Roedd yna nifer yn y ras am y wobr gyntaf ond y clod a'r anrhydedd y tro hwn i *Iolo* a hynny o drwch fest!

BEIRNIADAETH BETHAN MAIR

Daeth saith ymgais raenus gerbron a rhyw ragoriaeth yn perthyn i bob un. Dyma gystadleuaeth lwyddiannus: cefais fy mhlesio, fy niddanu a'm syfrdanu yn fy nhro gan yr ymgeiswyr a'u llafur.

Mae yma dri math o ymgais: y blodeugerddi darluniadol lle gosodwyd lluniau gwreiddiol a dyfyniadau o farddoniaeth – wreiddiol neu gan eraill – at ei gilydd, gan *Fy Mrawd, Glaini,* a *Lewys Glyn Coffi,* a'r cyfrolau hanes lleol darluniedig, sef ymgeision *K. J.* ac *Aurochs Bos – Cwm Brefi.* Mae *Rho Rywbeth Lowr Myn,* gyda'i gyfuniad o luniau gwreiddiol, cerddi gwreiddiol a hanes bro Abertawe, yn pontio'r ddau faes, fel y gwna *Rhos,* a rannodd ei gyfrol yn bedair adran o dan y penawdau Hanes, Atgofion, Llên a Llun.

Cwestiynau sylfaenol o ddiffinio fu'n pryderu ambell gystadleuydd – beth yw cyfrol bwrdd coffi, a beth yw bro? Efallai mai gan berchen y ffugenw gorau yn y gystadleuaeth, *Lewys Glyn Coffi,* y cafwyd y diffiniad mwyaf bachog o fro a'r rhesymeg fwyaf twt ynghylch beth yw cyfrol bwrdd coffi. Hoffwn ddyfynnu ei gyflwyniad ef yn llwyr yma, gan gystal ydyw, ond rhaid bodloni ar godi un frawddeg: '... gwelsom mai bro i ni, yn ogystal â'r ardal leol, yw ffiniau ein diddordeb a'n cysylltiadau'. Cafwyd brawddeg gofiadwy i ddiffinio bro hefyd gan *Aurochs Bos – Cwm Brefi,* yn dyfynnu Griff Parry a fynnai 'pan ddaeth yr ymadrodd "milltir sgwâr" yn boblogaidd, nad sgwariau oedd brôydd ond cylchoedd'.

Digon penagored i roi rhwydd hynt i ddychymyg y cystadleuwyr yw'r testun, felly, a phawb yn rhyw afael yn llac yn yr ystyr ac yn creu rhywbeth ystyrlon.

Cawsom fynd gan amlaf i frôydd penodol a chael portreadau o fro'r Mynydd Bach gan *Rhos,* o ogledd Ceredigion gan *Glaini,* o Lanymddyfri gan *K. J.,* o fro Abertawe gan *Rho Rywbeth Lowr Myn* ac o Landdewi Brefi gan yr *Aurochs Bos – Cwm Brefi.* Roedd bro *Fy Mrawd* yn cynnwys 'tirlun yr iaith' – dysgwr yw ef ac aeth ati, yn glodwiw, i ddysgu cynganeddu er mwyn llunio englynion i gyd-fynd â'i luniau pert o ogledd-ddwyrain Cymru. Yn olaf, fel y soniais eisoes, mae diffiniad *Lewys Glyn Coffi* o'r hyn yw bro wedi caniatáu ychydig mwy o grwydro iddo yntau.

Crybwyllodd un o'r cystadleuwyr y berthynas rhwng y llên a'r llun yn ei gyflwyniad gan awgrymu'n gryf mai'r llên oedd bwysicaf mewn cystadleuaeth yn adran Lenyddiaeth yr Eisteddfod Genedlaethol. Wrth ddatgan mai cerddi ac epigramau gwreiddiol oedd ganddo yntau – gan mai 'cystadleuaeth ffotograffiaeth fyddai yn bennaf heb hynny' – awgrymai nad yw'r gweledol mor bwysig â'r gair. Noda'r rheolau'n ddigon clir mai priodas rhwng gair a llun yw'r gystadleuaeth hon ac felly'r cyfanwaith creadigol mwyaf uchelgeisiol fydd yn mynd â hi – wnaiff cerddi gwefreiddiol a lluniau gwachul ddim curo lluniau syfrdanol a cherddi symol o reidrwydd.

Gan *Rho Rywbeth Lowr Myn* y cafwyd y ffotograffau gwreiddiol gorau – o bell ffordd – yn y gystadleuaeth. Mae ei luniau deallus a chyfoes o Abertawe yn wirioneddol drawiadol ac yn straeon byrion ynddyn nhw'u hunain lawer gwaith. Mae yma sail i gyfrol ddiddorol, o gydweithio ag awdur a golygydd, ac anogaf y cystadleuydd hwn i ddod â'i waith i sylw cyhoeddwr a allai ddatgloi'r potensial sydd ynddo.

Llwyddodd *Rho Rywbeth Lowr Myn* i osgoi delweddau treuliedig a 'hen drawiadau' gweledol (sydd yr un mor ddiflas mewn lluniau ag ydynt mewn cerddi). Dim ond hyn a hyn o weithiau y gall rhywun weld llun o'r machlud neu don ar draeth, coed yr hydref neu adar yn yr eira, heb ochneidio! Dyna wendid *Lewys Glyn Coffi* a *Fy Mrawd*, er bod eu cynnwys llenyddol, yn eu ffyrdd gwahanol, i'w ganmol ac, yn y ddau achos, yn gyfansoddiadau gwreiddiol. Ond nid oedd yma fawr o fflach o wreiddioldeb na chyfoesedd. Dyna hefyd sy'n peri nad yw *Glaini* yn cyrraedd y brig gyda'i flodeugerdd ddarluniadol ef o ogledd Ceredigion. Doedd yma ddim byd o'i le eto, ond dim byd cyffrous ychwaith; rhaid nodi, serch hynny, fod gan *Glaini* un llun rhagorol yng nghanol y gyfrol, llun du a gwyn o dan gerdd i Ffald Gaer-wen. Dyma uchafbwynt ei waith ef. Mae gormod o flas prosiect ysgol ar waith *K. J.* (efallai mai dyma ydyw yn y bôn?) – ac mae'n pwyso'n rhy drwm ar y gweledol heb ddigon o ragoriaeth yn y lluniau i gyfiawnhau hynny.

Gan *Rhos*, cawsom ddeunydd crai cyfrol ddethau iawn, ond ef yn unig a gyflwynodd y ffotograffau ar wahân. Mae'r elfen ysgrifenedig yn gryf ac, fel y disgwylid, yn pwyso'n drwm ar waith beirdd y Mynydd Bychan, ond nid drwg o beth mo hynny. Mae gan *Rhos* rai lluniau diddorol hefyd ond nid yn ddigon da i'w cyhoeddi. Dylai'r ymgeisydd hwn geisio rhoi rhagor o drefn ar y gwaith ac ystyried dod o hyd i ffotograffydd proffesiynol i gydweithio ag ef, un sy'n rhannu gweledigaeth *Rhos* ond sydd ychydig yn fwy sgilgar; byddai hon yn gyfrol werth ei chyhoeddi wedyn.

Bûm yn pendroni'n hir – yn rhy hir, mae arnaf ofn, gan ennyn llach Golygydd y *Cyfansoddiadau* – oherwydd mae hi'n anodd rhoi ffon fesur deg ar weithiau mor wahanol i'w gilydd. Nid oes un cystadleuydd gwan ymysg y saith ond nid oes ychwaith un gyfrol y gallwn ei chodi o'r pentwr a'i chyhoeddi fel y mae.

Ac eto, o'r cychwyn, dim ond un gyfrol oedd yn debygol o ennill mewn gwirionedd, ond dw i'n dal ddim yn sicr a yw honno'n gyfrol bwrdd coffi – dyna fy mhenbleth. Yr hyn a gafwyd gan *Aurochs Bos – Cwm Brefi* yw cyfrol bwrdd y gegin – buasai ambell fwrdd coffi yn llawer rhy wantan i'w chynnal! Mae'r gwaith aruthrol hwn, sydd wedi'i gysodi a'i rwymo'n broffesiynol rhwng cloriau caled, yn codi ben ac ysgwydd uwchlaw'r cystadleuwyr eraill o ran safon, sgôp ac uchelgais. Mae arnaf ofn y byddai'n amhosibl ei chyhoeddi gan mor gostus fyddai i'w chynhyrchu ond mae'r gyfrol fel y mae yn drysor a ddylai gael ei harddangos yn gyhoeddus – yn yr Eisteddfod ac, wedi hynny, yn yr ardal leol ac efallai yn y Llyfrgell Genedlaethol. Heb os, dylai gael ei rhoi yno i'w chadw i'r dyfodol wedi i'r awdur orffen â hi. Gwaith oes yw cyfrol *Aurochs Bos – Cwm Brefi*, molawd i fro sydd ar ddiflannu ac er fy mod eisiau cydnabod gwreiddioldeb ardderchog ffotograffau *Rho Rywbeth Lowr Myn*, urddas tawel casgliad *Rhos*, uchelgais glodwiw *Fy Mrawd* wrth gofleidio'i fro fabwysiedig, a ffugenw gwych a rhagair deallus *Lewys Glyn Coffi*, i *Aurochs Bos – Cwm Brefi* y dyfernir y wobr gydag edmygedd a pharch i'w adnabyddiaeth ddofn iawn o Landdewi Brefi ddoe a heddiw, yn ogystal â'i hiwmor cynnil a'i lygad ddeallus.

Cystadleuaeth i rai sydd wedi byw yn y Wladfa ar hyd eu hoes, ac yn dal i fyw yn yr Ariannin: Fy mhlentyndod hyd at 15 oed

BEIRNIADAETH MARGARET WALLIS TILSLEY

Ymddengys fod y testun eleni wedi apelio at yr ymgeiswyr gan iddynt allu tynnu ar brofiadau personol, a chafwyd gwledd o atgofion difyr ac amrywiol iawn. Mae'n amlwg eu bod wedi mwynhau'r profiad o hel atgofion ac mae amryw ohonynt wedi diolch am y cyfle i wneud hynny. Cefais innau fwynhad mawr o ddarllen gwaith pob un ohonynt a hoffwn eu llongyfarch ar eu camp. Daeth chwe ymgais i law a dyma air amdanynt yn nhrefn eu cofrestru:

Troed yr Orsedd: Mae'r gwaith yn cydio yn y dychymyg o'r dechrau wrth i'r ymgeisydd sôn am ei hatgofion cyntaf: ei mam yn ei deffro'n gynnar i gychwyn ar daith o ffermdy teulu ei mam yng Nghwm Hyfryd i fferm ddefaid ei thad ar y paith yn ardal Rhyd yr Indiaid. A hithau'n bum mlwydd oed, symudodd y teulu i fyw'n barhaol yng Nghwm Hyfryd a chawn ddarlun o fywyd difyr y plant ar y fferm, yn chwarae ac yn eu mwynhau eu hunain ond hefyd yn helpu ac yn ymwneud â holl weithgareddau'r fferm. Sonnir am deithio i'r ysgol, dau blentyn ar gefn un ceffyl yn aml, neu 'ar sgil', a chyfarfod teuluoedd eraill yn y capel, y *Band of Hope* a Gŵyl y Glaniad. Mae'n hel atgofion hyfryd am gysgu allan ar y paith 'mewn awyrgylch mawreddog, dwys, llawn dirgelwch'. Nid am fywyd traddodiadol yn y Wladfa y mae'r holl atgofion plentyndod, fodd bynnag. Cafodd *Troed yr Orsedd* ehangu ei gorwelion: yn ddeg oed mynd tua'r gogledd gyda'i brawd i ysgol yn nhref Bariloche i ddod 'yn gyfarwydd â'r iaith fain', ac yna, a hithau bron yn dair ar ddeg, treulio cyfnod yng Nghymru yn ardal Tregaron. Ceir disgrifiad diddorol o'r daith i Gymru. Ymweld â Buenos Aires am y tro cyntaf, ac yna ar fwrdd llong i Loegr a chael profiadau arbennig yn ymweld â phorthladdoedd ar y ffordd. Stori ddiddorol yw honno amdani'n darllen ar y daith am Gwynfor Evans yn ennill sedd yn senedd Prydain am y tro cyntaf. Caiff brofiadau hynod o ddiddorol yng Nghymru. Yn ogystal â mwynhau ei bywyd yn y cartref lle'r oedd yn aros ac yn yr ysgol, mae'n cael cyfle i wneud pethau gwahanol: mynd i'r Eisteddfod Genedlaethol yn Aberafan; cyfarfod W. J. Jones, mab Nel y Bwcs a oedd yn ffrind i'w nain yn y Dyffryn ym mlynyddoedd cynnar y Wladfa; Kyffin Williams yn ymweld â hi, 'y ferch fach o Batagonia', yn Nhregaron ychydig cyn iddo gychwyn ar ei daith i'r Ariannin ym 1968, ac yntau o ganlyniad yn aros gyda'i nain yn Nhrevelin. Teimla fod cyfnod ei phlentyndod yn dod i ben wrth iddi ddychwelyd i Gwm Hyfryd yn bymtheg oed, ac mae'n cloi wrth fyfyrio ar 'holl brofiadau amrywiol' y cyfnod hwnnw sydd yn dylanwadu cymaint ar berson.

Dyma draethawd graenus wedi ei gynllunio'n dda, yr iaith yn hynod o gywir a'r cynnwys yn ddiddorol dros ben.

Tan y Bryn: Cefais hwyl fawr yn darllen y gwaith hwn, gan mai atgofion 'crwt direidus' a geir yma, a nifer o helyntion diddorol a difyr iawn yn cael eu disgrifio. Dechreua drwy ddisgrifio'r cartref ar fferm Tan y Bryn rhwng Gaiman a Dolavon, a hefyd sefyllfa ddelfrydol y tŷ i'r bachgen ifanc bywiog: bryn serth y tu ôl iddo, y rheilffordd yn agos iawn ac un o gamlesi pwysicaf y Dyffryn gerllaw. Cawn ddisgrifiad personol byw iawn o orlif 1932, 'y brofedigaeth gyntaf' iddo ei chofio. Roedd y teulu yn Nhan y Bryn yn ddiogel gan i'r tad godi'r tŷ ar ochr y bryniau 'allan o afael y llifogydd beunydd', ond roedd pryder am ddiogelwch 'Taid a Nain Bod Rhyffydd' a cheir hanes y daith i'w cyrchu o'u cartref. Mae'r taid yn gyndyn iawn o adael a chawn ddeialog fyw iawn rhyngddo ef a'i ferch cyn iddo o'r diwedd gytuno. Cofnod diddorol a phwysig. Â *Tan y Bryn* yn ei flaen i ddisgrifio bywyd allan yn yr awyr iach a chymdeithas cymdogion ar adegau fel amser dyrnu. Cawn hanes dyddiau ysgol, ym Mryn Crwn ac yna yn ysgol Bethesda lle'r oedd dros gant o blant ar y pryd. Helyntion y bachgen direidus sydd yn dilyn: ei gampau gyda'r *gomera* (rhyw fath o ffon dafl); hanes byw iawn amdano ef a chyfaill iddo yn cael cosb lem am daflu cerrig yn erbyn y sied sinc yn yr ysgol; stori ddifyr amdano'n rholio hen olwynion rwber i lawr y bryn a tharo'r trên islaw, cyn i un ohonynt gael ei thaflu'n ôl a chwalu'r cwt ieir! Sonia am brofiadau eraill a oedd yn ei ddiddori: hela'r petris; cael cyfle i gysylltu â phobl y paith; a chyfarfod rhai a fyddai'n dod heibio'r fferm mewn grwpiau o wagenni ar eu teithiau masnachu. Mae'r atgofion yn lluosog ac yn dod i feddwl *Tan y Bryn* yn aml gan godi hiraeth arno.

Ceir yma draethawd cynhwysfawr a diddorol dros ben, a'r atgofion yn gofnod pwysig. Gellid bod wedi crynhoi ychydig ar y gwaith, ac mae rhai gwallau iaith a sillafu, ond mae'r arddull yn fywiog a cheir blas o iaith lafar gyfoethog y Wladfa.

Llais Natur: Atgofion bachgen a geir yma eto, rhai difyr a diddorol iawn ac wedi eu cyflwyno mewn arddull sgwrsiol naturiol; fe fyddai'n braf iawn clywed *Llais Natur* yn eu hadrodd ar lafar. Dechreua drwy sôn yn hwyliog am ei ddyfodiad i'r byd i ganol teulu mawr gyda naw o blant ynddo'n barod, ac yna cawn ddarlun o'r bywyd ar y fferm. Ceir disgrifiad ardderchog o'r fam a phortread manwl iawn o'r tad: 'godrwr gwartheg campus a thorrwr coed tân heb ei fath', a'r bachgen ifanc yn rhyfeddu at ddawn ragorol ei dad i ddefnyddio'r *lazo* wrth weithio'r gwarthed a'r lloi, yn union fel *gaucho* heblaw bod ei wisg 'fel pe tase newydd ddisgyn o fwrdd y *Vesta*'. Diddorol iawn yw'r disgrifiad o'r hen fwrdd bwyta a oedd yn ddigon mawr i'r teulu cyfan eistedd o'i amgylch ac adroddir sut y bu i'r tad, wedi i rai o'r teulu adael y nyth, dorri'r bwrdd mawr yn ddwy ran, 'y lleiaf yn ddigon i chwech a'r mwyaf yn ddigon i ddeg o bobl ar ei gyfar yn gyfforddus'! Gwelir dawn storïol *Llais Natur* wrth iddo sôn am y paratoadau yr oedd yn rhaid eu gwneud cyn pob taith, a'r teulu'n byw mor bell o bobman, a chawn flasu enghraifft o'i hiwmor yn ei ddisgrifiad o athrawon yr ysgol, a ddeuai bob amser o ogledd y wlad. Byddent yn diflannu o'r ardal ar ddechrau'r gaeaf a dychwelyd i'w swyddi yn y gwanwyn, yn union fel y byddai'r cornchwiglod yn mudo, a thuag adeg Gŵyl y Glaniad byddai'r 'ddau fath yn dyfod yn ôl: yr adar a'r athrawon'. Wrth fynd i Gaiman i orffen ei addysg, caiff brofiadau newydd, ac fe gofia sut y bu'n rhaid iddo, yn groes i'w arfer, wisgo trowsus byr a brynwyd iddo gan wraig y llety, a theimlo'n 'debycach i gyw iâr a ollyngodd ei blu cynnar o'i goesau main, noeth'! Dychwelyd i'w gartref wedyn fu raid a chroesi ffin ei blentyndod.

Ceir yma hanes cynhwysfawr am blentyndod hapus a diddorol. Mae'r gystrawen weithiau'n ddiffygiol a cheir rhai gwallau iaith, ond mae gan yr ymgeisydd hwn y ddawn ar brydiau i lunio rhai disgrifiadau ardderchog mewn Cymraeg rhywiog. Efallai y gellid crynhoi ychydig ar y cynnwys, ond cefais fwynhad mawr o'i ddarllen.

Sipsi: Mae ei ffugenw'n rhoi awgrym o'r math o blentyndod a gafodd *Sipsi* gan iddi newid ardal bedair gwaith cyn bod yn bymtheg oed: cael ei geni ar fferm yn Ardal Bryn Crwn a symud i Ddolavon, i Drelew ac i Dir Halen cyn mynd i fyw yn un ar ddeg oed i ddinas Comodoro Rivadavia. Cawn ddarlun o'r bywyd difyr ar y fferm lle y'i ganwyd a cheir disgrifiadau hyfryd o redeg i ddal glöyn byw neu chwilio am nythod adar. Symudodd y teulu i Ddolavon pan ddaeth yn amser iddi hi a'i brawd fynd i'r ysgol, a'r tad yn cael cyfle i gael gwaith ysgafnach yn gweithio mewn siop. Bywyd gwahanol a ddisgrifir yma a chawn ei hanes yn gwneud ffrindiau newydd a chymdeithasu gyda chymdogion, a hefyd yn cael ymarfer yr iaith Sbaeneg yn yr ysgol. Symud wedyn i Drelew i chwilio am ddyfodol gwell a phrofi bywyd mewn tref fwy. Cawn ddarlun byw o'r prysurdeb yno: pobl yn dod i wneud eu neges, troliau o'r ffermydd yn gwerthu cig, llaeth neu lysiau, trol yn casglu sothach o'r strydoedd, gwerthwyr papurau newydd yn gweiddi'n groch ben bore. A hithau'n naw oed, bu chwyldro gwleidyddol yn y Brifddinas ac argyfwng economaidd, a bu'n rhaid i'w rhieni dderbyn cynnig i weithio ar *estancia*, yn gofalu am y tŷ yno. Chwalwyd y teulu er mwyn i'r ddau blentyn hynaf gael parhau â'u haddysg ac aeth *Sipsi* i fyw at ei modryb yn Nhir Halen. Yno cafodd brofiad o fyw ar fferm unwaith eto, mynd i'r ysgol wledig ar gefn ceffyl gyda chriw o blant eraill ac ymuno yn y cyrddau Cymraeg yn y capel a'r *Band of Hope*. Daeth newid eto, ac ymunodd â'r teulu cyfan pan symudodd y rhieni i Comodoro Rivadavia, 'dinas yr oel', lle'r oedd cyfle i lawer gael gwaith. Fel y dywed, dinas 'cosmopolitan' yw honno, a'r boblogaeth yn gymysg iawn, yn siarad pob math o ieithoedd, a chofia glywed sŵn hiraethus acordion ar fore Sul. Daw atgofion *Sipsi* i ben wrth iddi, yn bymtheg oed, fynd ymhell eto o'i chartref i barhau â'i haddysg uwch.

Cafwyd disgrifiad da o fywyd amrywiol a diddorol yma, ac er bod rhai gwallau sillafu roedd yr iaith yn gywir iawn ar y cyfan a'r gystrawen yn dda. Roedd y paragraffau yn aml yn fyr iawn, dim ond un frawddeg ambell waith, ac roedd hynny'n tueddu i wneud y gwaith ychydig yn bytiog.

Plentyn o'r Cwm: Cefais flas mawr ar ddarllen atgofion *Plentyn o'r Cwm* sydd yn dechrau'n hamddenol gyda hanes ei geni, yr wythfed o deulu mawr a phedwar plentyn arall i ddilyn. Cofia am achlysuron pwysig a ddaeth i ran y teulu yn ei bywyd cynnar, rhai hapus a rhai trist: geni brawd bach newydd; ffarwelio â'i mam pan fu rhaid i honno fynd i ffwrdd am rai misoedd er mwyn geni chwaer fach mewn ysbyty mawr yn Buenos Aires; marwolaeth y chwaer hynaf o'r ddarfodedigaeth yn saith ar hugain oed. Ceir hanes y canu yn y cartref a'r paratoi ar gyfer cyngherddau Nadolig, Gŵyl Ddewi neu Ŵyl y Glaniad, a chawn ddarlun hyfryd o'r teulu gartref fin nos, y rhai lleiaf yn y gegin fawr gyda'r tad a'r fam yng ngolau'r lamp, ac yn gwrando'n eiddigeddus braidd ar y rhai hynaf yn y gegin gefn, yn canu ac yn dawnsio pethau ffasiynol y dydd. Byddai'r plant yn chwarae allan yn ystod y dydd a cheir disgrifiad tlws o guddio 'rhwng y mintys gwyllt oedd yn tyfu yn uchel hyd dorlan y nant'. Cawn gipolwg o fywyd a gweithgareddau ar y fferm hefyd a cheir darlun hyfryd o'r iâr fach ddŵr yn dod ar ei hynt wrth i'r fam drin y llaeth a'r menyn mewn pantri a godwyd dros y nant. Darlunnir bywyd y capel a'r Ysgol Sul a hefyd yr hwyl a gaed adeg y Nadolig neu ar bicnic gyda theuluoedd eraill yng nghanol yr haf. Hoffais yn arbennig y darlun o drigolion y Cwm yn ymweld â chartrefi ei gilydd am noson neu ddwy, y fam a'r plant fel arfer yn mynd at chwaer neu gyfeilles a oedd yn byw bellter i ffwrdd. Y plant yn cael cyfle i chwarae a chael hwyl, a'r mamau'n cyfnewid newyddion, patrymau gwau neu'r ffyrdd gorau o 'drin pob math o anhwylderau ar eu plant'. Sonnir am ddyddiau ysgol, ysgol fach i ddechrau ac yna, yn ddeuddeg oed, gorfod mynd i fyw i'r dre i orffen ei haddysg fel y gwnaethai'r plant eraill yn eu tro. Yna, yn ddiddorol iawn, cawn atgofion *Plentyn o'r Cwm* o'r hyn a glywsai am yr Ail Ryfel Byd: cael yr hanes o'r *Drafod* a'r *Reader's Digest* neu gan ambell gymydog a oedd yn berchen radio, a meddwl am yr effaith ar Gymru fach. Mae'n cloi'n gelfydd wrth gyfeirio'n ôl at yr hen gartref: mae'r nant yn dal i fyrlymu o dan y pantri ac 'mae'n siŵr fod iâr fach ddŵr yno rhywle'.

Ceir yma atgofion hyfryd am blentyndod traddodiadol yn yr Andes, plentyndod gwahanol i fywyd plant heddiw: 'Dim gwell na gwaeth, gwahanol'. Mae'r paragraffau ychydig yn rhy hir weithiau ac ambell dro mae'r brawddegu a'r atalnodi yn wan, ond mae'r iaith yn hynod o raenus a naturiol a cheir nifer o ddisgrifiadau a darluniau hyfryd iawn.

Blanj: Ganwyd *Blanj* ar fferm yn ardal Bryn Crwn, yr ail blentyn mewn teulu a fyddai'n cynnwys chwech o blant. Ddwy flynedd yn ddiweddarach, symudodd y teulu i Rawson, pan gafodd y tad swydd ceidwad yn y carchar, ac fe gawn ddisgrifiad diddorol o fywyd gwahanol y dref. Sonia am y radio 'electric' newydd a'r teulu'n clywed am farwolaeth Carlos Gardel, y canwr Tango enwog, mewn damwain car, a'r rhyfeddod o weld ei mam yn smwddio gyda haearn trydan. A *Blanj* yn chwech oed, dychwelodd y teulu i ardal Bryn Crwn oherwydd afiechyd ei nain, a chafodd yr awdur fynd i'r ysgol yno gyda'i brawd. Cawn ddisgrifiad o'r dathlu ar 25 Mai, y plant yn cael chwaraeon a mynd i sinema Armoní i weld ffilm, a *Blanj* a'i theulu yn gorffen y diwrnod yn cael te ym Mhlas y Coed, yr unig dŷ te yr adeg honno. Hanes diddorol yw hwnnw am y teulu cyfan yn cael difftheria ym 1941, a'r ddwy chwaer ifanc yn poeni eu bod yn methu cystadlu yn Eisteddfod y Plant ar ôl dysgu'r gwaith. Cofir am achlysur trist marwolaeth sydyn brawd bach yn fis oed, a hefyd am adegau hapusach yn y capel, yr Ysgol Sul, y Cwrdd Chwarter a'r *Band of Hope*, gan gynnwys trip y capel i Draeth Union neu Borth Madryn. Wrth iddi gyrraedd yr arddegau, roedd pethau'n dechrau newid, a hithau'n mwynhau aros gartref gyda ffrindiau i yfed 'mati', bwyta teisen a chwarae cardiau. Cofia'r hwyl wrth gasglu tuag at yr Ysbyty Prydeinig, mynd i'r sinema i weld ffilm *Titanic* ac i'r syrcas yn Nolavon ac wrth fynd i ddawnsio yn y ffermydd yn ystod yr haf. Ceir yma rai gwallau iaith a chystrawen, ac mae'r paragraffu a'r atalnodi braidd yn ddiffygiol, ond fe gafwyd llawer o hanesion difyr, diddorol a gwahanol.

Dyfarnaf y wobr gyntaf o £80 am waith graenus a diddorol i *Troed yr Orsedd*. Yn ail agos iawn, am ei dawn lenyddol, y mae *Plentyn y Cwm* sydd yn cael £60, ac yn gydradd drydydd am eu hatgofion hynod o ddifyr y mae *Tan y Bryn* a *Llais Natur* sydd yn cael £30 yr un.

Atgofion Plentyn yn y Wladfa

PLENTYNDOD HYD YN BYMTHEG OED: ATGOFION

Ces i fy ngeni yng nghanol yr ugeinfed ganrif, ac yng nghanol gaeaf oer wrth droed yr Andes, ar y pymthegfed dydd o fis Mehefin. Beth yw'r atgof cyntaf? Nid wyf yn sicr, ond ceisiaf droelli'n ôl drwy dwnnel amser i gyrraedd at y dyddiau cynnar hynny.

Cofiaf, er enghraifft, gael fy neffro gan mam yn gynnar yn y bore, tra'n cysgu yn y gwely bach – gwely bach â reilings gwyn yn codi ar bob ochr. Rhaid fy mod i'n fach ar y pryd os oeddwn yn ffitio yn hwnnw! Gwên hyfryd Mam yn deud bod rhaid codi i gychwyn ar y daith i Primavera. Ie, Primavera, y fferm ddefaid ar y paith, lle'r oedd Dad yn cadw defaid gwlanog y merino yr adeg honno. (Nid oes llewyrch ar y diwydiant gwlân heddiw, ond mi roedd bryd hynny.) Roedd taith o tua wyth awr o'n blaen mewn tryc bach Jeep, a oedd wedi goroesi'r Ail Ryfel Byd. Buom yn mynd a dod rhwng Troed yr Orsedd, fferm teulu mam yng Nghwm Hyfryd a'r Primavera yn ardal Rhyd yr Indiaid ar y paith tan oeddwn i'n bump oed, ac felly rhwng y ddau le yma y daw'r atgofion cynnar. Pum mlwydd oed oeddwn i pan oedd fy mrawd yn saith oed, ac yn hen bryd iddo ddechrau mynd i'r ysgol yn rheolaidd; er mwyn hynny roedd rhaid dod i fyw i'r Cwm. Roedd chwaer a brawd iau hefyd, yn dair a dwyflwydd oed.

Felly, dyna ni'n symud a dod i aros yn derfynol i hen ffermdy Troed yr Orsedd. Ar ôl Taid a Nain, cafodd y fferm ei rhannu rhwng y brodyr a'r chwiorydd, a mam gafodd yr hen dŷ fferm, yr un a adeiladodd Taid yn union erbyn ei genedigaeth hi, yn ôl yn 1915. Tŷ hir, cegin, pantri, cegin orau a thair stafell wely, a stafell arall, y rwm wag, lle cedwid pob math o drugareddau – bocsys o afalau, er enghraifft, afalau a gâi eu casglu ddiwedd haf, ac a fyddai'n para i'n bwydo, rhai ohonynt drwy'r gaeaf a than y gwanwyn nesaf. Roedd y tŷ wrth droed yr Orsedd sef Gorsedd y Cwmwl, y mynydd sydd yn gefn urddasol i Gwm Hyfryd ac ar y ffin gyda Chile. Yn union y tu cefn iddo, gwelwyd cwmwl enfawr y llosgfynydd Chaiten yn ffrwydro yn ôl yn 2008. Tŷ mawr braf oedd Troed yr Orsedd a chae enfawr gwyrdd o'i amgylch, gyda choed helyg, maiten, a'r poplys o'i amgylch, a nant yn llifo'n hamddenol yn y cefn, Nant Irfon. Digon o le i redeg a chwarae. Chwarae er enghraifft efo'r drol fach, fi'n eistedd a 'mrawd yn tynnu, fel yn y llun sy yn y drôr gartre. Roedd digon o anifeiliaid o gwmpas hefyd: ieir, tyrcwn, cŵn a chathod, gwartheg a cheffylau. Ceffylau i'w marchogaeth a cheffyl i dynnu'r cerbyd. Dw i'n cofio mynd yn y cerbyd i'r dre un waith beth bynnag, er bod car modur gan y teulu erbyn hynny. A'r gwartheg godro, wrth gwrs, llaeth a menyn a chaws ar fwrdd y teulu, a phwdin reis. Roedd gardd ffrwythau wrth gefn y tŷ, eirin ac afalau'n bennaf, a gardd lysiau hefyd. Byddem ni'r plant yn ymwneud â holl weithgareddau'r ffarm: y godro yn y bore a chau'r lloi fin nos, fel bod llaeth gan y fuwch erbyn y bore; hel wyau o'r nythod, cario dŵr o'r nant, cario a thorri coed tân, hel ffrwythau a helpu yn y gegin.

Ar gefn ceffyl y byddem ni'r plant yn symud yn aml, a chael llawer o hwyl, ac ambell ras pan na fyddai oedolion o gwmpas. Roedd dal y ceffyl yn job ynddi'i hun. Roedd ein ceffylau ni'r plant yn gastiog ac yn aml iawn yn diengyd wrth ein gweld yn agosáu gyda'r rhaff yn ein dwylo, neu fe godai'r creadur ei ben fel ein bod ni'n methu cyrraedd ei glustiau er mwyn gosod y penffrwyn yn ei le. Ond, ar y cyfan, ceffylau dof, cyfeillgar a hawdd eu trin oedd gynnon ni: Caiman, Lobuno, Petiso, Morocha – dyna enwau rhai. Aem ar eu cefnau i'r ysgol bob dydd, dau ohonom ar yr un ceffyl yn aml, 'ar sgil', fel y d'wedem. Roedd hanner awr a mwy o daith i gyrraedd yr ysgol. Dechreuai'r gorchwyl o baratoi ganol bore drwy fynd i'r cae i ddal y ceffyl, yna gerio a chael cinio cynnar cyn cychwyn am yr ysgol.

Ar y Sul, troi am y capel oedd y drefn, ond yn y car ac yn gwisgo dillad gore, wrth gwrs. Byddai teuluoedd y Cwm yn ymgynnull i wrando ar bregeth a chanu emynau o'r Caniedydd Cynulleidfaol, a ninnau'r plant yn d'eud adnod. Roedd chwarae o gwmpas y capel yn hwyl, gyda digon o le i redeg, a'r garreg fawr yn ein denu i ddringo arni ac yn dipyn o gamp i neidio oddi arni. Byddai Mr Peregrine, y gweinidog, gyda'i gorff tal a'i wên hawddgar yn dod yn hamddenol o'r tŷ capel ac yn mwynhau edrych arnom ni'n chwarae ac yn dotio ein clywed yn siarad yn Gymraeg. Byddem yn awyddus iawn i fynd allan pan oedd y bregeth yn faith a'r heulwen yn siriol y tu allan!

Adeg y Nadolig, byddai'r *Band of Hope* yn ein paratoi i ganu ac adrodd. Anti Ann, modryb i ni, oedd yn ein paratoi. Byddai'n chwarae'r organ ac yn ein dysgu i ganu ac i adrodd a hefyd i actio drama'r Geni. Byddwn yn dysgu cerddi ar gof i'w hadrodd erbyn Gŵyl y Glaniad a chyngherddau eraill. Cofiaf mai 'Y Border Bach' o waith Crwys oedd y gyntaf i mi ei hadrodd yn eisteddfod Trelew, pan ailddechreuodd yr eisteddfodau yno ar ôl y canmlwyddiant. Hefyd y gerdd 'Cofio' gan Waldo a sawl un arall fel 'Ora Pro Nobis', un o ffefrynnau Dad gan iddo fo ei hadrodd pan oedd yn blentyn.

Roeddem yn treulio amser ar y paith yr adeg honno, gwlad sych gyda'r haul a'r gwynt yn gwmpeini cyson, gwlad eang, agored, gyda'r estrys a'r gwanaco i'w gweld yn rhedeg yn rhydd. Byddem yn chwarae dan y *tamariscos* (coed isel ag arlliw o binc arnynt) sy'n tyfu o amgylch y tai. Byddem yn blasu cig y *piche* (yr armadilo bach), ac wy anferth yr estrys, y *ñadú*. Mae pob wy fel dwsin o wyau ieir, ardderchog i wneud cwstard neu omlet mawr. Roedd amryw o fathau o flodau melyn yn olygfa gyfarwydd ar y llawr caregog rhwng y drain, y *coirón* a'r *neneo*, y *molle* a'r *cilinbai* (celyn bach yn wreiddiol). Roedd arogl arbennig y planhigion hyn yn llenwi ein ffroenau a'r haul a'r gwynt yn anwesu ein hwynebau.

Cofiaf hefyd un diwrnod i ni gerdded at y bedd bach rhwng y drain, bedd y plentyn a fu farw ac a gladdwyd yno, gyda'r ddwy gannwyll a osodwyd gan fam alarus, i warchod yr enaid ar y ffordd i'r nefoedd, medden nhw. Faint o gwestiynau a ddaeth i'm meddwl ifanc y diwrnod hwnnw! Pwy ... Sut ... Pam ...? Marw'n ifanc ar unigeddau'r paith!

Argraff arall o fywyd ar y camp na ellir ei osgoi wrth hel atgofion yw'r olygfa ysblennydd a welir wrth edrych fry tua'r nen yn oriau'r nos, gyda'r sêr di-ri yn goleuo'r ffurfafen eang ac yn llenwi'r nenfwd. Byddem yn teithio yng nghefn y tryc a mwynhau'r olygfa hon am oriau maith ac, ambell dro, cysgem allan dros nos yng nghysgod twmpath neu dan helygen wrth ochr yr afon, ar groen dafad a *poncho*, a'r tân yn araf ddiffodd tra oeddem ni'n ymgolli wrth syllu ar y sêr uwchben. Os am enghraifft o unigrwydd a thangnefedd, dyma fo. Tawelwch mewn awyrgylch mawreddog, dwys, llawn dirgelwch. Byddai'r cantwr, yr aderyn ar frig y llwyn, yn ein deffro gyda'i ganu yn y bore tra aem ati i hel brigau i 'neud y tân a chynhesu'r dŵr ar gyfer y *mate*.

Pan oeddwn yn ddeg oed, cofiaf wneud taith arall yn y lorri efo mam, dad a 'mrawd, a gwersylla am ddeuddydd ar y ffordd. Arhosodd y ddau ienga adre am y tro. Tua'r gogledd yr aethom y tro hwn, ar hyd cadwyn fynyddig yr Andes, tua thre Bariloche, dri chan cilomedr i ffwrdd. Teithiem drwy ardaloedd newydd, yn doreithiog o harddwch yng nghanol y mynyddoedd a'r llynnoedd, y coedwigoedd a'r afonydd. Aem i ymweld ag ysgol breswyl ddwyieithog, ysgol dan arweiniad teulu Cohen. Yno y bûm gyda 'mrawd yn treulio'r ddwy flynedd ddilynol yn dod yn gyfarwydd â'r iaith fain. Gwersi Sbaeneg a gaem yn y bore, Saesneg yn y pnawn, a gwaith cartre' fin nos. Byddem yn ymarfer sglefrio ar eira, neu sgïo, ar ddydd Sadwrn a cherdded i'r capel yn y dre ar ddydd Sul. Caem ddarlleniad o lyfrau storïau yn Saesneg, ac o'r Beibl, gyda gweddi ar ôl mynd i'r gwely yn y nos. Miss Pauline a Miss Rolls, oedd y ddwy a ofalai amdanom ni'r merched. Byddai sôn am ein teithiau adre i dreulio gwyliau'r gaeaf, gydag anawsterau oherwydd y tywydd garw ar hyd y ffyrdd mynyddig, yn bennod ar wahân. Gwnaethom gyfeillion yn y cyfnod hwn, plant i deuluoedd oedd yn byw ar *estancias* ar y paith, o Santa Cruz a hyd yn oed Tierra del Fuego. Dysgasom yr iaith Saesneg a fyddai'n agor drysau i ni yn y dyfodol. Mae arogl y rhosyn gwyllt yn dod â'r cyfnod yma yn glir iawn i'm cof, gan y byddem yn mynd yn aml i gerdded ar hyd llwybrau'r ardal, ac i lawr at lyn mawr Nahuel Huapi, a byddai sawr y *mosqueta* yn llenwi ein ffroenau.

Roeddwn i'n ddeuddeg oed yn gorffen f'addysg gynradd yn ysgol Woodville, ac erbyn hynny roedd Dad wedi trefnu ein bod ni'n mynd am gyfnod i'r Hen Wlad, i Ysgol Uwchradd Tregaron, gan aros ar ffermydd Llandre a Garthenor gyda'r Lloyds, teulu â'i wreiddiau yn ardal Llanio. Ei gyfaill, y bardd a'r awdur, R. Bryn Williams, a oedd yn byw yn Llanbadarn ger Aberystwyth, a awgrymodd y posibilrwydd yma a'n rhoi mewn cysylltiad â'r prifathro, y Br Glyn Evans.

Fy ymweliad cyntaf â Buenos Aires, y brifddinas, oedd pennod gynta'r daith. Clywem lawer am y rhyfeddodau a welid yno, ac ar ôl bron i dridiau ar fws, gwelais y lle â'm llygaid fy hun. Y trên tanddaearol, y grisiau mecanyddol, y siopau enfawr, y *cabildo* hanesyddol a'r adeiladau aruchel yn ymestyn tua'r cymylau. Buom yno am ddeuddydd mewn gwesty ar Avenida de Mayo cyn mentro ar fwrdd y *Louise Lumière*.

Llong Ffrengig oedd y *Louise Lumière*, ein cartre am dair wythnos wrth groesi môr yr Iwerydd, ac yna cyrraedd Southampton ym mis Gorffennaf 1966. I mi, a oedd wedi byw yn y de wrth draed y mynyddoedd gyda thymheredd gweddol isel, roedd tywydd gwresog y cyhydedd yn fy llethu, a'r bwyd Ffrengig yn hollol ddiarth i mi. Roeddwn yn rhannu stafell neu gabin efo tair o ferched eraill.

Profiad arbennig oedd treulio diwrnod cyfan ymhob porthladd. Buom yn crwydro Montevideo am ddiwrnod, un arall yn Santos ac un arall yn Rio de Janeiro cyn croesi'r môr mawr tua'r hen gyfandir. Ym Montevideo, aethom ar fws i grwydro o amgylch y dre a gweld cofgolofn gydag angor y *Graff Spee*, y llong Almaenig a suddwyd yn y Rio de la Plata adeg yr Ail Ryfel Byd. Yn Brasil, synnwn wrth weld y lorïau'n llawn i'r ymylon o fananas, tunelli ohonyn nhw – dim ond dwy neu dair banana ar y tro a welswn i cyn hynny! A gwelais bobol groenddu yn wreiddiol o'r Affrig a rhai o dras Siapaneaidd am y tro cyntaf erioed, a syndod i mi hefyd oedd gweld merched ifanc yn cerdded yn droednoeth ar y stryd. Roedd oglau coffi'n gry ar y strydoedd yn y dre ac yn y porthladd, a'r teithwyr yn wyllt yn prynu hynny a fedrent ohono i'w gario adre yn anrheg i'w ffrindiau.

Byddem yn cael, gyda'r fwydlen, dudalen yn ddyddiol yn rhoi crynhoad o brif newyddion y dydd. Un dydd yng nghanol y daith, darllenais fod y Cenedlaetholwyr Cymreig (y *Welsh Nationalists*!) wedi ennill lle yn senedd Prydain am y tro cyntaf yn hanes y wlad. Gwynfor Evans, aelod Plaid Cymru dros Gaerfyrddin, oedd hwnnw, wrth gwrs. Achlysur hanesyddol i Gymru, a ninnau'n darllen amdano gyda'n cinio ar y *Louise Lumière*! Ar ôl cyrraedd y wlad, clywsom lawer mwy am Gwynfor a'i orchest.

Wedi croesi'r Iwerydd, y porthladd cyntaf i ni ei gyrraedd oedd un ar ynysoedd y Canarias, sef Las Palmas. Roedd criw ohonom wedi mynd i grwydro'r dre a'r siope ac wedi colli pob ymwybyddiaeth o'r amser. Yn sydyn, clywsom long yn canu corn yn uchel iawn – ein llong ni oedd yn ein galw ni yn ôl! Portiwgal wedyn, gyda phorthladd hardd ei phrifddinas, Lisbon. Dyma ben y daith i dri o fechgyn a oedd wedi dod yn ffrindiau i 'mrawd ar fwrdd y llong, hogia a oedd yn dod gartre ar ôl treulio cyfnod yn yr Ariannin yn gweithio a hel arian i ddod nôl i'w gwlad. Roedd y teuluoedd yno yn eu cyfarfod yn y porthladd.

Vigo yn Sbaen wedyn. Does dim byd arbennig yn dod i'r cof er i ni grwydro'r strydoedd ac yna daethom i ddiwedd y fordaith wrth gyrraedd Ffrainc ar ôl tipyn o storm ym Mae Biscay. Gadael a ffarwelio â'r *Louise Lumière* yn Le Havre, y llong yn cyrraedd adre wedi un diwrnod ar hugain ar y môr mawr. Aros yn y porthladd ddaru ni i ddisgwyl am y fferi i groesi'r sianel i Loegr, ac yno y clywsom yr iaith Saesneg yn cael ei siarad am y tro cynta. Taith dros nos wedyn a finnau wedi blino'n lân. Aethom am bryd o fwyd ar y llong a gweld bwyd hunanarlwyol am y tro cynta, pob un yn ei helpu ei hun ac yna mynd heibio'r til a thalu – rhyfedd iawn! Eistedd wrth fwrdd a chael y bwyd yno oedd yr unig ffordd y gwyddwn i amdani.

Wrth ddod o'r llong yn Southampton, gwelais dir Prydain Fawr am y tro cynta. Dyma'r tir o ble hwyliodd rhai o'm hynafiaid ar y *Mimosa* gant ac un o flynyddoedd ynghynt. Daethom oddi ar fwrdd y llong fferi, ac aethom i chwilio am deleffon i gysylltu efo Glyn Evans, Tregaron. Cawsom ein cyfarwyddo ganddo i gymryd trên i Gaerfyrddin, ond siarsiodd ni i gofio gofyn am 'Camarthen', neu fyddai dim llawer o obaith i ni gael tocyn! 'Wyddai'r gwerthwr tocynnau yn Southampton ddim am le o'r enw Caerfyrddin! Rhyfedd iawn, meddyliais! Byddai ein prifathro newydd yn disgwyl amdanom yno, ac yn ein tywys ni yn ei gar i Llanio, ger Tregaron.

Roeddwn i'n dair ar ddeg oed, wedi cael fy mhen-blwydd ar fwrdd y llong. Nansi a Neli Lloyd oedd y ddwy fodryb newydd oedd yn disgwyl amdanaf, a Dan a Diana Lloyd, Garthenor, oedd rhieni newydd fy mrawd, ac Eleanor, eu merch ddeunaw oed, oedd ei chwaer newydd.

Y teledu oedd un o'r pethau newydd a dynnodd fy sylw. Dwy sianel oedd yr adeg honno, TWW a'r BBC, a chofiaf y rhaglenni'n dda: 'Y Dydd', 'Heddiw', 'Hob y Deri Dando' ac eraill. Cefais y profiad o ganu yng nghôr yr Ysgol a chystadlu yn y gwahanol eisteddfodau efo Mrs Ethel Jones yn arwain. Cofiaf i ni ennill yn y parti cerdd dant pan oedd yr Ŵyl Gerdd Dant Genedlaethol yn Nhregaron; y gân oedd 'Twll Bach y Clo'. Rhoddodd Ethel Jones y darian fach a gawsom yn wobr i mi ac rydw i'n ei thrysori o hyd. Aem yn aml i Lanbed i fferm Dolaugwyrddion sy ar gyrion y dre, gan mai yno yr oedd chwaer Nansi a Neli yn byw – teulu Williams y Dole, ac roedd ganddynt ddau o blant ein hoed ni, Gwyneth a David. Rydym mewn cysylltiad hyd heddiw.

Eisteddfod Genedlaethol Cymru yn Aberafan (neu Port Talbot) oedd un o'r achlysuron cyntaf i ni ei fynychu wedi cyrraedd yr Hen Wlad. Profiad newydd oedd bod ar y maes eang, gyda phobl ymhobman, gweld y pafiliwn enfawr a Gwyndaf yr Archdderwydd. Cawsom ein cyflwyno iddo ac ysgwyddais law ag ef ar y maes. Trefnydd yr Eisteddfod yn y gogledd oedd John Roberts – fo oedd yn ein tywys o amgylch y maes. Yr oedd yntau wedi bod yn aros yn ein cartre ni ar ei ymweliad gyda'r Pererinion, sef y fintai o Gymru, yn ystod canmlwyddiant y Wladfa ym 1965. Ymweliad a dathliad bythgofiadwy.

Ar ôl y diwrnod cynta ar y maes, trodd Charli yn ôl am dawelwch fferm Garthenor, gormod o bobl a phrysurdeb iddo ddygymod ag ef. Roedd yr holl achlysur yn agoriad llygaid i ni.

Llanfyllin oedd lle ffarweliais i â 'nhad, pan drodd o nôl adre a'n gadael ni yng Nghymru. W. J. Jones a Marged oedd yn byw yno mewn tŷ mawr hardd ar lethr wrth ochr y dre. Roedd Wncwl Bill yn athro Cymraeg yn yr ysgol uwchradd ac roedd yn fab i Nel y Bwcs, ffrind i Nain pan oedd y ddwy'n fach yn y Dyffryn ym mlynyddoedd cynnar y Wladfa. Roeddent wedi cadw mewn cysylltiad trwy ymlythyru ar hyd y blynyddoedd. Roedd Marged wedi gwrando ar ei mam-yng-nghyfraith yn sôn am ei phlentyndod a'i hieuenctid ar lannau'r Camwy ac wedi ei swyno a'i synnu gan y straeon a'r hanesion. Lawer blwyddyn yn ddiweddarach, byddai'n ysgrifennu'r hanesion hyn ac yn eu cyhoeddi dan y teitlau *Nel Fach y Bwcs* a *Ffarwel Archentina* ac, yn ddiweddarach dan yr enw *O Drelew i Drefach*. Dangosodd y *poncho* i mi a'r cwilt a wnaed efo darnau o ddefnyddiau o ddillad a berthynai i aelodau teulu Berwyn, sef teulu fy nain, Gwenonwy. Roedd amser fel pe bai wedi aros i Nel pan orfodwyd iddi ddod yn ôl i Gymru ac roedd hi'n ail-fyw'r cyfnod cyffrous hwnnw yn y Wladfa trwy adrodd dro ar ôl tro ei hatgofion a'i phrofiadau, ac arhosodd y rhain ar gof Marged, ei merch-yng-nghyfraith. Dyna sut y daeth *Poncho Mam-gu* yn ffilm yn yr unfed ganrif ar hugain.

I ysgoldy Llanio yr aem i'r ysgol Sul ac i gapel Llangybi i wrando pregeth ac, wrth gwrs, i'r Ysgol Uwchradd yn ystod yr wythnos. Fy athro Cymraeg oedd y bardd a'r gŵr hawddgar, John Roderick Rees. Darllenais am ei farwolaeth yn ddiweddar.

Un o'r digwyddiadau olaf cyn i mi gychwyn o Dregaron a Llanio am adra, ar ddiwedd 1968, oedd ymweliad arlunydd o'r enw Kyffin Williams, a oedd ar fin cychwyn ar ei daith i'r Ariannin dan nawdd Ysgoloriaeth Winston Churchill. Daeth i'm gweld (y ferch fach o Batagonia), ac oherwydd y cysylltiad yma daeth i aros efo Nain yn ei chartre, sef Tŷ Ni, pan oedd yn Nhrevelin. Cafodd fenthyg ceffyl i fynd a dod o'r dre i'r fferm,

Pennant, ac mae rhai o'i luniau enwog yn tystio i'r dyddiau hynny yng Nghwm Hyfryd, llawer ohonynt yn lluniau o fyd natur fel adar a choed, a llawer o luniau ceffylau hefyd, heblaw lluniau o Orsedd y Cwmwl a mynyddoedd eraill yr Andes sy'n amgylchu'r Cwm. Hefyd gwnaeth y portread enwog o Norma, y ferch fach o dras frodorol oedd yn byw efo'i mam gyda Nain Gwenonwy yn Tŷ Ni. Llun arall a wnaeth ar y pryd oedd portread o Brychan Evans, un o ddynion urddasol y Cwm a henuriad y capel. Ychydig feddyliem ar y pryd y deuai'r ymwelydd hwn yn ddyn mor enwog! Y diweddar Syr Kyffin Williams ydy o erbyn heddiw, a'i luniau'n gwerthu am brisiau mawr. Byddai'n anfon cerdyn pob Nadolig am flynyddoedd atom gyda rhai o'i ddarluniau ei hun.

Mae plentyndod yn adeg mor bwysig ym mywyd pawb ohonom.

Roeddwn i'n bymtheg oed yn dod yn ôl o Gymru i Drevelin a Phennant, ein cartre yng Nghwm Hyfryd. Nid hawdd oedd ail-ymgartrefu unwaith eto ar ôl dwy flynedd a phedwar mis yn yr Hen Wlad. Ond dyna fu fy hanes. Roeddwn yn gadael a chefnu ar amser fy mhlentyndod erbyn hyn, gyda'i holl brofiadau amrywiol, y rhai sydd mor ddylanwadol am eu bod yn creu argraffiadau sylfaenol ar bersonoliaeth ac yn ffurfio ein cymeriad.

Troed yr Orsedd

ADRAN DRAMA

Drama hir agored dros 50 munud o hyd

BEIRNIADAETH CEFIN ROBERTS A MARI EMLYN

Ers rhyw ddwy flynedd bellach, yng nghystadleuaeth y ddrama hir, fe ofynnwyd am ddrama a gymerai dros hanner can munud i'w chyflwyno. Gwerthfawrogwn fod cryn drafod eisoes wedi bod ar y newid ond tybiwn, fel beirniaid y gystadleuaeth eleni, nad yw drama hanner can munud yn ddrama hir nac yn noson o theatr gyflawn. Gellid llwyfannu dwy ddrama oddeutu awr o hyd mewn un eisteddiad. Dan yr hen drefn, roedd gofyn am ddrama awr a hanner o hyd i gyfiawnhau ei galw'n ddrama hir. Mae hynny, yn ein barn ni, yn llawer nes ati na'r newid diweddar a wnaed i'r testun. Byddai'r gystadleuaeth hefyd yn haws i'w chloriannu pe bai'r testun yn nodi cyfrwng y ddrama a byddai'r cystadleuwyr yn elwa, gan i ambell ymgais groesi sawl ffin o ran cyfrwng ei harddull o'r teledu i'r llwyfan ac o'r llwyfan i'r radio. Credwn, felly, fod y testun yn llawer rhy benagored fel y mae ar hyn o bryd.

Chwe drama hir a gafwyd eleni a siom yw gorfod datgan nad oedd y safon wedi plesio'r un o'r ddau ohonom. Yma a thraw cafwyd fflachiadau o ddeialog fywiog ac ambell olygfa a oedd yn bachu ond roedd beiau a brychau'n codi i'r wyneb yn amlach o lawer na'r perlau yr oeddem wedi gobeithio eu darganfod. Mae strwythuro drama'n gywrain yn aruthrol o anodd ac yn galw am lawer iawn o waith cynllunio. Hyd yn oed ymysg y goreuon, roeddem o'r farn fod y dramodwyr eleni wedi rhuthro i ddeialogi cyn gwneud y gwaith cynllunio a fyddai wedi rhoi sylfaen lawer cadarnach i'w gwaith. Roedd sawl un wedi dewis ysgrifennu yn arddull yr absŵrd ac felly, o bosib, dan yr argraff fod modd ymaflyd yn syth i lunio deialog heb feddwl am y darlun cyflawn a heb bori dros eu themâu a'u llinynnau storïol yn gyntaf. Yn sgîl hynny, rhyw grwydro'n ddiamcan a wnâi'r cymeriadau yn amlach na pheidio, a phan ymddangosai ambell fflach o wreiddioldeb, buan iawn y crwydrai'r cymeriad hwnnw neu'r olygfa honno yn ôl i gors go anial a digyfeiriad. Trueni nad aeth yr awduron allan i'r gors at eu cymeriadau a'u harwain yn ôl i lwybrau eu storïau. Roedd ambell fflach yn addo llawer ond yn ein tywys ni at ddibyn go arw neu'n ôl i'r man cychwyn cyn pen dim.

I'r pegwn arall, fe gymerodd ambell un dalp o hanes Cymru yn sylfaen i'w ddrama a cheisio llwyfannu stori a oedd yn rhychwantu rhyw ddeng mlynedd ar hugain a mwy i'w hadrodd. Ac er cystal ambell olygfa, ac er inni gael ambell fflach o wreiddioldeb yma ac acw, doedd yna'r un llinyn arian na chymeriad canolog i'n harwain drwy'r blynyddoedd meithion nes i'r cyfan droi'n basiant anferth a fyddai'n gur pen mawr i unrhyw gyfarwyddwr fynd i'r afael â'r gwaith. Cafwyd brawddegau hirion a oedd bron yn amhosib i'w llefaru a golygfeydd a oedd amhosib i'w llwyfannu oherwydd cymhlethdod y cyfarwyddiadau.

Tybiem fod nifer o'r cystadleuwyr eleni yn ifanc neu'n ddibrofiad iawn gan mai strwythur eu cynnyrch oedd y gwendid mwyaf bron yn ddieithriad. Mae angen cael gwell amgyffred o bensaernïaeth drama ac ailddrafftio a mireinio cyn mentro i gystadleuaeth genedlaethol. Dyma air am bob ymgeisydd yn nhrefn darllen y cyfansoddiadau.

Nansi: 'Brwydr y Bais'. Disgrifia'r awdur y ddrama hon fel 'Drama hir wedi ei seilio ar frwydr y Syffrajetiaid yng Nghymru i ennill y bleidlais'. Dyma faes diddorol a photensial am gymeriadau lliwgar, cyfleoedd diri' am wrthdaro a llinyn storïol cryf. Rhaid canmol yr ymgeisydd am ei waith ymchwil trylwyr ond, ysywaeth, ni throsglwyddwyd yr ymchwil yn ddrama. Ceir gormod o gymeriadau heb unrhyw linyn cyswllt i'n harwain drwy basiant o ddigwyddiadau sy'n rhychwantu cyfnod o chwe deg wyth o flynyddoedd. Byddai cyfnod mor faith â hyn yn gowlaid i unrhyw ddramodydd ond does gan *Nansi* yr un prif gymeriad yn y ddrama i gynnal ei stori ac, o ganlyniad, mae'r gwaith yn troi'n stribed o olygfeydd digyswllt.

Gruffydd: 'Wedi'r Gad'. Dewisodd yr awdur hwn, hefyd, gyfnod hirfaith i adrodd ei stori. Disgrifia'i ddrama fel 'trasiedi bersonol a gwleidyddol Llywelyn ap Gruffydd'. Unwaith eto, mae'r gwaith ymchwil yn glodwiw ond eto fyth mae'r ymchwil yn fwrn ar y gwaith. Cronicl o hanes a geir ac nid drama. Y drasiedi bersonol ym mherthynas Llywelyn ac Elinor yw sbardun y cyfan a phe bai'r awdur wedi canolbwyntio ar y stori honno, fe fyddai wedi dod yn nes at linyn ei ddrama. Mae'r epig hon yn cynnig cyfleoedd gwych am sefyllfa lawn gwrthdaro ac emosiwn. Ond mae *Gruffydd* yn cael ei ddenu i grwydro gormod oddi wrth lwybrau dyrys ac astrus ei ymchwil ac, o ganlyniad, mae'r llinyn yn breuo ac ar adegau'n torri'n llwyr. Er cystal yr iaith mewn rhai golygfeydd, eto nid oes cysondeb i'w ddeialogi. Ar brydiau, mae'r iaith yn gwbl glasurol a'r funud nesaf yn frith o idiomau a geiriau â thinc modernaidd iawn iddynt. Mae hwn yn syniad sy'n werth i'w ddatblygu a'i fireinio. Man cychwyn yw hwn yn ein barn ni. Wedi gwneud y fath doreth o ymchwil, mae'n werth i *Gruffydd* fynd ati rŵan i fireinio'i grefft fel 'sgwennwr llwyfan a chynilo ar ei ddeunydd a'i gymeriadau.

Kenny: 'Y Ffens'. Trasiedi enbyd Hillsborough ym 1989 yw cefndir y ddrama hon. Dewisodd yntau adrodd ei stori dros gyfnod maith o ddeng mlynedd ar hugain a mwy. Mae hwn yn ddrafft cyntaf addawol ac yn syniad sy'n cydio yn y dychymyg ond mae'r strwythur yn sigledig ar hyn o bryd a'r golygfeydd unigol angen mwy o gysoni o ran arddull y deialogi. Mae Edith a Frank yn gwpwl sydd wedi colli eu mab yn y ddamwain a chraith y golled honno yn aros hefo nhw ac yn dyfnhau wrth i'w perthynas fregus ddirywio dros y blynyddoedd. Dyma lwybr cymhleth stori *Kenny*. Merch o Ben Llŷn yw Edith, a Frank yn 'Sgowsar' sydd wedi dysgu Cymraeg. Mae angen gweithio eto ar acenion y merched, Edith a'i ffrind Patricia, ac nid yw Frank yn gyson gredadwy fel dysgwr 'chwaith. Ar adegau, mae ei iaith yn goethach na'r brodorion eu hunain. Patricia yw'r unig gymeriad arall yn y ddrama, a theimlem o'r cychwyn y byddai Cyril, gŵr Patricia, yn gallu ychwanegu cryn dipyn at y tyndra o'i gynnwys yn y golygfeydd yn hytrach na chyfeirio ato'n ysbeidiol. Lobsgows ydi'r ddrama yn ei chyflwr presennol ond, gyda llawer o waith, credwn fod potensial yn y deunydd a gyflwynwyd.

Y Tonnau'n Ddistaw: 'Gofid a Haearn'. Dyma godi i dir uwch yn y gystadleuaeth. Mae gan yr ymgeisydd yma glust dda at ddeialog. Drama am gwpwl oedrannus sydd wedi derbyn rhybudd gan y Cyngor i adael eu cartref yw cefndir y chwarae. Ond er mor rymus yw'r ddeialog ar brydiau, ac er mor lliwgar yw ambell olygfa rhwng y ddau brif gymeriad, Nel Wyllt a'i chymar, Watcyn, nid oes cysondeb i'r cyfanwaith. Yn wir, ar adegau, mae'r dramodydd yn cynnig cyfarwyddiadau llwyfan sydd yn gwbl amhosib i'w llwyfannu. Mae un o'i gyfarwyddiadau llwyfan yn cynnig bod: 'Ffenest yn malu. Bricsen yn hedfan i mewn. Taro JT ar ei dalcen a'i lorio'! Hyd yn oed ar ffilm, byddai golygfa fel hon yn peri cur pen i gyfarwyddwr. Ar lwyfan, mae'n gwbl amhosibl. Mae'r sgript yn frith o awgrymiadau o'r fath sydd yn awgrymu bod y dramodydd wedi bod ar ormod o frys i lunio'i stori neu heb fod eto wedi deall bod angen ystyried yn ddwysach yr hyn sy'n bosibl ac yn effeithiol i dyndra gweledol ar lwyfan. Does dim amheuaeth nad y cystadleuydd hwn yw dramodydd aeddfetaf y gystadleuaeth. Roedd yn codi i dir uchel iawn ar adegau, megis mewn llinellau fel yr un o eiddo Watcyn i'w wraig, Nel Wyllt: 'Dy ennill di 'mechan i. Fy ngwrach dlws i. Fy angel ddiawledig i. Fy ffwrnais. Lle dw i'n llosgi hyd heddiw'. Y cur pen a gawsom oedd ceisio penderfynu a oedd *Y Tonnau'n Ddistaw* yn teilyngu'r wobr am fflachiadau theatrig fel hyn? Roeddem hefyd yn dal i obeithio y deuai drama fwy cyson ei safon i'r gystadleuaeth i'n harbed rhag gorfod gwneud y penderfyniad.

Gobaith:'Brethyn Brau'. Cyfres o fonologau gan nifer o gymeriadau amrywiol sy'n bwrw'u bol wrth y gynulleidfa ar nos calan a gafwyd gan *Gobaith*. Er cystal yw ambell fonolog ar ei phen ei hun, digyswllt braidd yw'r cyfanwaith heb unrhyw linyn rhwng y profiadau na'r cymeriadau. Efallai fod yna elfen o unigrwydd yn ddolen thematig drwy'r gwaith a bod yr hen nosweithiau calan yn dueddol o agor briwiau yng nghanol y dathliadau di-fflach ond ni theimlai'r un ohonom fod hon yn thema ddigon cryf i gynnal drama. Nid cyfres o fonologau oedd y testun ac nid oedd digon o unoliaeth yma i'w galw'n ddrama. Gosoda'r awdur gloc enfawr i lenwi cyfran helaeth o gefn ei lwyfan a hwnnw'n symud mewn 'real time' trwy gydol y ddrama. Heb ysgrifennu dyfeisgar a gafaelgar, mae'n debyg y byddai'r cloc yn tynnu sylw'r gynulleidfa neu'n ei suo i gysgu. Cur pen anferth i'r actorion, hefyd, fyddai ceisio amseru'r ddrama i'r eiliad ym mhob perfformiad, gan fod hynny'n hanfodol i'r ddrama ar hyn o bryd. Fe fyddem yn annog *Gobaith* i ailedrych ar y gwaith hwn gan fod ambell fonolog yn dangos addewid.

Clust Gam: 'Unwaith Eto yng Nghymru Annwyl'. Nid oes dim i nodi ym mha gyfnod y seilir y ddrama hon. Er y tybiwn mai yn y presennol y gesyd yr ymgeisydd y gwaith, mae hi'n hen ffasiwn iawn ei harddull a rhyw hen draw sydd i'r stori am athro o Lundain yn dod nôl i fro ei febyd i geisio am swydd. Mae'r ddeialog yn glogyrnaidd a'r cymeriadau'n felodramatig ac yn siarad yn llawer rhy lenyddol i fod yn agos at fod yn gredadwy. Er ei fod yn ymbalfalu am arddull naturiolaidd i'w ddeialogi, a dyna'n bendant sydd ei angen ar stori fel hon, mae'n llithro'n gyson i arddull felodramataidd megis pan mae Dewi, sydd newydd rannu gwely gyda'i wraig Miriam, yn dweud wrthi: 'Roedd fel petaem ar y môr ym mreichiau ein gilydd gynnau!' Mae angen arbrofi llawer mwy gyda'r rhythmau naturiolaidd i greu deialog sy'n llithro'n gredadwy ar wefusau actorion.

Dim ond un ymgais, felly, oedd yn rhoi unrhyw gyfle inni ystyried gwobrwyo eleni, sef y ddrama o'r eiddo *Y Tonnau'n Ddistaw*. Ond wedi hir drafod, roedd yn rhaid rhoi'r brychau a'r diffyg cysondeb yn y fantol yn ogystal â rhinweddau amlwg y cystadleuydd ac fe'i cawsom yn brin. Mae'n dristwch gennym gyhoeddi, felly, nad oes neb yn deilwng o'r wobr bwysig hon eleni.

Drama fer agored rhwng 20 a 50 munud o hyd

BEIRNIADAETH CEFIN ROBERTS A MARI EMLYN

Fel yn y ddrama hir, chwe ymgais a gafwyd yng nghystadleuaeth y ddrama fer ac eto'r un gwendidau a'u hamlygodd eu hunain. Diffyg cynllunio, diffyg cysondeb, crwydro rhwng arddulliau teledu, llwyfan a radio ac, ar adegau, ddiffyg dealltwriaeth o'r bensaernïaeth. Sut, er enghraifft, y mae gofyn i gyfarwyddwr ac actorion ddelio gyda chath deircoes mewn un ddrama a chath a chanddi linellau mewn drama arall? Ceir hyd yn oed fodel o bwdl yn gwneud ei fusnes mewn un ddrama! Roedd ambell gyfarwyddyd llwyfan yn gwneud inni amau a oedd ymgeiswyr wedi ystyried ymarferoldeb llwyfannu eu dramâu wrth eu llunio? Ceir cymeriad yn saethu pys at gymeriad arall ac ni welsom awgrym gan yr ymgeisydd sut y gellid clirio'r llwyfan o'r pys yma a fyddai'n gwneud yr actor mwyaf medrus yn bryderus iawn o gamu i'r llwyfan am weddill y perfformiad. Yn ogystal ag anymarferoldeb y gwaith, ceir anghysonderau yng nghyfarwyddiadau llwyfan yr ymgeiswyr hefyd. Dylai pob dramodydd lunio cyfarwyddiadau llwyfan yn yr amser presennol, e.e. 'Daw Siôn i flaen y llwyfan' ac nid 'Daeth Siôn i flaen y llwyfan'. Mae'r amrywfusedd hwn yn y cyfarwyddiadau llwyfan yn peri inni feddwl mai ymgeiswyr dibrofiad iawn a ddaeth i'r maes eleni. Ble mae ein hysgrifenwyr ifanc addawol sy'n ennill canmoliaeth uchel yng nghystadlaethau'r Urdd a'r Ffermwyr Ifanc? Ydyn nhw wedi diflannu'n llwyr? Gobeithio nad ydynt yn seboni'n ormodol nes golchi sylfaen eu crefft yn llwyr o'u hymwybyddiaeth, neu'n suro'n ormodol am nad ydynt eto wedi cyrraedd y safon. Gobeithio hefyd nad ydi'n hawduron profiadol yn troi cefn yn llwyr ar gystadlaethau drama'r Eisteddfod Genedlaethol. Ceir teilyngdod yn amlach o lawer yn y tair prif gystadleuaeth lenyddol arall yn y Brifwyl gan fod yr awduron profiadol yn dal i ddeisyfu'r wobr.

Dyma air am bob cystadleuydd yn nhrefn darllen eu gwaith.

Hans:'Adolff'. Disgrifir y ddrama hon gan *Hans* fel 'Comedi-Ffars Un Act' ond mae'r ddwy elfen yma'n brin iawn yn y gwaith ar hyn o bryd. Lleolir y ddrama mewn parc, ac ar y dechrau gwelwn Charli Masseratti Huws yn derbyn cerydd gan Dic Lewis, gofalwr y parc, am greu sbwriel a llanast. Yn raddol, daw Charli ei hun yn ofalwr a thry yn rhyw fath o Hitler-yn-erbyn-sbwriel erbyn diwedd y ddrama. Nid oeddem yn siŵr iawn i ba gyfeiriad yr oedd y ddrama hon am fynd â ni ac er bod y parc yn cynnig llawer o bosibiliadau, tybed ai hwn oedd y lleoliad gorau i lwyfannu ffars ynddo. Pan fydd gan y dramodydd well gafael ar ddefnydd o leoliad, tafodiaith, *genre* a thema, yna gall ddefnyddio'r drafft yma fel egin syniad ar gyfer drama fwy llwyddiannus.

Trigorin: 'Aperitif'. Drama fach syml iawn am ddau gymeriad yn cyfarfod trwy linell 'Cymorth Mewn Cyfyngder' sef, yng ngeiriau'r awdur, 'mudiad sy'n anelu at estyn cymorth i'r unig a'r diobaith mewn cymdeithas'. Prif rinweddau'r ddrama hon yw anwyldeb y stori a'r cymeriadau, er y gellid bod wedi rhag-weld y diwedd o hirbell. Gwaetha'r modd, nid oes digon o wrthdaro yma i sicrhau cynnal diddordeb, ac er bod gan yr ymgeisydd eithaf clust at ddeialog, mae'r cymeriadau'n swnio'n hŷn na'u hoed a cheir llawer o linellau diangen sy'n arafu'r dweud. Er yr anwyldeb, roedd angen tipyn mwy o wrthdaro i gynnal y stori.

Tegfryn: 'Manyn ...'. Disgrifir y ddrama hon fel 'Drama absẁrd wreiddiol'. Mae hi'n sicr yn absẁrd ac mae'r awdur (ifanc, fe dybiwn) wedi ei ddylanwadu'n gryf gan weithiau Beckett a Wil Sam. Gwaetha'r modd, mae adleisiau mor gryf, ac weithiau syrffedus, o *Wrth Aros Godot* a *Bobi a Sami* yn y gwaith fel mai prin felly y gellid ei alw'n 'wreiddiol'. Ni chlywir llais yr awdur yn ddigon clir trwy eco'r clasuron ac nid oes ganddo, ar hyn o bryd, ddyfeisgarwch Samuel Beckett na choethder iaith a naturioldeb deialog Wil Sam. Mae 'Dall' a 'Byddar' yn enwau diddorol ar gymeriadau, ond heb ddarllen y ddrama neu raglen cyn y cynhyrchiad, ychydig o gliwiau sydd yma i awgrymu nad ydi'r naill yn gallu gweld na'r llall yn gallu clywed. Yn wir, drwy gydol y ddeialog, mae'r ddau'n galw'i gilydd yn 'Gwynfor'. Er cystal yw'r syniad, mae'r dramodydd wedi colli cyfle i greu deialog ddifyr, absẁrd ac amlhaenog ar yr hyn y mae'r unigolyn yn ei weld, yn dewis ei weld, neu ddim yn ei weld, yn ogystal â faint y mae rhywun yn ei glywed, yn dewis ei glywed, neu ddim yn ei glywed. Ceir nodyn ar ddechrau'r ddrama yn dweud nad oes diwedd i'r ddrama. Darganfod diweddglo boddhaol yw'r gamp fwyaf wrth lunio drama. Cyfleus iawn yw diweddglo diddiwedd fel hyn. Nid yw 'chwaith yn ddyfais wreiddiol iawn. Ond, eto, mae ambell adran sy'n cydio ac fe anogwn *Tegfryn* i ailedrych ar y gwaith a thynnu'r hen adleisiau allan a chlywed ei lais ei hun yn treiddio i enau ei gymeriadau.

Lleucu'r Llaid: 'Man a man'. Dyma ymgais fwyaf addawol cystadleuaeth y ddrama fer er ei brychau niferus. Yn wir, mae *Lleucu'r Llaid*, ar adegau, yn ysgrifennu deialog arbennig iawn. Gwaetha'r modd, egin syniad sydd yma ac nid drama. Nid oes yma ddigon o wrthdaro na chymeriadau crynion i'n darbwyllo bod digon o gig ar yr asgwrn ar hyn o bryd. Nid yw'n glir a oes cysylltiad rhwng y gwahanol gymeriadau ac, ysywaeth, nid oedd gennym ddigon o gydymdeimlad â'r prif gymeriad, Menna, i'n harwain at ddiweddglo lle'r oeddem yn malio amdani. Mae hi, Menna, ar ryw fath o grwydr Cymreig, a 'ddown ni ddim i ddeall yn iawn beth yn union y mae hi'n gobeithio'i gael ar ei phererindod. Awgryma'r awdur y gall un actor chwarae'r cymeriadau niferus y daw Menna ar eu traws yn ystod ei thaith. Tybed a fyddai hynny'n gwanhau'r effaith a gâi'r gwahanol gymeriadau ar ei llwybr? Mae dyblu mor gyson â hyn yn colli ei effeithiolrwydd ar ôl tipyn, hyd yn oed gan yr actor mwyaf hyblyg. Arwynebol a digyffro oedd rhai o'r cymeriadau ond gall yr ymgeisydd hwn, o ymlafnio uwch ben ei thema a'i blot, ddatblygu'r ddrama hon eto, yn enwedig pan benderfyna beth yn union y mae'n ceisio'i ddweud.

Clust Gam: 'Mae'r Olwyn yn Troi'. Drama am gath dair coes o'r enw Fflwff, a Dic, dyn yn ei saith degau, sydd ar fin cael gwared o un goes yn sgîl gangrin. Mae'r ddrama'n pendilio rhwng y trasig a'r digri', ac er y gall hynny greu theatr effeithiol iawn ar adegau, ni chredwn mai dyna oedd gweledigaeth na bwriad *Clust Gam*. Mae Dic a'i gath yn cysuro'i gilydd ar ddiwedd y ddrama ond 'mae'r olwyn yn dal i droi'. Ysywaeth, troi yn ei hunfan a wna'r ddrama hon hefyd. Does dim digon o amrywiaeth i rythm y dweud, gan achosi i'r ddeialog fod yn stiff ac undonog. Cymeriadau a sefyllfa ddiflas a braidd yn arwynebol a gafwyd.

Gwyn: 'Yr Alwad'. Disgrifir y ddrama hon fel 'Comedi mewn dwy Act' ond er bod nifer fawr o jôcs i'w canfod yn y gwaith, prin iawn yw'r ddrama. Ni ellir cynnal stori heb ddyfeisgarwch aruthrol mewn drama lwyfan lle ceir cymeriadau cwbl newydd yn ymddangos yn yr ail act a dim arlliw o'r cymeriadau a gyflwynwyd yn yr act gyntaf yn ein tywys i'r rhan yma o'r stori. Mae Glyn Cysgod Angau, mab Richard Davies, â'i 'fryd ar fod yn actor neu seren y byd pop'. Nid oes llawer mwy na rhyw ymgais fach bitw ar ei ran i glyweld ar gyfer rhaglen deledu yn digwydd yn y ddrama, ac felly mae'r cyfan yn rhedeg ar ôl ei chynffon ei hun heb fod yn cyrraedd unlle'n gyflym iawn. Mae gan *Gwyn* dipyn mwy o ddeunydd ar gyfer comedïwr clwb nos yn y gwaith yma nag ar gyfer actor a chyfarwyddwr theatr. Cyfres o sgetsys yw'r gwaith ac nid drama lwyfan.

Trist yw cyhoeddi nad oedd, o fewn y chwe drama, unrhyw ymgeisydd y gallem ystyried ei wobrwyo yng nghystadleuaeth y ddrama fer eleni.

Y Fedal Ddrama

Gan na ddyfarnwyd unrhyw un yn fuddugol yng nghystadlaethau'r Ddrama Hir na'r Ddrama Fer, mae'n siom i ni orfod datgan nad oes neb, felly, yn deilwng o'r Fedal Ddrama yn Eisteddfod Genedlaethol Blaenau Gwent a Blaenau'r Cymoedd.

Trosi *Betrayal* (Harold Pinter) i'r Gymraeg

BEIRNIADAETH SHARON MORGAN

Mae meistrolaeth Pinter o'i grefft yn ddihafal. Yn deillio o brofiad a gwybodaeth actor, mae saernïaeth gofalus ei ddeialog yn amlygu ei ddawn farddonol ac mae'n llwyddo i greu iaith sydd yn mynegi datgysylltiad, emosiynol a phroffesiynol, wrth i'w gymeriadau siarad am bob dim ond yr hyn sydd yn eu poeni'n uniongyrchol. Mae fel pe bai'r iaith wedi ei chloi o dan y ddeialog. Mae natur eliptig y ddeialog, a'r gagendor rhwng y sefyllfa ddramatig a'r iaith, yn creu tyndra emosiynol dirdynnol, ac obsesiynau mewnol y cymeriadau'n cael eu dadlennu trwy gyfrwng 'is-destun' dwfn a dirgel. Mae iaith Pinter yn *Betrayal* yn archdeip o iaith y dosbarth canol Seisnig: mewnblyg, cynnil, a braidd yn watwarus.

Darlun o natur lechwraidd twyll rhywiol a geir yma, a thrafodaeth ar natur atgofion ac ynysu emosiynol, ym mherthynas gŵr, gwraig, a chariad, dros gyfnod o naw mlynedd, ac mae'r digwydd yn symud o flwyddyn i flwyddyn yn anghronolegol. Nid mater hawdd yw trosi Pinter i'r Gymraeg. Yn gyntaf, mae'n rhaid dewis iaith, iaith y de neu iaith y gogledd, gan nad oes gynnon ni un iaith 'safonol', fel petai, fel sydd yn Lloegr. Yna, mae'n rhaid penderfynu ar lefel y dafodiaith a ddefnyddir, gan greu ieithwedd gwbl real sydd yn addas o ran amgylchiadau, cefndir, dosbarth a chymeriad. Gellid yn hawdd gamddeall natur y ddeialog, gan greu ieithwedd, er yn ymddangosiadol driw i natur y gwreiddiol, a fyddai, fodd bynnag, heb lwyddo i ddal ymhlyg yn y ddeialog honno yr emosiynau anferth sydd yn ganolog i'r ddrama.

Cafwyd naw sgript, a'r safon ar y cyfan yn uchel iawn. Gwnaed gwaith mawr ar bob un o'r trosiadau hyn, a dw i'n wir yn ymwybodol o hynny ac yn ei werthfawrogi. Fodd bynnag, cyn dechrau ysgrifennu unrhyw beth o gwbl mewn unrhyw iaith, mae'n rhaid sicrhau bod gan rywun feistrolaeth ar elfennau sylfaenol yr iaith honno.

Cudyll: Gwaetha'r modd, nid oes gan *Cudyll* y feistrolaeth honno, sydd yn drueni oherwydd mae egni ac ysbryd mewn ambell araith yn y trosiad hwn. Drwyddi draw, defnyddir iaith annaturiol lenyddol, fel 'deuthum', 'cawsant' a 'cerddasant'; mae enghreifftiau di-ri o gamdreiglo ac mae'r symud o 'chi' i 'ti' mewn amryw o leoedd yn ymddangos yn gwbl fympwyol. Yn ogystal â hynny, mae'r gystrawen yn hollol anghywir mewn mannau. Efallai'n gwbl ddealladwy, o ystyried diffyg rhwyddineb ieithyddol y sgript yma, mae *Cudyll* yn dewis peidio â chyfieithu deialog y gweinydd, sydd yn ddigon diddorol, yng ngolygfa saith; camgymeriad, yn fy nhyb i, oedd peidio â'i throsi. Roedd ymgais yr awdur hwn yn uchelgeisiol iawn ond dalier ati i wella safon yr iaith.

Twtmot: Dewisodd 'Dichell' yn deitl, sydd yn ddiddorol ond, yn fy nhyb i, heb fod yn cyfleu gwir bwnc y ddrama. Mae'r awdur yn defnyddio'r gair 'brad' yng nghorff y ddrama, felly pam nad ar gyfer y teitl? Mae'r sgript wedi'i hysgrifennu â llaw sydd wedi golygu llawer iawn o waith llafurus i'r awdur. Mae'r ffordd y mae awdur yn cyflwyno sgript yn bwysig ac er fy mod i'n wirioneddol gydymdeimlo, fel un a gymerodd amser hir i ddysgu sut i ddefnyddio cyfrifiadur, os nad yw meistroli'r dechnoleg honno bosib, yna mae'n werth cael rhywun i deipio'r gwaith. Mae'n anoddach darllen sgript sydd wedi'i hysgrifennu â llaw, pa bynnag mor daclus yw'r llawysgrifen. Hefyd, oherwydd y ffordd y mae'r sgript wedi ei rhwymo, mae'n amhosib darllen enwau'r cymeriadau heb ddatod y clawr yn llwyr. Dyma'r unig gystadleuydd sy wedi Cymreigio enwau'r cymeriadau, ac un o ddau sydd wedi symud y digwydd o Lundain (i Gaerdydd, yn yr achos yma). Gall newidiadau fel hyn fod yn effeithiol mewn rhai achosion ac, yn wir, dyw'r penderfyniadau hynny ddim yn amharu ond dyn nhw ddim yn ychwanegu llawer 'chwaith ac, felly, yn achos y ddrama arbennig hon, dw i'n teimlo y byddai wedi bod yn well cadw at y gwreiddiol. Mae'r ieithwedd yn anystwyth ac yn drwsgl braidd, gan bendilio o'r gor-lenyddol i'r llafar. Mae'n bwysig cofio bod rhaid i gynulleidfa gredu bod y bobl yma yn real, hynny yw yn bodoli yn y byd go iawn. Ymdrech dda ond mae angen ystwytho, trwy wrando ar bobl yn siarad, er mwyn clywed rhythmau iaith bob dydd a cheisio efelychu'r naturioldeb hwnnw. Nid darn o lenyddiaeth yw drama. Oherwydd y gwallau hyn, nid yw *Twtmot* yn llwyddo i gynnal ystyr dyfna'r ddeialog, sef gwir her trosi'r ddrama hon.

Cilgwyn: Dewisodd 'Bradychiad' yn deitl. Hwn yw'r ail awdur i ail-leoli'r ddrama – i Ogledd Cymru y tro hwn; eto, dw i ddim yn teimlo bod hyn o gymorth i dynnu'r ddrama'n nes yn ddramatig nac yn emosiynol at gynulleidfa Gymreig. Mae'r awdur yma hefyd yn newid un enw, ond dim ond un (troi Casey yn Colin, am ryw reswm). Mae yma eto ddefnydd o iaith ffurfiol ac er bod rhannau o'r ddeialog yn llifo'n dra naturiol, mae gormod o lawer o iaith drwsgl a llafurus, ac felly does dim modd i'r geiriau gysylltu â'r emosiwn. Efallai mai'r bwriad oedd creu naws ddatgysylltiedig ymddangosiadol y cymeriadau ond y canlyniad yw ymbellhau oddi wrth y gynulleidfa.

Mae'n syniad da i ddarllen sgript yn uchel, er mwyn clywed sŵn yr iaith. Mae'n rhaid pwysleisio nad rhywbeth i'w ddarllen yn breifat yw drama ond rhywbeth i'w pherfformio'n gyhoeddus, ac mai cyfathrebu gyda'r gynulleidfa yw ei phwrpas.

Pant-bach: Dewisodd y teitl 'Bradychiad', gan gynnwys esboniad ar y dechrau i nodi bod y ddrama yn iaith naturiol y troswr, sef iaith y de, ac mae'n ein sicrhau nad oes unrhyw anhawster i unrhyw actor ei haddasu'n hawdd ar gyfer perfformio ond, gwaetha'r modd, trwy boeni'n ormodol am hynny, mae'n tueddu i syrthio rhwng dwy stôl. Mae'r iaith yn llai tafodieithol nag amryw o'r rhai eraill yn y gystadleuaeth ac mae diffyg llyfnder yn deillio o'r ymgais i fod yn 'gywir'. O ganlyniad, mae 'na dueddiad iddi swnio ychydig yn ffug a'n pellhau oddi wrth emosiwn y darn.

Pwy a Ŵyr: 'Brad' a ddewiswyd yn deitl – dyma'r teitl dw i'n ei hoffi ond mae'n siŵr fod llawer o'r cystadleuwyr wedi ei osgoi oherwydd mai dyma deitl drama gan Saunders Lewis. Mae'r trosiad hwn yn iaith y gogledd, ond mae tueddiad i fod yn rhy lenyddol o bryd i'w gilydd, ac mae'n colli'r llyfnder, y symlrwydd, a'r uniongyrchedd sydd yn gwbl allweddol i lwyddiant y cyfathrebu rhwng y cymeriadau. Mae'r gwaith yn gywir yn ieithyddol ond yn colli cywirdeb emosiynol. Mae hefyd yn rhy ffurfiol sydd yn tueddu i greu naws hen ffasiwn braidd. Serch hynny, mae hwn yn drosiad safonol tu hwnt.

Gwenlyn: Mae tafodiaith ddeheuol y cystadleuydd, sydd wedi dewis 'Bradychu' yn deitl, yn rhwydd iawn ar y glust. Llwyddodd i gyfleu symlrwydd yr iaith yn gryno ac effeithiol ond efallai nad yw rhai o'r areithiau hir yn llwyddo i argyhoeddi'n gyfan gwbl. Mae angen mwy o egni a bwriad yn y siarad, er mwyn cyfleu'r tyndra, yn ogystal â rhythmau gwahanol y tri chymeriad. Ond hoffais y trosiad yma'n fawr iawn ac mae 'na rai cyffyrddiadau hyfryd tu hwnt ynddo.

Gweinydd Mud: Mae'r ddeialog yn naturiol a chredadwy ar y cyfan, er ei bod weithiau'n colli llithrigrwydd a llyfnder, yn enwedig yn yr areithiau hir. Nid dim ond bod yn driw i iaith naturiol yw'r nod ond defnyddio'r iaith honno'n gelfydd, gan ymddangos fel pe bai'n real, wrth saernïo a sgleinio er mwyn llwyddo i gyfleu'r ystyr a'r emosiwn y tu ôl i'r geiriau yn ddiymdrech. Mae yma drosiad arbennig o dda, serch hynny.

Mae'n rhaid codi pwnc dosbarth yn y fan hon, ac er nad ydw i'n gweld unrhyw broblem o gwbl o ran cyflwyno tri addysgedig dosbarth canol trwy gyfrwng tafodiaith llawr gwlad, mae'n bwysig cofio'u gallu i ddefnyddio geiriau'n effeithiol ac i safon uchel, hyd yn oed os nad ydyn nhw'n cyfathrebu go ddifri'. Mae Jerry yn asiant awduron, Emma yn rhedeg oriel gelf ac yn dwli ar lyfrau, a Robert yn gyhoeddwr. Maent eu tri'n huawdl iawn ac felly mae'n rhaid adlewyrchu hynny wrth drosi. Mae'n rhaid i mi ddweud hefyd fod dewis teitl *Gweinydd Mud*, sef 'Ar Gyfeiliorn', yn ddiddorol ond yn gwbl gamarweiniol ac yn debyg o arwain y gynulleidfa ar gyfeiliorn.

Nel: Mae'r cystadleuydd hwn hefyd wedi cyflwyno sgript arbennig o glodwiw, dan y teitl 'Bradychu'. Mae wedi ei hysgrifennu mewn tafodiaith ogleddol y tro hwn, ar gyfer Emma a Jerry, ac mae yma ymgais ddiddorol i wneud Robert yn ddeheuwr. Yn fy nhyb i, mae'n creu gwahanrwydd rhwng y tri nad oedd yn y ddrama wreiddiol lle mae'r tri'n rhannu'r un ieithwedd. Mae hefyd yn creu tipyn o anghysondeb a lletchwithdod o bryd i'w gilydd, gan fod *Nel*, mae'n debyg, yn hanu o'r gogledd, ac acen y De yn ddieithr. Ar y cyfan, mae'r ddeialog yn ystwyth a naturiol, ac yn gredadwy, a'r iaith yn argyhoeddi, gyda rhai o'r areithiau hir yn bleser i'w darllen. Ond, serch hynny, mae yma duedd i or-ffurfioli, gan dorri ar y llif a'r llyfnder.

Aranwen: Dyma'r trosiad sydd ar y brig, yn fy nhyb i, a hwn hefyd â'r teitl 'Brad'. Mae yn iaith y gogledd ond ei rhagoriaeth yw crefft yr awdur yn ei chodi uwchlaw unrhyw dafodiaith. Mae *Aranwen* yn llwyddo i greu ieithwedd gwbl naturiol a chredadwy ond sydd hefyd yn lled niwtral, sy'n golygu nad yw'r geiriau'n dod rhyngom ni a meddyliau'r cymeriadau. Mae'n llwyddo i greu deialog sy'n fanwl, yn gryno, ac yn uniongyrchol ac, yn bwysicach oll, sydd â rhythm ac egni sy'n driw i'r gwreiddiol ac felly'n cynnal yr is-destun yn llwyddiannus. Mae yma ddefnydd o ambell air fel 'jelys' a 'sorri' a 'hostess', sy'n gwbl addas yn fy nhyb i, ac mae'r awdur yn llwyddo i gyfleu natur wahanol y tri chymeriad. Mae'r ddeialog yn drwm o ystyr ddwbl, ac yn gyforiog o hanes y tri, fel sy'n gwbl angenrheidiol os yw'r ddrama am weithio. Mae'n swnio'n gyfoes ac yn real. Gwobrwyer *Aranwen*.

Cyfansoddi monolog. Rhwng 2 a 5 o fonologau na chymer fwy na deng munud i'w perfformio

---

BEIRNIADAETH GARRY NICHOLAS

Siomedig oedd y nifer a ddaeth i'r gystadleuaeth – tri yn unig.

Er mai byr ydyw monolog, rhaid iddi gael siâp a rhythm ei hun. Yn gyffredinol, fe ddylai gael dechrau, canol a diwedd. Ar lwyfan mae monolog yn rhodd – rhodd i'r gynulleidfa i edrych i fyny a gweld y tu mewn i feddyliau'r unigolyn sydd o'u blaen. Mae'r monologau gorau o hyd yn datgelu rhywbeth, boed yn stori (a'r stori honno'n ddigon clir), yn gyfrinach, yn ateb i gwestiwn neu'n wrthdaro mewnol. Dylai'r fonolog roi cyfle i'r actor arbrofi a dylid cynnwys brawddegau theatrig er mwyn iddi fod yn effeithiol.

Chwiler: Cyflwynodd ddwy fonolog ac y mae cyswllt rhwng y ddwy. Down i weld yr un sefyllfa trwy lygaid Fflur Medi yn gyntaf ac yna trwy lygaid Daniel. Mae'r mynegiant yn ddigon effeithiol ac y mae yma stori. Hwyrach mai dyna'r gwendid mwyaf, sef bod gormod o stori, o adrodd am ddigwyddiadau, a dim digon o fynd dan groen y ddau gymeriad. Mae'r monologau'n darllen yn fwy fel stori ac nid oes amheuaeth nad oes yma storïwr da.

Eilis: Mae'r un peth yn wir am yr ymgais hon. Mae gan yr ymgeisydd hwn eto ddwy fonolog – heb gysylltiad rhyngddynt y tro hwn – ond, unwaith eto, teimlaf fod yma ormod o adrodd y stori, yn enwedig yn yr un gyntaf. Mae yma wrthdaro ond mwy o wrthdaro rhwng cymeriadau na gwrthdaro mewnol. Hoffwn pe bai'r ddau gymeriad wedi cael cyfle i agor llif eu meddyliau'n fwy.

Lili'r Wyddfa: Cyflwynodd dair monolog a'r llinyn cyswllt rhyngddynt ydyw gŵr ifanc yn mynd i ryfel. Cyfeirir at Afghanistan mewn dwy ohonynt. Dyn ifanc mewn cadair olwyn, wedi colli'i goes yn y rhyfel ydyw'r cymeriad cyntaf, merch ifanc feichiog wedi colli'i gŵr ac yntau wedi dod yn dad heb wybod iddo ydyw'r ail, a mam yn disgwyl newyddion am ei mab sydd yn y rhyfel ydyw'r trydydd. Dyma'r monologau, yn fy marn i, fyddai'n cyffwrdd â'r gynulleidfa. Dyma'r monologau sy'n rhoi'r gwrthdaro mewnol y chwiliwn amdano. Mae strwythur pendant i'r monologau, er mor fyr yw pob un. Maent yn datgelu emosiynau'r tri chymeriad a down i gydymdeimlo â hwy. Wrth lefaru'r monologau hyn yn uchel (ac yn y diwedd dyna'r prawf gorau), teimlwn eu bod yn llifo'n rhwydd a bod iddynt ddechrau, canol a diwedd, ac y byddai cynulleidfa yn gallu eu gwerthfawrogi ar y gwrandawiad cyntaf.

Gwobrwyer *Lili'r Wyddfa*.

Y Monologau

I

(Dyn ifanc yn eistedd mewn cadair olwyn)

Be ddath dros fy mhen i? Be ddiawl ddath dros fy mhen i? Pam uffar nes i ddewis mynd i ffasiwn le, i ffasiwn *hell hole?*

Do'n i erioed 'di bod isio mynd i'r fyddin, erioed 'di licio cwffio a ffraeo. Do'n i ddim yn gallu diodda' pan oedd noson allan yn dre'n mynd yn flêr, heb sôn am feddwl gorfod ymladd a mwrdro i ennill fy mara menyn.

Ond doedd 'na'm llawer o waith i adael cartra, yn enwedig a minnau ddim y clyfra yn y byd o bell ffordd, ond nath 'na neb orfodi i mi fynd yn filwr 'chwaith, naddo?

(syllu o'i flaen am rai eiliadau)

Ella na *jealous* o'n i. Roedd 'na hogia erill oedd yn 'r ysgol efo fi 'di mynd i'r *army* yn syth ar ôl gadal, a dyna lle'r oeddan nhw ar *leave*, yn swancio o gwmpas y pentre, y genod i gyd 'di mopio efo nhw a phawb yn yn y *pubs* yn prynu *drinks* iddyn nhw.

A finnau ddim yn cael *sniff* ar unrhyw waith, 'di goro seinio ar y dôl, a'r bobl yn y *job centre* yn trio 'ngyrru fi i neud pob math o jobsys sâl. Y gwaetha oedd pan ges i 'ngyrru i *abattoir* ar Ynys Môn – oedd hwnna'n hollol afiach, dim ond *just about* para diwrnod yno nes i. Odd ogla'r lle'n ffiaidd a minnau'n methu ei olchi oddi arna i am wsnosau, a bythefnos wedyn o'n i'n dal i ddeffro mewn chwys oer weithiau yn meddwl bod 'na waed hyd fy nwylo.

Felly be nes i? Be nes i?

Nes i ddim gneud rwbath hannar call, fatha mynd yn ôl i'r coleg i drio dysgu crefft, dod yn adeiladwr, plymar, neu saer coed. Na, dodd gen i ddim digon o fynadd i neud hynna, o'n i isio dechra ennill pres rŵan, y munud yma. Felly, nes i fynd i lawr i'r swyddfa recriwtio, a seinio fy mywyd i ffwrdd, jyst fel 'na, heb feddwl ddwywaith.

(yn ysgwyd ei ben)

A beth sydd wedi dod ohona i rŵan? Be uffar sydd wedi digwydd i mi?

Dw i fel rhyw hen groc yn y gadair olwyn 'ma. Yn methu gneud unrhyw beth drosta fi fy hun. Yn dibynnu ar mam i neud pob dim drosta i. Yn gorfod gofyn i mam neud pob dim, pob dim. Dw i ddim hyd yn oed yn gallu mynd i'r toiled ar fy mhen fy hun. Dim yn gallu mynd i mewn ac allan o'r gwely heb help.

Dim yn gallu ... Dim yn gallu ...

(gan edrych i lawr ar ei liniau)

Dw i'n fethiant.

(ychydig eiliadau o ddistawrwydd, cyn iddo godi ei ben o'i liniau)

Mae pawb yn y pentre'n edrych arna i fatha 'mod i'n *special*, fatha 'mod i'n gorfod cael fy lapio mewn *cotton wool*. Pawb yn camu'n ysgafn pan dw i o gwmpas, pawb yn dal eu gwynt, a thrio peidio dal fy llygaid. Maen nhw i gyd ofn edrych yn gam arna i rhag ofn i mi syrthio allan o'r gadair 'ma.

Ond y peth gwaetha ydi bod pawb yn meddwl 'mod i 'di colli fy meddwl pan gollish i fy nghoes. Does 'na neb yn siarad efo fi, dim ond siarad uwch fy mhen i. Mae mam wedi dod yn rhywfath o *spokesman* drosta i. Weithiau dw i'n teimlo fel un o'r pypedau 'na – pan dw i'n symud fy ngwefusau, mae mam yn siarad.

(syllu'n syth o'i flaen)

Ro'n i'n meddwl 'mod i'n ddigon o foi i allu mynd i ben draw'r byd i gwffio, a dod adra fatha 'sa 'na'm byd wedi digwydd. Fatha 'mod i'n mynd ar fy ngwylia, fatha 'i fod o i gyd yn rhyw fath o drip.
Ond nesh i ddysgu'n ddigon *bloody* handi 'mod i'n rong. 'Mod i'n ffŵl. 'Mod i 'di bod rêl llo.

A dyna 'di'r peth gwaetha, bod gen i neb i' feio am beth sydd 'di digwydd i mi, heblaw fi fy hun. Does 'na neb arall ar fai 'mod i'n methu cerdded, 'mod i yn y gadair olwyn 'ma. Neb ond fi fy hun.

*   *   *

II

(Merch ifanc feichiog yn eistedd wrth ymyl bwrdd mawr, pren mewn cegin)

O'r munud cyntaf y gwelis i o, ro'n i'n gwybod mai fo oedd y dyn i mi. Roedd ganddo'r llygaid mawr glas 'ma, mop o wallt tywyll a gwên oedd yn llenwi'r 'stafell. A dyna fi – ro'n i'n *hooked*. A'r peth gwaetha oedd ei fod o'n gwbod hynna'n syth.

A nath petha symud yn sydyn ar ôl y noson honno, ac o fewn y mis ro'n i wedi cyfarfod ei rieni fo, a f'yntau wedi cyfarfod fy rhai i, ac mewn blwyddyn roeddan ni'n briod.

(gan wenu)

Doeddan ni ddim wedi bwriadu priodi mor handi, and roedd Gwyn yn gorfod mynd i Afghanistan ddiwedd y flwyddyn, ac roedd o isio i'r briodas ddigwydd cyn hynny. Rhag ofn i rwbath ddigwydd iddo fo.

Ond ar y diwrnod mawr, doedd yr un o'r ddau ohonan ni'n meddwl am betha fel 'na. Roedd y rhyfel yn teimlo'n bell i ffwrdd ym mhen draw'r byd. Roedd pawb mor hapus, pawb ar ben eu digon, a neb yn fwy na mi.

(edrych i lawr ar ei dwylo sy'n plethu a dadblethu'n ddi-baid ar y bwrdd)

Ac wedyn dyma fo'n mynd. Mynd a 'ngadael i'n fan 'ma.

(edrych i fyny o'i dwylo, ac yn syth o'i blaen)

A dyma lle ydw i. Yn dal i ddisgwyl, disgwyl i Gwyn ddod adra er, erbyn hyn, dw i'n gwybod na ddaw o ddim.

(gan ysgwyd el phen)

Wel, mae o wedi cyrraedd ... ond ddaw o byth adra ata i, ddaw o byth drwy'r drws 'na eto.

Dw i ofn meddwl be ddaw ohona i ...

(gan edrych lawr ar ei bol, a rhoi llaw arno)

be ddaw o'r ddau ohonan ni ...

Ches i ddim hyd yn oed gyfla i ddeud wrth Gwyn ei fod o'n mynd i fod yn dad.

*   *   *

III

(Dynes ganol oed yn gweithio mewn siop, ond mae'r siop yn wag)

Dydi diwrnodau erioed wedi teimlo mor hir, a dydi amser erioed wedi pasio mor araf. Ond dim ond wsos arall sydd yna, dim ond wsos ac mi fydd Dafydd adref, o'r diwedd.

Ond dydw i ddim yn gallu meddwl am hynny eto, dydi hi ddim yn saff meddwl am hynny eto. Mae pethau erchyll yn gallu digwydd mewn wsos. Mae pob dim yn gallu newid mewn wsos.

Na, dydw i ddim yn mynd i feddwl am Dafydd yn cyrraedd adref mewn un darn tan dw i'n ei weld o. Tan dw i'n clywed ei lais o, cael rhoi fy mreichiau'n dynn amdano fo.

Dydw i ddim yn mynd i feddwl sut stad fydd arno fo pan ddaw o adra, ar ôl y petha fydd o wedi eu gweld ...

(gan ysgwyd ei phen)

dydw i ddim isio meddwl am beth sydd wedi digwydd i'r hogyn annwyl gafodd ei yrru i Afghanistan. Be sydd wedi digwydd i fy hogyn bach i.

(syllu am rai eiliadau yn syth o'i blaen)

Ro'n i'n poeni amdano fo gymaint yn yr wsnosa cyntaf; poeni bod 'na rwbath am ddigwydd iddo fo, poeni nad oedd o am ddod adref, poeni 'mod i wedi ei weld am y tro olaf. Yng nghanol y nos ro'n i'n deffro mewn chwys oer, a 'ngheg i'n sych, wedi gweld y pethau mwyaf ofnadwy yn fy hunllefau.

Ond yn araf bach nath y hunllefau ddiflannu, a nes i ddechra dod i arfer efo'r bywyd rhyfedd oedd gen i. Dod i arfer efo ofni pob galwad ffôn, ofni pob cnoc ar y drws. Doedd gen i ddim dewis ond dod i arfer efo'r ofn, neu fyswn i ddim wedi gallu byw drwy'r misoedd diwetha 'ma.

Mae pethau wedi bod yn anodd uffernol weithiau, a'r newyddion yn llawn o storïau am yr hogia' sydd ddim yn dod adra, yr hogia druan sydd byth am ... am weld eu teuluoedd eto.

Bob tro mae 'na stori ar y newyddion am filwr wedi ei ladd yn Afghanistan, dw i'n gallu teimlo fy nghalon yn curo yn fy nghlustiau, a minnau'n dechra crynu. Dw i'n gweld Dafydd yn gorwedd yn farw o flaen fy llygaid. Gweld fy mywyd yn dymchwel. Ac wedyn pan mae nhw'n enwi'r dyn druan sydd wedi marw dw i'n teimlo rhyddhad. Rhyddhad nad Dafydd ydi o, ddim tro yma, beth bynnag. Bob tro mae mab rhywun arall wedi marw, dw i'n teimlo'n falch mewn rhyw ffordd ryfadd, balch na dim fy mab i ydi o.

Ond rŵan dw i wedi gorfod stopio gwylio'r newyddion oherwydd bod clywed am gymaint o'r hogia'n dychwelyd yn farw wedi gneud disgwyl i gyfnod Dafydd yno ddod i ben yn annioddefol.

210

(gan ysgwyd ei phen)

Y peth anoddaf ydi na fedra i ddim gneud unrhyw beth i'w helpu fo, i'w gadw fo'n saff. Am y tro cyntaf dw i ddim yn gallu gwneud unrhywbeth, dw i'n hollol fethiant.

Does 'na ddim dw i'n gallu ei neud, dim ond disgwyl.

Disgwyl ...

A gobeithio ...

Gobeithio bod Dafydd ymysg y rhai lwcus.

Ymysg y rhai sy'n dychwelyd.

Lili'r Wyddfa

Cystadleuaeth ffilm: Creu ffilm fer hyd at ddeng munud o hyd

BEIRNIADAETH MARC EVANS

Ystrydeb erbyn hyn yw dweud mai diwylliant geiriol sydd gennym ni'r Cymry yn hytrach nag un gweledol. Ond sut y gall hynny fod yn wir? Am wn i nad oes mwy o bobl gyffredin yn berchen camera fideo y dyddiau hyn nag sy'n medru cynganeddu!

Dau'n unig a roddodd gynnig ar greu ffilm fer, sef *Y Dawnswyr* gydag 'Atgofion Dan Jones' a *Tonnau* a gyflwynodd 'Hen Bryd ...' . Roeddwn yn hynod siomedig nad oedd yr un o'r ddwy ymgais yn cyrraedd y safon dechnegol y byddid wedi ei disgwyl mewn cystadleuaeth fel hon. Gwaetha'r modd, o ystyried mai rhywbeth gweddol syml yn y bôn ydi techneg ffilm, mae'n rhaid dweud nad oedd yr un o'r ddwy ffilm a dderbyniwyd yn dangos unrhyw wreiddioldeb nac ychwaith y fflach honno o ddychymyg a all achub ffilm weddol gyffredin rhag bod yn gwbl ddiflas.

Mae'n ofid gennyf orfod dweud mai sâl iawn oedd y cynnyrch a gafwyd ac nad yw'r un o'r ddau a gystadlodd yn deilwng o'u gwobrwyo yn y gystadleuaeth hon.

ADRAN DYSGWYR

CYFANSODDI I DDYSGWYR

Cystadleuaeth y Gadair

Cerdd: Adfywiad. Lefel: Agored

BEIRNIADAETH TUDUR DYLAN JONES

Diolch i'r 21 a ddaeth i'r gystadleuaeth. Mae wedi bod yn bleser darllen y gwaith i gyd. Dyma sylwadau ar bob un, heb fod mewn trefn arbennig.

Ji-binc: Cerdd o gyferbyniadau. Mae'n cyferbynnu'r gaeaf oer a'r gwanwyn cynnes. Hoffais y darlun sy'n cael ei greu o'r 'gwynt fel sibrwd' yn fawr iawn. Mae'n gerdd syml sy'n llwyddo i drosglwyddo'r neges o obaith yn glir. Mae'n apelio at y synhwyrau ac yn ein hannog i'w defnyddio, 'Clywch ...' a 'Gwelwch ...'

Remitron: Mae llais gwreiddiol gan y cystadleuydd hwn. Mae'r gerdd yn agor yn stacato, gan roi gair neu ddau yn unig ym mhob llinell. Mae'n arddull uniongyrchol: 'Anadlu/ bywyd/ newydd/ i'r hen'. Yn ail hanner y gerdd, mae'r llinellau'n ymestyn, a chawn gyfres o ddarluniau o fywyd newydd. Mae'r syniad o'r aderyn yn cyffwrdd ei adenydd 'â phennau tyrau tal', y rhai sydd â 'sylfeini solet', yn apelio'n fawr.

Ar sail stori: Fel mae'r ffugenw'n ei awgrymu, mae'r bardd hwn yn ymateb i waith llenor arall. *Llygad y Ddraig* gan Dyfed Glyn sydd dan sylw, a theimlaf y byddai angen i'r darllenydd fod yn gyfarwydd â'r gwaith gwreiddiol i wir werthfawrogi'r gerdd. Mae yma ymadroddi cadarn, fel 'gweld anialwch lle bu nerth a grym', ond efallai y gallai'r bardd fod wedi dweud ei neges yn fwy cynnil drwy ddefnyddio llai o eiriau mewn rhai llinellau.

Bedo: Cerdd yn benodol i'r adfywiad yng Nglyn Ebwy. Mae'n gerdd obeithiol ac mae'n dechrau'n gadarn o ran crefft. Mae'r pennill cyntaf yn gywir o ran mydryddu ac odli. Mae angen edrych eto ar batrwm yr odli ym mhennill 3 a 4. Hoffais y cyferbyniad rhwng tywyllwch y gorffennol a gobaith y dyfodol.

Ceri: Soniodd am dŷ wedi cael ei adnewyddu. Mae'r ymadroddi'n syml a dealladwy ar y darlleniad cyntaf ac mae'r arddull hamddenol yn eich denu at y gerdd. Egyr gyda darlun o'r bwthyn yn adfail, ond mae teulu ifanc wedi rhoi bywyd newydd i'r hen furiau. Cryfder y gerdd yw y gallai fod yn drosiad am ein sefyllfa ni fel cenedl.

Gwenhwyfar: Eir â ni i Faes Gwenllïan, ger Cydweli. Mae'n dechrau'n hudolus: 'Fi yw niwl y bore cynnar ...' Mae pob llinell yn dechrau gyda'r geiriau 'Fi yw ...' a thrwy gyfrwng y gyfres hon o drosiadau, cawn ddarlun cynnil o'r ardal ac o'r frwydr: 'Fi yw tawelwch marwolaeth'. Awn o'r gorffennol i'r presennol, a gwelwn y lle fel y mae heddiw, yn llawn atgofion. Mae hon yn gerdd hudol, ac yn agos iawn i'r brig.

Tybed: Mae ganddo syniad tebyg i *Ceri*, sef tŷ'n cael ei adnewyddu. Y tro hwn, fodd bynnag, y bardd ei hun sy'n adnewyddu'r tŷ. Sonia ei fod wedi bod i 'bedwar ban y byd' ond wedi dychwelyd gan ailgodi cartref ei gyndeidiau 'yn aelwyd i fy mhlant'. Mae yma adleisiau o'r gerdd 'Hon' gan T. H. Parry-Williams, a dywed y bardd ei fod wedi clywed llais Cymru'n ei alw 'fel taran yn fy nghlust'.

Telor y Berllan: Colli ac ailddarganfod cymar sydd gan y cystadleuydd hwn. Mae rhai mân wallau cystrawen a threiglo yma ac acw ond does dim amheuaeth am y teimlad sy'n cael ei greu yn y gerdd. Mae yma linellau cofiadwy: 'Trodd hindda'n ddrycin, aeth heulwen yn law'. Mae'r gerdd yn gorffen yn obeithiol, gan sôn fod y bardd am 'gofleidio'r dyfodol'.

Glanffrwd: Mae'n mynd â ni i fyd y gerdd ddeialog. Dau lais sydd yma, un llais yn fwy telynegol a'r llais arall yn fwy ffeithiol. Cawn ddarlun eang o'r cwm sy'n gartref i'r Eisteddfod eleni. Mae rhai mân wallau hwnt ac yma yn y gwaith a byddai'r gerdd yn gryfach dwy beidio â defnyddio geiriau fel 'dichonoldeb' ac 'ailenynnu'. Ond yr hyn sy'n aros yw'r gwahanol ddarluniau diwydiannol a chefn gwlad a gawn, a'r rhain yn cyferbynnu'n effeithiol gyda'i gilydd.

Saffrwn: Cerdd fer iawn o dri phennill, gyda'r cyntaf yn rhoi darlun i ni o'r gaeaf, yr ail yn rhoi darlun o'r Gwanwyn, a'r trydydd yn priodoli hynny i sefyllfa'r iaith Gymraeg. Mae'r gobaith a ddangosir ar y diwedd yn ein hatgoffa o bennill olaf 'Colli Iaith' gan Harri Webb.

Glas y Dorlan: Llwyddodd i greu cyfres o ddarluniau cyferbyniol rhwng plant yn chwarae ar y mynydd a'r holl atgofion am y gorffennol diwydiannol o dan eu traed. Mae ar ei orau pan fo'n canu'n delynegol. Mae tueddiad i droi at gyflwyno gwybodaeth mewn rhai mannau. Yn hyn o beth, teimlaf fod rhan gynta'r gerdd yn fwy llwyddiannus pan fo'r bardd yn llwyddo i greu llinellau hyfryd fel 'lleisiau'n sibrwd ar yr awel'.

Chwibanogl y Mynydd: Cerdd brôs sy'n agor gyda chyfeiriad at drioedd y Mabinogi ac yna'n holi pa dri pheth sy'n ein hadfywio ni heddiw. Te yw'r cyntaf, bath yw'r ail, a 'gair annisgwyl a charedig yw'r trydydd'. Efallai y gellid bod wedi tynhau'r mynegiant yma ac acw. Mae hon yn gerdd gwbl wreiddiol ac mae'n braf gweld y cyfuniad diddorol hwn yn cael y driniaeth hon gan y bardd. Mae'n anodd anghytuno!

Malwoden: Cerdd uchelgeisiol iawn. Cyfeirir at y ffaith fod yna ysfa 'i ddeall trefn y cosmos' yng nghalon pob dyn. Cafwyd ymgais dda i ddarlunio dwy wedd ar yr awydd dynol, sef cael adfywiad trwy gyfrwng crefydd a thrwy gyfrwng gwyddoniaeth. Mae yma linellau sy'n canu: 'adfer ffydd yn ystod nos yr enaid', a chyfeiria at yr alwad 'sy'n tynnu'r wennol at y bondo'. Mae'r darlun clo o'r 'blodyn coch drwy'r rwbel' yn gofiadwy a thrawiadol.

Cynddylan: Ceir agoriad addawol iawn: 'O ddyfnderoedd fel hynny / caiff beirdd eu geni'. Thema'r gerdd yw bod gobaith mewn rhyw fan gwyn man draw. Mae'n anodd dilyn ei drywydd o hyd ond, wedi dweud hynny, mae yma greu darluniau trawiadol ac mae'r diweddglo'n cydio'n daclus gyda'r agoriad: 'a chana gerdd!'

Swyn y Sw: Trosiad yw'r gerdd hon am ein sefyllfa ni yng Nghymru. Darlunio'r rhododendron 'yn ffaglu'n llachar dros yr erwau llwyd' a wna. Cerdd fer yw hon ond mae'n un sy'n awgrymu llawer. Ceir ymadroddi cadarn a diwastraff yma: 'cymylau'n crïo eu dagrau parhaol'. Mae yma ymgais dda at gynildeb yn y dweud.

B. y B: Cerdd sy'n anesmwytho yw'r gerdd hon. Angladd gŵr sydd yma, a hwnnw wedi rhoi amser anodd i'w wraig yn ystod ei fywyd. Yn yr angladd, mae'r bardd yn codi cwestiynau mewn ymateb i'r geiriau angladdol arferol: 'Dyro iddo orffwys' a 'pridd i'r pridd'. Ymateb y wraig a gawn, ac ymateb anarferol mewn angladd. Cawn fanylu ar rai o ffaeleddau'r gŵr 'ac arogl wisgi / yn nesáu yn y nos'. Cawn ddarlun o'r dail yn dawnsio ar y bedd, gan godi awydd ar y wraig i wneud yr un peth. Cerdd bwerus ac anarferol.

Fy mrawd: Ganddo ef y cawsom unig gerdd gaeth y gystadleuaeth. Cywydd sydd yma, wedi'i gynganeddu'n raenus ar y cyfan. Mae angen edrych eto ar fân reolau, ond mae'r bardd hwn o fewn trwch blewyn i feistroli'r gynghanedd. Mae hon yn gerdd bwerus, yn lleisio barn yn erbyn militariaeth ein cyfnod ni, ac o blaid heddwch. Cawn glywed am yr ymgyrchu sy'n digwydd, a chawn anogaeth i fod yn fwy taer dros heddychiaeth. Mae'n gorffen gyda llinell fendigedig: 'Mae Cymru'n haeddu heddwch'.

Crysalis: Cyfeiria at daith bywyd 'fel dringo mynydd'. Awgrymir bod y person wedi goresgyn rhwystrau yn ei fywyd i gyrraedd y man lle mae'n gweld 'ysblander natur', a lle mae'i 'enaid yn blodeuo'. Mae rhai mân frychau treiglo yma ond, wedi dweud hynny, mae'r darluniau'n glir a chofiadwy. Ceir diweddglo hyfryd, a gobaith am y dyfodol.

Tansi Gwyllt: Merch wedi cael triniaeth gosmetig neu blastig a gawn y tro hwn. Mae'n creu darluniau diddorol o'r ferch yn holi'r drych 'pwy yw'r pertaf?' Nid yw'r drych yn ateb ond cawn ddarlun o'r ferch a'i gwallt yn gleinio'n aur, a'i chorff yn siapus. Serch hynny, er yr olwg allanol, ceir neges ar y diwedd sy'n mynegi ei bod hi 'mor hen ag yr oedd hi o'r blaen'. Mae newydd-deb yn y gerdd hon. Efallai mai 'clawr newydd' yn hytrach na 'clawdd newydd' sydd ei angen yn y pennill olaf.

Brain Coesgoch: Mae'n adleisio dilema cadwraethwyr ar hyd y blynyddoedd. I ba raddau y dylid ceisio rhoi pethau'n ôl fel yr oedden nhw, neu adael iddyn nhw fod fel y maen nhw rŵan. Hen adeiladau'r gweithfeydd sy'n staen ar y tirlun yn y pennill cyntaf ond erbyn yr ail bennill, gwelwn eu bod wedi dod yn lloches i adar prin. Mae'r gerdd yn gweithio'n dda yn y cyferbyniad sydd rhwng y ddau bennill.

Marged: 'Mae 'na bobl sy'n bodoli yn fy nghof.' Dyma sut yr egyr y gerdd hon. Mae'n manylu ar un ohonyn nhw, sef ei modryb, ac yn arbennig, ei harferiad o 'gribo ei gwallt hir du'. Mae'r stori serch yn rhy gymhleth i blentyn ei deall ond mae'n sylwi ar y dagrau yn llygaid ei modryb. Cryfder y gerdd hon yw ei chynildeb. Nid yw'n manylu ar y tristwch; yn hytrach, mae'n edrych yn ôl mewn amser ac yn 'troi'n ifanc a diniwed/ unwaith eto'. Mae haenau o ystyron i'r gerdd hon ac mae ei symlrwydd ymddangosiadol yn datgelu ar bob darlleniad. Mae *Marged* yn llwyr deilyngu'r Gadair.

Y Gerdd

ADFYWIAD

Mae 'na bobl sy'n bodoli yn fy nghof,
y bobl a fu o fyd fy mhlentyndod
fel Anti Sis
yn cribo ei gwallt hir, du,
a finnau, merch fach wyneb crwn,
yn sefyll wrth ei hochr hi
yn syllu arni yn y drych.

Clywaf o hyd y stori serch, a thrist.
Meddai hi, 'Roedd Huw'n hoffi edrych arna' i
tra o'n i'n g'neud hyn'.
Edrychai ar ei hwyneb efo gwên
ond â llygaid llawn dagrau,
a fi, mor ifanc, yn ffaelu deall dim,
ond yn cofio o hyd.

Rwy'n hen rŵan
ond weithiau wrth edrych yn y drych
gwelaf eto'r ferch fach a fûm,
ac mae drama fer yn cael
ei hailadrodd yn y ffrâm.
Deallaf y mynegiant erbyn hyn
ond am eiliad
rwy'n troi'n ifanc a diniwed
unwaith eto.

Marged

Cystadleuaeth y Tlws Rhyddiaith

Darn o ryddiaith, hyd at 500 o eiriau: Joio

BEIRNIADAETH EMYR DAVIES

Bu hon yn gystadleuaeth dda iawn a daeth 21 o gynigion i law. Cafodd nifer o'r awduron hwyl yn trafod cywirdeb ac addasrwydd y gair 'joio'. O leiaf roedd y testun yn rhoi cyfle i'r cystadleuwyr ysgrifennu am unrhyw beth, unrhyw brofiad a oedd wedi rhoi mwynhad iddyn nhw. Aeth nifer ar ôl y mwynhad a gafwyd wrth ddysgu Cymraeg; soniodd rhai am wyliau cofiadwy, gemau rygbi cyffrous, a rhai am y pleser yr oedd byd natur yn ei roi iddyn nhw.

O ran cywirdeb, roedd y darnau'n amrywio o fod yn gwbl berffaith i rai a oedd ymhell o fod yn berffaith. Un nodwedd gyffredinol oedd camddefnyddio'r geiriadur, gan gyfieithu'n amlwg o'r Saesneg, e.e. 'Beth hwyl oedd e ...' ('What fun it was'), 'O ni cyffrous iawn ...' ('I was very excited'). Y camgymeriad mwyaf cyffredin o ddigon oedd rhoi'r fannod o flaen ymadrodd enwol dibynnol, e.e. 'yr ysbryd cystadleuol Cowes neu Wimbledon ...', 'troiais i i'r tudalennau fy ngeiriadur ...', 'dyna'r cefn gwlad ar ei orau'. Gwelwyd ambell enghraifft o droi berfenw'n enw, eto gan efelychu'r Saesneg, e.e. 'ar wahân i sibrydiad mwyn yr adar ...' (yn lle 'sibrwd'), 'dosbarthiadau darluniaeth' (yn lle 'darlunio'). Mae'r cam rhwng Cymraeg llafar ysgrifenedig a Chymraeg ffurfiol yn fawr, yn enwedig wrth geisio defnyddio ffurfiau cryno'r ferf, e.e. 'y cennin ... a gydio ar lan y nant ...' (yn lle 'a gydiai'). Wedi dweud hynny, mae llawer o'r cynigion yn hynod o gywir.

Nid cywirdeb oedd yr unig faen prawf a ddefnyddiwyd wrth ddewis y goreuon. Ro'n i'n chwilio hefyd am awdur a oedd yn gallu adeiladu'r darn, am rywfaint o wreiddioldeb neu hiwmor (peth prin ar y cyfan) neu rywfaint o ddychymyg. Roedd y darnau gwannaf yn tueddu i fod yn hunangofiannol, ac yn troi yn yr unfan heb ddweud llawer i ddiddori'r darllenydd. Hynny, neu fod y darnau'n frith o farciau'r pensil cywiro. Wrth ddarllen rhai darnau, byddai'n hawdd meddwl bod yr awduron wedi llyncu geiriadur ac yn ceisio defnyddio'r geiriau mwyaf anghyffredin bosib er mwyn gwneud argraff, e.e. mae un yn disgrifio '... cael fy sythu gan y gwynt main gyda fy nghrombil mewn clwm tyn a'm brecwast yn fy llwnc'. Nid cywirdeb gramadegol mo'r broblem ond defnyddio'r eirfa a'r cyfleoliadau mwyaf naturiol i'r Gymraeg. Yr unig ffordd o feithrin hynny yw darllen. Sbardun effeithiol i wella hefyd, wrth gwrs, yw sefyll un o arholiadau Cymraeg i Oedolion.

Dyma'r cynigion sy'n mynd i'r ail ddosbarth y tro hwn, heb fod mewn trefn benodol: *Gwendolyn, Y Cerfiwr, Y Wiwer Goch, Glanffrwd, Daliwr, Mab y Bannau, Y Petrisen, Y Bedyddiwr, Gwylan Fach, Ruby Evans, Saffrwn, Tylluan Wen, Hainan, Pocahontas, Catherine Smith, Fy mrawd.* Mae llawer i'w ganmol yn y dosbarth hwn, yn fwyaf arbennig diffuantrwydd yr ysgrifau a gyflwynwyd.

Mae pum cynnig yn y dosbarth cyntaf: *Dee, Ail Ferch, Cassandra, Doed a Ddelo,* a *Cath Wyllt.* Dyma'r rhai a oedd yn dangos fflach o wreiddioldeb neu hiwmor, yn gallu saernïo darn yn dda ac yn brin o wallau. Mae disgrifiadau natur *Ail Ferch* yn drawiadol; disgrifia'r golygfeydd yn newid wrth iddi ddringo'r bryn 'fel dadlapio anrheg'. Ceir gormod o flas y geiriadur ar ysgrif *Doed a Ddelo* ond mae'n amlwg ei fod yn mwynhau byd natur cymaint â byd geiriau. Llwydda *Dee* i gadw'r gyfrinach tan y diwedd, mai fampir sy'n siarad, a hynny'n esbonio'r pleserau gwaedlyd y mae hi'n sôn amdanyn nhw. Ond rhwng *Cassandra* a *Cath Wyllt* y mae'r wobr gyntaf. Cafwyd rhyw fath o ddeialog fewnol gan *Cassandra*, yn gwneud hwyl am ben y testun, mewn ffordd grafog a deallus. Stori fer gynnil a chywir a gafwyd gan *Cath Wyllt* ac, ar ôl pendilio rhwng y ddau, *Cath Wyllt* sy'n mynd â'r wobr gyntaf, gyda chanmoliaeth i *Cassandra* a *Dee*, a diolch i bawb am gystadlu.

Y Darn Rhyddiaith

JOIO

Roedd Dydd Gwener diwetha yn ddiwrnod braf o wanwyn. Felly allwn i ddim godde meddwl am fynd i'r archfarchnad yn y dref, ond roedd hi'n well gen i fynd i farchnad y ffermwyr dros y mynydd.

Doeddwn i ddim wedi bod mewn marchnad ffermwyr ers tro, ac roeddwn i wedi llwyr anghofio pethau mor gyffrous ydyn nhw. Dw i wrth fy modd yn gwylio wynebau'r ffermwyr a'u gwragedd. Wynebau pobl sy'n byw bywyd llawn ydyn nhw – pobl sy'n joio bywyd, er gwaetha ymdrechion biwrocratiaeth i sbwylio popeth. Nhw ydy halen y ddaear, y bobl arbennig hynny sy'n llafurio'r ddaear. 'A heuo faes, gwyn ei fyd'.

Ar un stondin, gwelais ychydig o wyau bychain. Gofynnais i'r stondinwr pa aderyn oedd wedi dodwy wyau mor fach. 'Wyau cywennod ydyn nhw', atebodd y stondinwr. Mae'n rhaid 'mod i wedi edrych yn ddryslyd ac mi ychwanegodd o, 'Cyw iâr dan flwydd oed ydy cywen. Mae'r wyau'n arbennig o flasus!'

Wel, ar ôl hynny roedd rhaid i mi brynu rhai, wrth gwrs, a rhoddais y bocs yn ofalus yn fy mag. Crwydrais o gwmpas y stondinau eraill, gan brynu hyn a'r llall. Ac yna, tuag adref.

Roedd hi'n dal yn braf pan gyrhaeddais i'r tŷ, felly es i allan i'r ardd i weld beth oedd yn tyfu. Dim llawer eto. Wrth i mi fynd yn ôl i'r tŷ, roeddwn i'n dyfeisio sut y gallwn i ddefnyddio'r wyau cywen. Omled, efallai, neu gacen?

Yn y gegin, daeth Taliesin ac Aneirin i fy nghroesawu. Nid hen feirdd Cymru ond cwrcathod ifainc, Taliesin yn wyn ac Aneirin yn ddu. Roedden nhw'n canu grwndi'n uchel ond doedden nhw ddim eisiau bwyd, sy'n beth anarferol a rhyfedd, yn enwedig i Daliesin, sydd o hyd yn hel yn ei fol. Yn sydyn, sylwais ar rywbeth ar y llawr – darn o blisgyn ŵy.

'Gathod bach, be' dach chi wedi'i wneud?' sgrechiais. Gwaetha'r modd, roedd hi'n rhy amlwg beth roedden nhw wedi'i wneud. I ddechrau, roeddwn i'n gobeithio nad oedden nhw wedi bwyta dim ond un neu ddau o'r wyau ond na, doedd dim un ar ôl. Dyna siom! Roeddwn i'n teimlo fel crio ond bodlonais ar weiddi – doedd dim pwynt mewn gwneud dim arall.

Yn y cyfamser, roedd 'Y Beirdd' yn dal i ganu grwndi – roedden nhw wedi mwynhau'r wyau, ac awdl foliant i wyau cywennod oedd hon. Y cnafon bach! Ond fedra i ddim bod yn flin efo nhw yn hir. Felly, ar ôl i mi glirio'r llanast, es i'n ôl i'r ardd efo gwydraid o win gwyn a thafell o fara brith. Mi fedrwn i ddal i joio gweddill diwrnod braf o wanwyn, gan gofio'r profiadau da ac anghofio'r trychineb.

Ond nid dyna ddiwedd y stori. Gyda'r nos, roedd y cathod yn rhyfedd o swnllyd ac am fynd allan i'r ardd o hyd. Doedden nhw ddim yn canu grwndi bellach. Gormod o bwdin ... Nid awdl foliant bellach, ond galarnad. Mae gen i ofn nad oedd gen i fawr o gydymdeimlad efo nhw.

Cath Wyllt

Darn o ryddiaith. Tua 100 o eiriau. Testun: Fy Ardal i. Lefel: Mynediad

BEIRNIADAETH SHÂN MORGAN

Dim ond 11 darn a ddaeth i law ar gyfer y gystadleuaeth hon – trueni na fyddai mwy wedi mentro arni o gofio'r niferoedd sy'n dysgu Cymraeg ar y safon yma. Gan fod nifer o'r Canolfannau'n trefnu eisteddfodau dysgwyr yn ystod y flwyddyn, efallai y byddai'n syniad da i gynnwys rhai o ddewisiadau'r Eisteddfod Genedlaethol yn eu rhestr destunau gan obeithio y gallai hynny gynyddu nifer yr ymgeiswyr yn yr Eisteddfod Genedlaethol.

Er bod y nifer yn isel, roedd safon ieithyddol y darnau'n dderbyniol iawn ac ambell un yn uwch na safon Mynediad, a hoffwn longyfarch pob ymgeisydd am gystadlu. Fel y byddai rhywun wedi'i ddisgwyl gyda'r testun hwn, roedd mwyafrif y cystadleuwyr wedi rhestru'r hyn sydd yn eu hardaloedd, rhai wedi cynnwys cysylltiadau hanesyddol, eraill yn sôn am enwogion sy'n gysylltiedig â'u hardal ac un wedi'i symbylu gan y gerdd 'Milgi Milgi'. Roedd un darn wedi creu darlun byw iawn gyda disgrifiadau hyfryd o gymeriadau a byd natur yr ardal.

Dyma'n fras ychydig o sylwadau ar y cystadleuwyr:

Yr Eirlys: Mewn Cymraeg da iawn, mae hi'n sôn am ardal Cendl, pentref sy'n agos iawn at faes yr Eisteddfod eleni. Cawn yma restr o nodweddion y pentref a thref Glyn Ebwy yn ogystal â'r cyfleusterau hamdden sydd yn yr ardal. Mae naws bersonol i'r darn hefyd – rŷch chi'n teimlo bod *Yr Eirlys* yn manteisio ar y cyfleusterau sydd o'i chwmpas ac yn gwerthfawrogi'r cyfan.

Y Crempog Flio: Disgrifiad sydd yma o dref Rhuthun – y siopau, y Ganolfan Grefftau a'r Hen Garchar – a cheir sôn am gysylltiad hanesyddol y dref gydag Owain Glyndŵr. Mae'r cystadleuydd hwn wedi ysgrifennu'r darn yn ddwyieithog.

Inc Du: Daw'r cystadleuydd yn wreiddiol o Ffrainc ac mae wedi dysgu sawl iaith dramor – saith i gyd – ac mae'n dweud mai ieithoedd yw 'Fy Ardal i'. Gwaetha'r modd, do'n i ddim yn gweld y cysylltiad amlwg rhwng 'ieithoedd' a 'Fy Ardal i'.

Chwaer Ddewi: Mae'n sôn am y rhaniad sydd yn Sir Benfro gyda'r 'lein Landsker' sy'n rhannu gogledd a de'r Sir ac mae'n breuddwydio am uno'r ddwy ran.

Y Sgwarnog: Mae dylanwad y gerdd 'Milgi Milgi' yma. Mae'n sôn am effaith cau'r swyddfa bost, y dafarn a'r capel ar y pentref ond mae'n hyderu bod gobaith oherwydd bod y 'sgwarnogod bach yn dysgu Cymraeg yn ysgol y pentref'.

Enfys 1 ac *Enfys 2* – Mae'r ddau ddarn yma yn union yr un fath ar wahân i'r frawddeg olaf. Disgrifiad a geir yma o Blaenau, pentref bach ger Glyn Ebwy, a arferai fod yn lle diwydiannol ond sydd erbyn hyn yn wyrdd unwaith eto. Mae *Enfys* yn gobeithio y bydd yr Eisteddfod eleni yn denu llawer o bobl i'r ardal.

Gwas y Neidr: Mae'r cystadleuydd yn dysgu Cymraeg mewn tref ddiwydiannol yn Lloegr lle mae nifer o Gymry'n byw. Mae'n rhestru adnoddau'r dref yn ogystal â'i chysylltiadau diwylliannol.

Menyw Cefn: Cymru gyfan a geir yma – y traethau, yr ŵyn bach, y mynyddoedd – a phawb yn hoffi canu.

Dafydd ap Alwyn: Rŷn ni yn nhre Treforus yma gyda'i chapeli a'i siopau, ei chwaraewyr rygbi a'i chantorion, ac roeddwn i'n hoffi'n fawr y cyfeiriad at y ffaith fod y dre wedi cael ei henw ar ôl i Syr John Morris ddod â gwaith copr yno.

Rhosyn Coch: Mae'r darn yma'n disgrifio'r byd natur, y cymeriadau a'r diwylliant a geir yn yr ardal ac mae disgrifiadau swynol a chlyfar iawn ynddo: 'yr afon ystwyth yn rhuthro dan y bont' (ai cyfeirio y mae at afon Ystwyth ynteu'r ffaith fod yr afon yn symud yn ystwyth o dan y bont?); 'Bwncath yn mewian yn cylchu yn y gwynt'; 'Mochyn daear yn brwsio trwy'r rhedyn'. Mae yma ddarlun hyfryd o'r ardal a'i phobl ond, gwaetha'r modd, mae *Rhosyn Coch* wedi cyflwyno'r darn ar ffurf cerdd ac mae'r gystadleuaeth yn gofyn am ddarn o ryddiaith.

Hoffwn wobrwyo *Yr Eirlys* am ddarn cywir gyda darlun clir o'i hardal sydd, fel y nodais uchod, heb fod nepell o safle'r Eisteddfod Genedlaethol eleni.

Y Darn Rhyddiaith

FY ARDAL I

Dw i'n byw yng Nghendl. Mae'n bentre bach rhwng Glyn Ebwy a Brynmawr. Does dim llawer o siopau ond mae pedair tafarn, un eglwys, pedwar capel ac un theatr. Mae llawer o bobl enwog wedi perfformio yn y theatr. Mae coetir hyfryd gyda phyllau a theithiau cerdded neis. Mae gwirfoddolwyr yn ei gadw e'n daclus. Mae pobl yn mynd yno i bysgota, cerdded neu i eistedd a mwynhau'r olygfa.
Mae llawer o siopau yn nhref Glyn Ebwy a Chanolfan Hamdden. Rŷch chi'n gallu chwarae pob math o chwaraeon yno a hefyd nofio mewn pwll nofio mawr. Mae bar neis yno ac rŷch chi'n gallu cael bwyd hyfryd yna.

Dw i'n hapus iawn yn byw yn fy ardal i.

Yr Eirlys

Darn o ryddiaith, tua 150 o eiriau: Diwrnod Perffaith. Lefel: Sylfaen

BEIRNIADAETH ANGHARAD LEWIS

Derbyniwyd deunaw o ddarnau eleni a braf yw gweld cynifer yn cystadlu mewn cystadleuaeth fel hon. Roedd pob ymgais yn amrywiol o ran thema a chynnwys. Rhaid dweud fy mod i wedi mwynhau eu darllen ac mae safon y cynnyrch ysgrifenedig yn glod i'r dysgwyr ac i'r tiwtoriaid hynny a fu'n eu hyfforddi. Mae'n rhaid cofio mai am gyfnod byr y bu'r dysgwyr hyn wrthi'n dysgu ac, felly, ceir gwallau ieithyddol yn y mynegiant a chyfieithu o'r Saesneg i'r Gymraeg hwnt ac yma yn y darnau. Gosodwyd thema benagored i'r gystadleuaeth sef 'Diwrnod Perffaith'.

Mae'n debyg mai'r nodweddion a ddisgwylir mewn cystadleuaeth fel hon yw cywirdeb a defnydd ystwyth o iaith sy'n cyfateb i safon Sylfaen. Fodd bynnag, roeddwn i hefyd yn chwilio am ddarn a fyddai'n cyfleu o'r galon, ac yn effeithiol, wefr diwrnod perffaith.

Aed ati gan y mwyafrif i grynhoi profiadau personol fel priodas, dathliad teuluol, neu daith arbennig, gan ddisgrifio pam roedd y profiad hwnnw'n deilwng o'r label 'diwrnod perffaith'. Ar ôl darllen y darnau, didolais nhw fel a ganlyn:

Yn y trydydd dosbarth, rhoddais *Blodwen, Y Pethe Bychain, Ruby Evans* a *Jonesey*. Yn yr ail ddosbarth: *Seren Haf, Mwyaren Boeth, Peilot Bach, Merch Rhostyllen, Eirin Ysgawen, Brynhyfryd, Draenog, Y Cwch Gwenyn* a *Merch Evan*. Yn y dosbarth cyntaf, am eu bod yn dangos mwy o wreiddioldeb, gosodais y canlynol: *Helygen, Blodeuwedd, Cynan Garwyn, Gwenhwyfar, Osymandias*.

Fodd bynnag, y darn a wnaeth yr argraff fwya' arna i oedd gwaith *Cynan Garwyn*. Olrhain profiad un o drigolion Rwanda a gafodd ei olwg yn ôl ar ôl llawdriniaeth gan feddyg a wna'r darn. Ar sail ei wreiddioldeb, gwobrwyaf *Cynan Garwyn*.

Y Darn Rhyddiaith

Y DIWRNOD PERFFAITH

Deffrais i. Cyn i fi agor fy llygaid, ro'n i'n gallu clywed y glaw. Glaw trwm oedd e. Roedd hi'n boeth hefyd, yn boeth iawn. Do'n i ddim yn nerfus ddoe, ond dw i'n nerfus nawr. Arhosais i tua phum munud cyn i fi agor fy llygaid. O'r diwedd agorais i nhw.

Y peth cyntaf i fi weld oedd pry copyn mawr yn rhedeg ar draws y llawr, ar draws yr hen garped. Gwelais i ddŵr yn dod o dan y drws. Do'n i ddim wedi gweld dŵr yna ddoe.

Ro'n i'n gwybod bod problemau gyda fi, ond fy niwrnod perffaith oedd heddiw. Pam? Wel, ddoe daeth meddyg o'r Groes Goch i'n pentref ni, yma yn Rwanda. Gwnaeth e lawdriniaeth gataract ar fy llygaid. 'Yfory byddwch chi'n gallu gweld eto', dwedodd e. Heddiw agorais i fy llygaid. Ro'n i'n gallu gweld! Diwrnod perffaith!

Cynan Garwyn

Gwaith Grŵp. Casgliad o eitemau amrywiol i lenwi tudalen maint A4 ar gyfer papur bro. Lefel: Agored

---

BEIRNIADAETH ROBIN DAVIES

Roedd yn braf darllen pob un o'r pedwar cynnig a ddaeth i law ac roedd yn anodd iawn penderfynu rhyngddynt. Roedd pob un yn rhagori yn ei ffordd ei hun ond wrth geisio penderfynu, rhoddais ystyriaeth benodol i'r canlynol: (i) Y cyflwyniad – a oedd y darllenydd yn cael ei annog i barhau i ddarllen? (ii) amrywiaeth yr eitemau; (iii) a roddwyd pwyslais ar gyfleoedd i siarad Cymraeg a chyfrannu ar lefel y gymuned? (iv) safon yr adroddiadau.

Eliseg: Hwn oedd y cyflwyniad gorau. Cafwyd lluniau da, defnyddiwyd lliw'n effeithiol, ac roedd y cyflwyniad yn dda, gyda gofod rhwng y llinellau a theip nad oedd yn achosi fawr ddim straen ar y llygaid. Roedd y pynciau hefyd yn amrywiol a diddorol, gan gynnwys croesair, ac fe ddysgon ni rywfaint am hanes lleol (Castell Dinas Brân, er enghraifft, a'r Côr Meibion llwyddiannus iawn, Côr Froncysyllte). Roedd nifer o wallau sillafu syml yn amharu ar safon y cais a buasai'n dda cael gwybod ychydig mwy am y cyfleoedd i siarad Cymraeg yn lleol.

Lili Mags: Annog pobl ifanc i ddarllen ac agor siop lyfrau Cymraeg newydd oedd y thema. Yr hyn oedd yn galonogol ynghylch yr ymgeisydd hwn oedd y pwyslais ar fenter leol i sefydlu man lle gallai pobl gyfarfod a mwynhau siarad Cymraeg, megis siop lyfrau a chaffi gyda chyfleuster i ddefnyddio'r rhyngrwyd. Roedd y papur hefyd yn hysbysebu ffair sborion i godi arian i'r Cylch Meithrin. Nid oes unrhyw amheuaeth o gwbl nad yw ymateb i'r her o ehangu cyfleoedd i bobl o bob oed ddod at ei gilydd a siarad Cymraeg yn eu cymunedau lleol yn hollbwysig i ddyfodol yr iaith ac roedd yr ymgeisydd hwn yn rhagori yn hyn o beth. Roedd y cyflwyniad o safon dda, gan gynnwys defnyddio llawer o liw – gormod o bosibl.

Mewn Picl: Cyflwynwyd amrywiaeth dda o bynciau, gan gynnwys barddoniaeth ac adolygiad da iawn o'r ffilm 'Invictus' a oedd, mae'n amlwg, wedi'i ysgrifennu gydag argyhoeddiad a theimlad. Fe ddysgon ni rywfaint am gyrsiau Cymraeg lleol ond byddai rhywfaint o liw a ffotograffau wedi gwneud lles i'r cyflwyniad. Roedd y ffont a'r cywair a ddewiswyd yn amharu ychydig ar y profiad o ddarllen y gwaith.

Criw Popeth: Fe ddysgon ni lawer am yr hyn oedd yn digwydd yn y gymuned ac roedd gan yr ymgeisydd golofn 'Pobl Unig' ddifyr. Roedd y gosodiad hefyd wedi'i drefnu'n dda o ran gofod ac yn ddarllenadwy ond byddai ychydig mwy o liw a rhai addasiadau i'r fformadu wedi gwneud lles iddo. Gallasai'r adroddiadau fod ychydig bach yn fwy bachog.

Llongyfarchiadau i'r holl ymgeiswyr a lwyddodd i hysbysu a difyrru'r darllenydd; roedd yn amlwg eu bod yn deall pa mor bwysig yw papurau bro yn natblygiad y Gymraeg ar lefel y gymuned. Ond roedd dau gystadleuydd ar y blaen yn y gystadleuaeth hon, sef *Eliseg* a *Lili Mags*. Roedd *Eliseg* wedi gwneud ymdrech fawr i gyflwyno'r gwaith mewn ffordd a oedd yn ddeniadol ac yn hawdd ei ddarllen ond rhoddir y wobr i *Lili Mags* am ddiwyg cyffredinol ei waith, a oedd yn dda, ac am gydnabod bod cefnogi a hyrwyddo menter gymunedol newydd yn swyddogaeth hanfodol i unrhyw bapur bro ac yn hollbwysig i ddyfodol y Gymraeg.

Blog gan unigolyn yn cynnwys o leiaf dri mewnbwn, heb fod dros 300 gair yr un: Lefel Agored

---

BEIRNIADAETH RHYS WYNNE

Ni chafwyd ond tri chynnig a dau ohonynt gan yr un person. Efallai mai dryswch ynglŷn â theitl y gystadleuaeth sy'n gyfrifol am y nifer isel yma oherwydd beth yw blog ond cyfnodolyn ar-lein (daw'r enw o'r Saesneg, *web log*) ac nid darn o ysgrifen ar bapur. Cyflwynwyd y tri darn o waith ar ffurf dyddiadur, a'r tri'n ymwneud â theithiau y bu'r awdur arnynt.

Collen Fach (Portmeirion): Roedd 'Gwibdaith i Bortmeirion' yn adrodd hanes gwibdaith o Sir Benfro i Bortmeirion a gafodd ei threfnu gan y Fenter Iaith leol. Mwynheais ddarllen am y daith gan fod y darn yn llawn disgrifiadau manwl ac yn fy atgoffa o wibdeithiau tebyg rwyf innau wedi bod arnynt. Gwaetha'r modd, roedd nifer o wallau sillafu a chamdeipio, rhywbeth sy'n hawdd i'w hosgoi drwy ddefnyddio gwirydd sillafu. Roedd un neu ddwy o briod-ddulliau Saesneg wedi eu trosi'n anghywir – 'ar gyrhaeddiad' yn hytrach na 'wedi cyrraedd', a hefyd 'o'r cwrs' yn lle 'wrth gwrs', ond fe ddaw hyn gydag ymarfer.

Fy mrawd: Dyma hanes *Fy mrawd* wrth iddo ymweld â dinas Belfast am dridiau. Nid ydym yn cael gwybod beth yn union yw diben yr ymweliad ond, o ddarllen rhwng y llinellau, dw i'n dyfalu mai cerddor yw *Fy mrawd*. Dros dri chofnod, un ar gyfer pob diwrnod o'r ymweliad, cawn ein cyflwyno i sawl rhan o ddinas Belfast ac i ambell gymeriad y mae *Fy mrawd* yn cwrdd â nhw – sawl un yn adnabyddus ac yn gysylltiedig â'r Trafferthion mewn un ffordd neu'r llall. Ychydig iawn o wallau sydd ac, unwaith eto, byddai gwirydd sillafu wedi nodi mai 'Dulyn' yw'r sillafiad cywir ac nid 'Dulun'. Byddai'n ddiddorol gweld cofnod blog ar gyfer y daith hon, gan y byddai modd wedyn rhoi dolen at wefannau eraill i roi mwy o gefndir (e.e. nid esboniwyd mai gŵyl gerddorol yw Féile ân Earraigh).

Collen Fach: 'Ysgol Pasg – Amser Arbennig'. Dyma ail gais *Collen Fach*, lle cawn hanes yr awdur yn mynd i Ysgol Undydd yn y coleg lleol. Mae'n pwysleisio pwysigrwydd cymryd mantais o bob cyfle i ymarfer siarad Cymraeg ac adolygu beth a ddysgwyd yn ystod gwersi arferol. Cawn wybod pa fath o ymarferion sy'n cael eu gwneud ar gwrs penwythnos, a hefyd pwy arall o ddosbarth *Collen Fach* sy'n manteisio ar y gwersi ychwanegol hyn (neb y tro hwn, er bod digon o ddysgwyr eraill yno.) Unwaith eto, mae ambell enghraifft o gamdeipio a chamsillafu yn y darn hwn.

Dw i am roi'r wobr gyntaf i *Fy mrawd*. Nid yn unig am safon uchel a chywirdeb y Gymraeg ond hefyd gan fod gan *Fy mrawd* yn gallu adrodd stori mewn ffordd mor ddarllenadwy. Diolch i'r ddau ymgeisydd.

Y Blog

5ed Chwefror
Codais yn gynnar a gyrrais i lawr i'r pentref nesaf, i ddal bws i'r dref; i ddal trên, i ddal trên arall i ddal trên arall, wedyn bws i Faes Awyr John Lennon. Lle bach a chyfeillgar; dywedodd pawb *'Hello mate; all right?'* Does neb yn dweud hynny yn Newark, neu O'Hare, neu Fanceinion.

Cyrhaeddais Faes Awyr George Best, bron yng nghanol Belfast. Cyfarfuwyd fi gan Danny Morrison, awdur, newyddiadurwr a chadeirydd Féile an Earraigh. Sylwodd 'mod i'n gloff, ac awgrymodd y dylwn gael pen-glin newydd; mae ganddo ddau, ar ôl rhedeg o gwmpas buarth ymarfer y Maze am flynyddoedd.

Siaradais ar Radio Ulster yn y prynhawn, wedyn ces i goffi efo Danny. Benthycodd fy sbectol ddarllen, a ches i mohoni'n ôl.

Roedd o wedi addo dangos ei ddinas imi, felly daeth i'r gwesty tua wyth, ac aethon ni o gwmpas y tafarnau. Dyna ddinas Danny; mae o'n gymdeithasol, ac mae o'n gweithio'n galed i ddod â'r gymuned at ei gilydd. Cyfarfuasom wleidyddion o bob ochr, cyn aelodau eraill yr IRA. Gwelsom Patrick McGee, y 'Brighton bomber', prynu peint; gweision sifil, a ffrindiau eraill; teimlais fod pawb yn ffrind iddo. Teimlad od imi, gweld rhywun sy wedi lladd cymaint o bobl yn gymharol ddiweddar, prynu peint, yn ddisylw; ond dyna sut mae hi yna; dyna sut mae'n rhaid bod yna. Rhaid maddau, rhaid ailddechrau; mae pawb wrth eu boddau efo rhyddhad, efo heddwch; ac mae pawb yn gwybod bod yr heddwch 'na'n fregus.

6ed Chwefror
Ces frecwast yn y farchnad a thynnais luniau; roedd y neuadd yn llawn stondinau diddorol, ac roedd 'na fand ifanc yn chwarae. Mae'r ddinas i gyd yn fywiog iawn, ac maen nhw wedi defnyddio hen adeiladau'n dda iawn. Atgoffwyd fi o Gaerdydd.

Daeth brawd Danny i'r gwesty ar ôl cinio. Cafodd ei ryddhau fel rhan o Gytundeb Gwener y Groglith, fel cymaint o bobl eraill. Wn i ddim beth wnaeth o. Gwelsom y Wal Heddwch, rhwng y Falls a'r Shankill. Pan es i yna tua 1977, roedd y wal tua milltir neu ddwy o hyd. Mae 'na ddeunaw milltir rŵan. Mae'r gatiau'n agor bob bore ac yn cau ar diwedd bob prynhawn. Mae pawb yn ddiogel yng nghanol y dref – mae'n bosib mynd i dai bwyta eto, mae pobl ifanc yn cael cymysgu yn y clybiau a'r tafarnau ac ati – ond rhaid i'r Catholigion osgoi ardaloedd Protestannaidd, ac i'r gwrthwyneb. Mae'n od cael y fath reolau, ond dyna sut mae hi.

Mae'r wal yn llawn paentiadau – gwelais un yn cwyno am wal yn Israel – ac mae hi'n denu miloedd o dwristiaid; roeddwn yn un ohonynt. Cyfarfûm â Danny mewn tafarn (wrth gwrs) ar Ffordd Shankill, ac aethom i Ganolfan y West End, lle perfformiais efo Tom Mathews, dyn doniol iawn, cartwnydd o Ddulyn, a Duke Special (nid ei enw go iawn, dw i'n meddwl), canwr ifanc sy newydd ddechrau recordio dau CD newydd, un o ganeuon Kurt Weill heb ei recordio, ac un o ganeuon 'Mother Courage' gan Brecht; dyn diddorol.

7ed Chwefror
Neithiwr, euthum efo Danny a Tom am bryd a fwyd; ymunodd gwraig Danny, a newyddiadurwraig. Llofruddiwyd ei brawd yn greulon y llynedd, a dywedodd Danny ei bod hi'n dal i grio ac yn dal i or-yfed weithiau. Dywedodd ei bod hi wedi cyfarfod George W. Bush yn y Tŷ Gwyn, a'i bod wedi achosi iddo grio, wrth ofyn y cwestiynau cywir – dywedodd fod pawb arall yna wedi eu hosgoi nhw. Anfonodd George lun o'r digwyddiad, wedi'i lofnodi. Dydy ei phlant ddim yn caniatáu hongian y darlun unrhyw le yn y tŷ.

Trafodasom natur yr heddwch. Rhaid ei bod yn anodd maddau pethau mor anferth; cymaint o farwolaethau, canrifoedd o ragfarn a gorthrwm. Dyn styfnig ydw i; dw i ddim yn siŵr y gallwn i faddau. Dywedodd hi nad ydy hi'n bosib maddau weithiau; ond rhaid bod yn dawel; rhaid meddwl am ddyfodol heddychlon a derbyn bod y gorffennol – pa bynnag mor annheg, pa bynnag mor arswydus oedd o – wedi mynd.

Mae'r sbectol arall hefyd wedi mynd, gadawyd hi yn y tŷ bwyta. A dydy'r siopau ddim yn agor ar fore Sul chwaith; crefydd eto! Bydd brawd Danny yn cyrraedd y tu allan i'r gwesty am un ar ddeg. Mae 'na olau darllen cryf yn ystafell y gwesty; dw i wedi ysgrifennu popeth pwysig, rhif ffôn Danny, amser a rhif fy hedfa ac ati, mewn llythrennau enfawr ar ddarn o bapur. Dw i'n barod.

Fy mrawd

BEIRNIADAETH IAN COLIN WILLIAMS

Mentrodd 28 ar y gystadleuaeth hon – rhai ar bapur ac eraill yn ddyfeisgar wedi creu eu cardiau post eu hunain gan arddangos sgiliau crefft a fyddai'n eu gwneud yn gymwys i gyflwyno Uned 5 neu Blue Peter! Mae 'na rai eraill wedi defnyddio cardiau go iawn, tra bo criw arall wedi bod yn ymbalfalu mewn rhyw gwpwrdd cadw trugareddau ac wedi canfod defnydd i hen, hen gardiau post y mae gormod o gywilydd arnyn nhw eu hanfon at ffrind! Mae'n gasgliad rhyfeddol o gystadleuwyr.

Mae *Bleddyn Evans, Y Crempog Flio, Menyw Cefn, Dafydd ap Alwyn, Michael Bstoke* a *Caradog* yn perthyn i ysgrifenwyr y grŵp cyntaf. O'r rhain, mae *Bleddyn Evans* yn anfon ei gerdyn at ryw Llinos ac yn sôn am ei ymweliad ag Awstralia a'r atyniadau enwog a welsai yno: harbwr a Thŷ Opera Sydney, Craig Uluru/ Ayres, y barbi a'r traethau. I Arnside Knott yr aeth *Y Crempog Flio* ac mae'n darparu hanes dwyieithog y gwyliau. Cyfres o ddigwyddiadau anffodus yw gwyliau *Menyw Cefn* – methu dod o hyd i allweddi'r bwthyn gwyliau a gorfod cysgu yn y car ac yna llosgi yng ngwres yr haul y diwrnod canlynol. Mae'n amlwg fod *Dafydd ap Alwyn* yn mwynhau ei hun yn Ffrainc ac yntau *Michael Bstoke* mewn carafán yn Abergele. Disgrifia *Caradog* ei waith yn astudio archaeoleg Ynys Holm.

Bu'r canlynol yn llungopïo, yn tynnu llinellau ac yn gludo: *Lleucu, Penderyn, Sinbad, Wiffles* a *Tegan Ffawdd*. Mae *Lleucu* wedi treulio mis ym Mhatagonia a'r glaw a'r defaid yn peri iddi hiraethu am Gymru. Mae *Penderyn* yn gwneud i'w wyliau swnio'n ddeniadol wrth ysgrifennu am Sir Benfro yn ddifyr a chywir. Mae amrywiaeth o batrymau yng ngwaith *Sinbad* ond mae'n cadw lleoliad ei wyliau'n gyfrinach. Yn ardal Aberystwyth y mae *Wiffles* ac mae'n cofnodi gwyliau mewn iaith gywir. Mae 'na stori deimladwy y tu ôl i gerdyn gwneud *Tegan Ffawdd*. Mae'r cyfarchion yn dod o Gymru, ac mae 'na lun bendigedig o Lyn Tegid i ddynodi'r lleoliad yn fanylach. Cyfarchion merch o'r enw Barbara i'w diweddar dad a gafodd ei eni yng Nghymru a geir; mae hithau wedi dychwelyd yno ac yn dysgu'r iaith ac yn hiraethu am ei thad. Nodir cyfeiriad y tad ar yr ochr dde arferol, sef: 'Y Nefoedd, O Gymru yn wreiddiol!'

Mae'r cardiau go iawn o leoliadau mor amrywiol â glan y môr rhywle anhysbys, Rhydychen, Ynys Môn, Caerllion ar Wysg, Venezia a Thwrci. Mae *BAA* yn mwynhau gwyliau yn y Gogledd ond yn flinedig ar ôl dringo'r Wyddfa. Ar ôl cael ei wala o ŵyl lyfrau yn y glaw, penderfyniad

Dragonfly yw mynd am beint! Nid yw *VABSS* yn gweld eisiau gwaith o gwbl wrth dreulio gwyliau yng nghwmni ffrind newydd o'r enw Gareth, a dyw hi ddim yn bwrw glaw! Byw mewn gobaith o gwrdd â Rhufeiniwr noeth yn yr adfeilion Rhufeinig y mae *Prophura*. Ymddiheuro am ei absenoldeb o'r wers Gymraeg a wna *Eidalwr* ac yntau yng nghanol rhialtwch carnifál a'r diodydd yn llifo. Gwyliau traeth yn yr haul wrth werthfawrogi'r kebabs a chwrw lleol, Effess, a geir yng ngherdyn *Bambi*.

Ac yna ceir y cystadleuwyr hynny a ddefnyddiodd y cardiau hynafol, cardiau y byddai Sain Ffagan yn hapus i'w derbyn! Mae *Gele* wrth ei fodd yn y Costa del Sol. Er nad yw'n lleoli'i gwyliau perffaith, mae *Eirlys* yn ysgrifennu'n gwbl gywir amdanynt. Blasu atyniadau ein prifddinas y mae *Yr Albanwr*. Hanes ei bywyd fel nyrs a geir yng ngherdyn *Heather Bockin* ac mae'n canmol dawn ei thiwtor, Dennis, i godi hwyl. Er nad ydym yn cael gwybod ble, mae *Gethin Jones* yn mwynhau ei wyliau yntau. Yn Ninbych y Pysgod y mae *Cerys Mathews* ar ei gwyliau gyda'i phlant. Mae *Karen Bstoke* yn Benidorm ac yn cwyno am octopws a sglodion seimllyd ond yn canmol y cwrw; mae hi hefyd newydd gwrdd â Gareth! Ceir tipyn o wreiddioldeb gan *Nicola Lloyd* wrth iddi geisio anfon cerdyn at ei ffrind sydd, mae'n ymddangos, yn lletya ar bwys 'van burgers' mewn gŵyl gerdd yn Abersoch – y newyddion da i'w ffrind, os daw'r cerdyn o hyd iddi, yw ei bod am rannu'r wobr wedi iddi ennill Dysgwr y Flwyddyn. Er bod *Sian Lloyd BSC* ar wyliau yn Rhufain, mae'n dal i boeni am orchwylion ei chartref. Yng Ngwlad Groeg y mae *Hannah* yn gwneud y pethau arferol ar wyliau ac mae *Sali Mali*'n mwynhau gogoniannau'r Rhyl.

Felly, pwy sy'n ennill? Mae 'na nifer wedi ysgrifennu'n gywir, y cywiraf yn eu plith yw *Sinbad* a *Penderyn*. Mae *Lleucu* hefyd yn gywir ei hiaith ac yn llwyddo i roi blas o fywyd ym Mhatagonia. Ond mae tri sy'n dangos ei bod yn bosibl, hyd yn oed ar y lefel hon, i ysgrifennu'n greadigol ac i roi gwên ar wyneb beirniad; dyna a wna *Prophura*, *Nicola Lloyd* a *Tegan Ffawdd*. Mae un wedi mynd i gryn drafferth i lunio'i cherdyn ac er bod mân wallau iaith, gan ei bod wedi cyffwrdd y beirniad, *Tegan Ffawdd* sy'n haeddu'r wobr gyntaf a llawer o ganmoliaeth i bawb arall am gystadlu.

PARATOI DEUNYDD AR GYFER DYSGWYR

Agored i ddysgwyr a siaradwyr Cymraeg

Paratoi pecyn o ddeunyddiau ar gyfer rhieni newydd i ddysgu Cymraeg gyda'u plant. Gall y gystadleuaeth hon fod yn addas ar gyfer unigolion neu grwpiau, e.e. Cylchoedd Ti a Fi

---

BEIRNIADAETH CATRIN SAUNDERS

Siomedig oedd derbyn dim ond un cais, o dan y ffugenw *Dyfal Donc*, o wybod faint o deuluoedd di-Gymraeg sy'n dewis addysg cyfrwng Gymraeg i'w plant ac a fyddai'n croesawu pecyn adnoddau i'w helpu i glosio at y Gymraeg.

Dewisodd yr ymgeisydd ganolbwyntio ar greu adnoddau i gynorthwyo rhieni a'u plant i ddysgu Cymraeg gyda'i gilydd yn y cartref. Pwysleisiodd mai prif nod y pecyn oedd dysgu ffurfio brawddegau syml a defnyddio geirfa berthnasol i'r teulu. Roedd y gwahanol benawdau'n cydweddu'n dda gyda'r hyn sy'n gydnaws â chyfnod y blynyddoedd cynnar: cyfarch, y tywydd, y teulu, rhannau'r corff, dillad, siopa, rhifau, dweud faint o'r gloch yw hi, y tŷ. Gwelwyd ôl cynllunio gofalus yn yr adrannau yma gyda chyngor defnyddiol ar ynganiad a sylw at y llafariaid Cymraeg a fyddai o gymorth i'r dysgwr.

Yn ddi-os, cryfder y pecyn yw'r amrywiaeth o adnoddau dysgu ymarferol effeithiol sy'n cyd-fynd â phob thema. Mae yma doreth o gemau defnyddiol fel y defnydd o Jigair (gêm ddifyr i ddysgu geirfa mewn ffordd hwyliog, lle cyfunir geirfa berthnasol a rhestr o ansoddeiriau cyffredin yn y Gymraeg er mwyn ymestyn y dysgu; cardiau fflach (ar gyfer creu brawddegau syml gyda chyfarwyddiadau dwyieithog a fyddai'n apelio at y dysgwr yn weledol a chinesthetig); siartiau gweledol o ddillad a rhannau'r corff a phopeth sydd yn ymwneud â'r tŷ; cloc rhyngweithiol (ar gyfer dysgu dweud faint o'r gloch yw hi); gêm fwrdd (gyda map manwl o'r dref ar gyfer holi a rhoi cyfarwyddiadau syml); gêm ddominos (i gyflwyno gwahanol ffyrdd o rifo yn y Gymraeg). Er bod cyfarwyddiadau dwyieithog ar gyfer pob gweithgaredd, teimlir bod angen symleiddio'r rhain ymhellach ar gyfer dechreuwyr a phlant. Byddai mwy o ddefnydd o luniau a geirfa berthnasol wedi ychwanegu at y pecyn ac wedi lleihau'r angen am ddefnyddio'r famiaith ar brydiau. Gellid bod wedi cyflwyno'r gwaith mewn diwyg mwy proffesiynol trwy ddefnyddio pecyn cyfrifiadurol addas.

Rhaid nodi bod y pecyn adnoddau wedi ei lunio'n gelfydd gan berson sydd yn llwyr ymwybodol o anghenion y dysgwr ac sydd yn gyfarwydd â dysgu iaith trwy'r dull strwythuredig. Mae yma ôl paratoi trwyadl o ran cyflwyno iaith ac o ran creu adnoddau ac yn sicr byddai modd cynhyrchu'r pecyn hwn yn broffesiynol ar gyfer y teulu. Mae *Dyfal Donc* i'w ganmol am greu pecyn hanfodol a defnyddiol ar gyfer rhieni a grwpiau cymunedol, ac mae'n llawn haeddu'r wobr gyntaf am ei ymdrech deg.

ADRAN CERDDORIAETH

CYFANSODDI

Emyn-dôn i eiriau Rita Milton Jenkins

BEIRNIADAETH MICHAEL J. CHARNELL-WHITE

Roedd yr ymateb i'r gystadleuaeth hon yn ffafriol iawn, gyda 36 o ymgeiswyr a phob un wedi rhoi cynnig teg arni. Mae emyn-donau mor gyfarwydd i ni fel ei bod yn dasg anodd cyfansoddi tôn wreiddiol. Wrth feirniadu roeddwn i'n chwilio am dôn oedd yn gweddu i eiriau Emyn y Pasg, gyda harmoni diddorol ac alaw gofiadwy, a fyddai'n addas i'w chanu mewn unrhyw gapel neu eglwys.

Cafwyd amrywiaeth o donau, rhai'n ceisio ychwanegu at draddodiad yr emyn-dôn ond, gwaetha'r modd, doedd yr harmoni ddim bob amser yn ramadegol gywir ac eraill a oedd yn fwy addas fel anthemau. Dyma'r beirniadaethau yn ôl fy marn bersonol i.

Sam: Ymgais at greu awyrgylch traddodiadol ond roedd gwallau yn yr harmoni.

Mynach: Cyferbyniad effeithiol rhwng yr harmoni lleiaf yn y pennill a'r uchaf yn y gytgan. Roedd rhythmau diddorol yn yr alaw.

Ruben: Roedd y dôn yn dderbyniol ond yr harmoni'n rhy gymhleth. Beth am ddefnyddio rhai o'r cwafrau fel nodau pasio? Efallai bod yr harmoni'n rhy dderbyniol ar gordiau I, II a V.

Emrys 1: Tôn dderbyniol ond doedd y cord cyntaf (6/4) ddim yn addas. Mae'r rhan alto ym mar 8 ar goll.

Emrys 2: Alaw dderbyniol arall ond yn symud yn rhy lyfn gyda gwallau yn yr harmoni.

Alltud: Ymgais wreiddiol, grefftus. Mae'r alaw'n ganadwy ac yn fentrus a'r harmoni'n ddiddorol ac yn eitha' modern.

Tafneudafwys: Tôn fentrus a harmoni effeithiol yn disgyn yn gromatig ym mar 5.

Dinesydd: Tôn fentrus arall ond roedd ambell wall yn yr harmoni. Roedd cyferbyniad effeithiol rhwng yr harmoni lleiaf yn y pennill a'r mwyaf yn y gytgan.

Morganydd: Alaw ddiddorol, grefftus a'r harmoni'n symud yn llyfn ond roedd nodau braidd yn uchel i'r sopranos a'r tenoriaid.

Cynefin: Alaw ganadwy ond yn rhy ddibynnol ar y nodyn 'A'. Mae angen bod yn fwy mentrus â'r harmoni.

Emrys 3: Tôn ganadwy a rhythm diddorol yn y gytgan. Roedd ambell wall yn yr harmoni. Dylai'r dôn fod wedi dechrau ar gord llawn.

Rhys: Tôn a harmoni diddorol. Roedd newid yn y curiad yn y gytgan yn effeithiol.

Jubilaeum: Alaw ddiddorol a newid allwedd effeithiol ar ddiwedd y pennill a'r gytgan yn gorffen ar gord 5. Roedd ambell wall yn yr harmoni rhwng y tenoriaid a'r baswyr.

Cadi: Ymgais ganmoladwy yn null emyn-dôn Gymreig a rhythm diddorol ar ddiwedd y gytgan.

Daron: Alaw ganadwy a rhythm diddorol ond mae angen tacluso'r harmoni.

Hafren: Tôn ganadwy a rhythm diddorol yn y gytgan ond roedd yr harmoni'n anniben.

Maggiore: Ymgais deg a oedd yn portreadu naws y geiriau. Roedd y cyferbyniad rhwng moddau'r lleiaf a'r mwyaf yn effeithiol. Byddai'n syniad da i edrych eto ar newid curiad y gytgan i 6-8.

Shula: Rhythm diddorol a oedd yn wahanol i arddull emyn-donau Cymreig. Mae'r alaw'n ganadwy ond yr harmoni'n anniben. Mae'r nodyn 'F' yn rhy uchel i'r baswyr yn y diweddglo unsain a'r 'G' braidd yn uchel i'r sopranos.

Sophie: Gosodiad effeithiol gydag alaw ganadwy ar gyfer pedwar llais a chyfeiliant. Mae'r ffurf yn null anthem. Mewn emyn-dôn, mae'r cyfeiliant yn cefnogi'r lleisiau.

Seiont: Tôn ganadwy a rhythmau diddorol.

Magnificat: Llawysgrif daclus iawn. Doedd yr agoriad, er yn ddiddorol, ddim yn gweddu i'r geiriau. Mae'r cyferbyniad rhwng yr harmoni lleiaf a'r mwyaf yn effeithiol. Mae'r alaw'n grefftus ond roedd y nodau uchaf yn anodd i'r sopranos a'r tenoriaid. Byddai A fflat ym mar 7 yn well yn yr alto.

Elsi: Roedd y llawysgrif yn daclus iawn a'r dôn yn syml a chanadwy. Mae'r canu unsain, a'r bas yn y cyfeiliant, yn disgyn yn effeithiol.

Barcud: Alaw ganadwy sy'n newid o 4/4 i 3/4 yn y gytgan. Mae ychydig o wallau yn yr harmoni a'r naid i'r tenoriaid ym mar 2 yn anodd.

Tŷ Goleu: Agoriad unsain yn cynnwys nodau rhy uchel i'r tenoriaid a'r baswyr. Alaw ddiddorol ond mae nodau sy'n rhy uchel ar 'cododd Crist'. Diweddglo pendant iawn ond byddai cord llawn yn fwy effeithiol.

Angorfa: Ymgais ganmoladwy yn null emyn-dôn draddodiadol. Roedd cyferbyniad rhwng yr harmoni lleiaf a'r mwyaf ond roedd ambell wall yn yr harmoni.

Llyfnant: Gosodiad crefftus gydag effaith arbennig ar eiriau'r gytgan, 'nid yw ef yma', yn null emyn-donau'r bedwaredd ganrif ar bymtheg. Mae'r harmoni'n ddiddorol ond byddai'r bylchau rhwng y rhannau isaf yn y gytgan yn hunllef i'r organydd.

Deiniol Doeth: Tôn ganadwy gyda harmoni da yn creu awyrgylch tawel. Doedd y cwafer ar y sill olaf ddim yn gweithio. Roedd cyfeiliant organ ar y dechrau, rhwng y penillion ac ar y diwedd, yn creu awyrgylch a oedd yn fwy addas ar gyfer anthem nag emyn-dôn.

Gwawr: Alaw ganadwy ond mae'r agoriad yn ansicr. Ai cân unsain a chyfeiliant sydd yma ynteu harmoni pedair rhan?

Broga Brown: Ymgais ganadwy a harmoni da. Mae ailadrodd 'nid yw ef yma' yn effeithiol yn y gytgan.

Elidan: Tôn ddiddorol a chanadwy ond roedd yr harmoni'n gymhleth

Menlli: Alaw ganadwy ond doedd yr harmoni ddim yn ddigon mentrus. Mae'r cyferbyniad rhwng y lleiaf a'r mwyaf yn effeithiol.

Mena: Ymgais sydd yn fwy o siant nag o emyn-dôn a'r rhythmau diddorol yn fwy addas ar gyfer anthem ddigyfeiliant.

Idris y Cawr: Tôn ddiddorol ond heb fod yn ganadwy ar gyfer cynulleidfa. Doedd dim angen ysgrifennu'r alaw ar bedwar erwydd.

Llys Eifion: Ymgais ddiddorol a chanmoladwy ond yn fwy addas ar gyfer anthem. Roedd yr harmoni'n anniben ar adegau. Doedd dim gwir angen atgyfnerthu'r cordiau.

Fflam: Alaw ganadwy a'r cyferbyniad rhwng y lleiaf a'r mwyaf yn effeithiol. Rhai o'r rhythmau'n ddieithr yn yr anterliwt.

Gwcw Fach: Gosodiad crefftus, manwl gan gyfansoddwr sy'n amlwg yn gyfarwydd â 'Chorales Bach' Gwaetha'r modd, roedd yr ymgais yn fwy addas fel anthem.

Gobeithiaf y bydd pob cyfansoddwr yn ystyried fy sylwadau'n ofalus er mwyn gwella'u tonau a chael eu canu mewn capeli neu eglwysi ar hyd y wlad. Mae dau gyfansoddwr wedi dod i frig y gystadleuaeth a'r ddau wedi rhoi'r un enw ar eu hemyn-donau, sef 'Cododd Crist'. Mae'r ddau'n wefreiddiol ac yn addas ar gyfer canu cynulleidfaol. Mae tôn *Elsi* yn syml ac yn addas ar gyfer plant ond mae alaw *Alltud* yn wreiddiol gyda harmoni mentrus sydd heb fod yn rhy fodern.

Mae *Alltud* yn llawn deilwng o'r wobr ac edrychaf ymlaen at glywed 'Cododd Crist' *Alltud* yn y Gymanfa Ganu.

Yr Emyn-dôn fuddugol 2010

(i eiriau Rita Milton Jenkins)

240

Cyn i'r haul wasgar gwlith y bore
dan ganghennau trwm y coed,
daeth y gwragedd a'u peraroglau
at y bedd, i gadw'r oed.

"Pam yr ydych eneidiau briw,
ymhlith y meirw yn ceisio'r byw,
trech nag angau yw cariad Duw
nid yw ef yma – cododd Crist!"

Wedi colled a braw Calfaria,
wedi ing yr olaf awr,
i'r anwyliaid ar lwybr galar
torrodd golau'r sanctaidd wawr.

Fel pelydrau yr haul, yn treiddio
drwy y caddug tywyll, prudd,
Daw y Pasg a'i addewid nerthol
na fydd bedd i blant y ffydd.

Deuawd wreiddiol a fyddai'n addas i rai rhwng 12 ac 16 oed, i eiriau Cymraeg gan fardd cyfoes

BEIRNIADAETH J. EIRIAN JONES

O ystyried y prinder dybryd o ddeuawdau addas sydd ar gael i'r oedran yma'n gyffredinol, rhaid mynegi siom wrth ddarganfod mai dau gystadleuydd yn unig a fentrodd i'r ras. Wrth reswm, mae angen gofal wrth ddewis geiriau i'r fath gystadleuaeth o gofio oedran y perfformwyr ac mae'n bwysig cofio, hefyd, osgoi gosod gofynion technegol rhy uchelgeisiol i'r lleisiau ifainc eu goresgyn. Dyma rai sylwadau ar y ddwy ymdrech:

Camera: 'Dau'. Cafwyd gosodiad o'r gerdd '2' gan Twm Morys. Mae cryn amrywiaeth o fewn y ddeuawd hon, gan gynnwys adrannau unsain, deulais, amrywiaeth yn y tempo a dyfeisiadau tebyg i efelychiant a chanon – hyn oll yn cyfrannu at waith a saernïwyd yn ofalus iawn o'r dechrau. Gwnaed defnydd da o'r motiff dechreuol a glywir yng nghyfeiliant y piano – mae'n fodd i greu unoliaeth drwy'r ddeuawd gyfan. Nodwyd y gwaith yn daclus iawn gan ddefnyddio meddalwedd cyfrifiadurol ac fe roddwyd sylw manwl hefyd i'r marciau dynameg yn arbennig. Mae'r cyfeiliant piano'n gwbl annibynnol ar y lleisiau ond rhaid nodi bod dau far a fyddai'n peri ychydig o drafferth am fod angen croesi rhai bysedd i gyrraedd y nodau (bar 9 ac 13). Cyflwynwyd nifer o syniadau digon gwreiddiol yn y ddeuawd hon yn enwedig gyda'r anghytgordiau cyson ond mae'n bosib y byddai taro ambell nodyn ar y traw cywir yn peri problem i ganwr / cantores ifanc.

Tim: 'Timothy Wintars'. Mewn gwrthgyferbyniad llwyr â'r ymgeisydd cyntaf, dewisodd *Tim* osod cyfieithiad Myrddin ap Dafydd o gerdd Charles Causley – 'Timothy Wintars'. Yma eto, mae nifer o syniadau digon gwreiddiol yn yr adran ganol – Andante – yn cyferbynnu'n effeithiol gyda'r adran ddechreuol ac fe hoffais hefyd y ffordd y defnyddiwyd *appoggiaturas* i gyfleu syniad yr 'Amen'. Er hynny, teimlwyd bod y cyfeiliant piano braidd yn drwm ar brydiau gyda nodau'n cael eu dyblu'n ddiangen. Nid oeddwn yn gwbl hapus 'chwaith gyda rhai o'r neidiadau lletchwith yn rhan y lleisiau, e.e. bar 5, lle mae'r frawddeg leisiol yn ymestyn dros gyfwng o seithfed. Da fyddai cadw mewn cof y ffaith mai lleisiau ac nid offerynnau fyddai'n perfformio'r gwaith a lleisiau ifainc hefyd. Mae ymddangosiad y sgôr derfynol yn ddigon taclus ar y cyfan ond mae angen edrych ar grwpio'r seibiau ym mar 7. Gan mai meddalwedd cyfrifiadurol a ddefnyddiwyd i gynhyrchu'r sgôr, nid oedd angen ychwanegu'r marciau tempo a'r ddynameg â llaw gan fod y rhaglen yn medru gwneud hynny'n hawdd. Byddai hyn wedi gwella diwyg y sgôr.

Diolch i'r ddau ymgeisydd am eu gwaith ond am wreiddioldeb y syniadau a gyflwynwyd, hoffwn ddyfarnu'r wobr i *Camera*.

Cyfansoddiad i achlysur arbennig ar gyfer band pres neu ensemble pres heb fod yn hwy na phum munud

BEIRNIADAETH ALAN PHILLIPS

Un ymgais a dderbyniwyd.

Troy: 'Aria (ar gyfer Dydd Santes Dwynwen)'. Cyflwynwyd darn wedi'i ysgrifennu'n dda ar gyfer band pres. Mae'r gerddoriaeth yn atmosfferig iawn o ran arddull, gyda chyffyrddiadau harmonig hyfryd yn cynnwys cordiau â nodau ychwanegol a harmoni cromatig gyda nodau ychwanegol. Mae'r rhagarweiniad cordiol tawel yn cyflwyno'r darn a chymer yr iwffoniwm y brif alaw, gyda'r cyfansoddwr yn amlygu ei hoffter o ysgrifennu ar gyfer cwmpawd ucha'r offeryn. Â'r alaw hon yn fwy heriol gyda thrawsacennu ac ysgrifennu tebyg i arddull cadensa unwaith eto uwchben y cyfeiliant cordiol. Yna, datblyga'r cyfansoddwr y motiff agoriadol gyda mynediad cyfnodol yn y cornet, y cornet soprano a'r cyrn tenor. Daw'r harmoni'n llawer mwy cromatig yma, gan ychwanegu at natur atmosfferig y gerddoriaeth. Dychwela'r cyfeiliant cordiol agoriadol ac mae'r cornet unawdol yn awr yn cymryd drosodd yr alaw gyda chyfalaw gan yr iwffonium. Fel yn yr adran agoriadol, cymer y cornet y brif alaw ac mae'n defnyddio nodau ucha'r offeryn. Gyda mynediad cyfnodol motiff yr alaw agoriadol wedi'i ychwanegu y tro hwn, daw'r cyfeiliant cordiol â'r Aria i ben yn dawel ar gord G fwyaf gyda'r iwffonium yn gorffen ar A uchel sef nawfed y cord.

Mae'r darn hwn wedi cael ei sgorio'n dda ar gyfer seindorf bres. Mae'r defnydd a wneir o fudyddion yn ychwanegu at y gerddoriaeth a gwna'r cyfansoddwr ddefnydd cynnil o'r offerynnau taro sy'n ychwanegu at natur atmosfferig y darn. Rwyf hefyd yn hoffi'r ffordd y mae'r cyfansoddwr wedi datblygu motiff agoriadol alaw'r iwffoniwm ac wedi gwneud hynny mewn gwahanol gyweiriau. Credaf fod y darn hwn o gerddoriaeth wedi cael ei ysgrifennu'n dda a'i fod yn llwyr deilwng o'r wobr.

Trefniant o gân werin ar gyfer unrhyw gyfuniad o leisiau

BEIRNIADAETH DELYTH MEDI

Roeddwn yn hynod falch o dderbyn gwaith naw ymgeisydd da ar y gystadleuaeth hon, a'r naw wedi mynd ati i drefnu alawon pur wahanol eu natur a'u cynnwys cerddorol (gyda hwiangerddi, efallai, yn ffefryn). Dewisodd y mwyafrif drefnu'n ddigyfeiliant a dyma, mewn gwirionedd, yr oeddwn wedi'i ddisgwyl o eiriad y gystadleuaeth (lle nad oes unrhyw sôn am gyfeiliant). Dewisodd ambell un leisiau merched fel eu cyfrwng ac eraill leisiau cymysg SATB, a mentrodd un ymgeisydd drefnu cân werin i chwech o leisiau. O ganlyniad, roedd hon yn gystadleuaeth ddiddorol ac yn un a fwynheais yn fawr.

Roedd hi'n amlwg o'r olwg a'r gwrandawiad cyntaf bod y naw cystadleuydd yn rhannu'n ddigon taclus yn ddau ddosbarth. Yn yr ail ddosbarth, gosodaf y trefniannau a berthyn, yn nhrefn y wyddor, i *Glas*, *Ianto*, *Iorwerth* a *Mike*. Mae gan y pedwar yma eu cryfderau a'u gwendidau. Maent i gyd wedi trefnu'n ddigon effeithiol ac mae'r cyfan yn llifo'n eithaf rhwydd a chanadwy ond mae 'na or-symlder a gor-ailadrodd syniadau yn dod i'r amlwg ar adegau. Dyma air byr am y pedwar.

Glas: 'Tros y Garreg' (SATB, digyfeiliant). Mae'r drôn pumed agored a glywir rhwng y tenor a'r bas yn apelio'n syth. Gellid, yn sicr, fod wedi ehangu ar y rhagarweiniad hwn. Yn y pennill cyntaf, mae *Glas* wedi taflu'r brif alaw o'r tenor i'r alto i'r soprano yn effeithiol iawn gan greu amrywiaeth sain croesawgar. Mae'n drefniant pur heriol gan fod yma gordio chwe rhan ar adegau ond, gwaetha'r modd, cordiau anghytseiniol diangen a niwlog iawn oedd ambell un. Gwelir ambell linell annibynnol ddigon prydferth ond, ar y cyfan, trefniant braidd yn llafurus a thrwm oedd hwn.

Ianto: 'Mil harddach wyt na'r rhosyn gwyn' (SSA, cyfeiliant piano). Mae'r trefniant hwn yn anghyflawn – trefniant i ddau bennill yn unig a welir. Trueni am hyn, gan fod lle amlwg i wahaniaethu ar ymdeimlad y trefniant yn y pennill olaf. Patrwm cyfeiliol syml ond digon effeithiol a gafwyd, megis patrwm siglo sydd yn awgrymu siglo'r crud. Mae'r pennill cyntaf yn gordiol iawn, yr harmoni'n syml wrth ddilyn trydeddau neu chwechawdau yn gyson. Mae ychydig mwy o ffresni yn perthyn i'r ail bennill gyda mwy o wau lleisiol, ac mae'r desgant yn apelio ataf ac yn llinell sydd yn llifo'n rhwydd.

Iorwerth: 'Cyfri'r Geifr' (SATB, digyfeiliant). Dechrau pur awdurdodol a phwrpasol ond braidd yn unffurf yw'r cyfan. Buasai newid cywair wedi ysgafnhau llawer ar y trefniant. Cafwyd defnydd da o ambell dechneg fel cwestiwn ac ateb rhwng y lleisiau ond gellid 'chwarae' mwy gyda'r alaw gan daflu geiriau a phatrymau bychain o lais i lais a defnyddio mwy o gwmpawd lleisiol yn gyffredinol. Beth am fod yn fwy heriol, dramatig ac arbrofol y tro nesaf?

Mike: 'Ar Hyd y Nos' (SATB, digyfeiliant). Nid oes yma wreiddioldeb mawr. Mae llinell y brif alaw'n cael ei chadw'n eglur a glân ond mae'r cyfan heb unrhyw harmonïau mentrus. Syml iawn yw'r cyfan. Mae trefniant yr ail bennill lawer gwell gyda mwy o symud ac olion o drefnu effeithiol yn y llinell ddesgant, gyda'r bas yn cydio yn yr alaw. Cafwyd gormod o symud pedwar curiad cyson.

Roeddwn yn chwilio am ryw newydd-deb a ffresni yn y trefnu'n gyffredinol gyda harmonïau cyffrous a oedd yn ysgogi a dyma a gefais gan y pum ymgeisydd sydd yn weddill sef (eto yn nhrefn yr wyddor): *Cysgadur, Deryn, Eos, Rhosyn* a *Somnos*, ac mae'r pump yma wedi cyrraedd y dosbarth cyntaf.

Cysgadur: 'Cysga Di fy Mhlentyn Tlws' (SATB, digyfeiliant). O gofio mai hwiangerdd yw hon, mae'r dewis o gywair braidd yn uchel. Oherwydd y cwmpawd lleisiol, mae hwn yn drefniant anodd ei ganu'n sensitif er mwyn creu'r naws briodol ond, wedi dweud hynny, llwyddir i greu ymdeimlad o ddau guriad yn y bar a sigl rhwydd ac ae yma rai cymalau cwbl ardderchog, yn arbennig y bas cromatig. Rwy'n hoff iawn o'r llinellau lleisiol yn goddiweddyd ei gilydd yn gelfydd iawn. Mae yma nifer o gryfderau cerddorol.

Deryn: 'Aderyn Du' (SSA, cyfeiliant piano). Mae hon yn alaw werin swynol, lefn, diffwdan iawn, ac felly 'roedd y 'dw dw' ar y dechrau'n fy nrysu braidd ac yn awgrymu rhywbeth sydd yn hollol i'r gwrthwyneb i'r alaw bur a'r awyrgylch sydd angen ei greu yma ond fe gefais fy siomi ar yr ochr orau! I ddychwelyd at y cyfeiliant, dyma gordio effeithiol ar ei hyd, cordiau estynedig hyfryd a nodau pedal celfydd nad ydynt yn tynnu sylw oddi ar y trefniant lleisiol. Cawn linellau annibynnol sydd yn gweithio'n dda gyda chyfalawon effeithiol a chanadwy. Llwyddwyd i gydio'n llwyr yn yr elfen hiraethus. Trueni na chawsom weld trefniant llawn o bob pennill.

Eos: 'Y Gwcw Fach' (S. Mezzo. A. T. Bar. B., digyfeiliant). Trefniant i chwe llais *a cappella* sydd yma. Mae'r adeiladwaith yn y pennill cyntaf yn llwyddiannus iawn, ac rwy'n hoff o'r pumedau cyson, gyda'r gwead a'r sain yn tyfu a'r cordio'n mynd yn llawnach, ac ae elfen o gyffro yma. Teimlaf nad yw'r symud o gywair lleddf i'r llon wedi llwyddo ac amharodd hynny gryn dipyn ar y trefniant.

Rhosyn: 'Liw gwyn rhosyn yr haf' (SSA neu TTB, digyfeiliant). Ceir cordio lliwgar a chyfoethog ar y dechrau, symudiad cyffrous ar ddiweddebau'n aml, gyda gohiriannau gwirioneddol hyfryd. Mae'r mynedfeydd canonaidd o lais i lais yn gelfydd iawn. Mae swyddogaeth gyfeiliol effeithiol gan rannau unigol ac ysgafnder y 'la' yn bwrpasol. Ar y cyfan, mae'r llinellau annibynnol yn rhedeg yn llyfn ac esmwyth ac mae iddynt siâp. Hoffais yn fawr y ddrama sydd yn y trefniant. Nid yw hon yn alaw rwydd iawn i'w threfnu ac mae yma ymgais glodwiw iawn. Diweddglo da.

Somnos: 'Si Hel Lwli 'Mabi' (SATB, digyfeiliant). Dechrau hyfryd, yn creu naws yn syth gyda chordio diddorol a ffres. Mae'r 'mm' cyfeiliol yn llwyddiannus iawn ac yno i bwrpas bob amser. Mae'r ymgeisydd yn parchu'r alaw wreiddiol ac mae llinellau llyfn, diweddebau hyfryd, gohiriannau cerddorol a mynedfeydd canonaidd ac efelychol yn gweithio'n dda iawn ac yn rhoi inni ddigonedd o amrywiaeth. Mae llawer o ddiddordeb harmonig yn y trefniant hwn. Syniad da yw cael dolen gyswllt rhwng un pennill a'r nesaf; mae yma ddefnydd da o wead ac rydw i'n hoff iawn o'r bas cromatig cynnil iawn sydd i'w glywed hwnt ac yma. Mae'r pedwar llais yn gwau i'w gilydd yn ardderchog a chawsom sawl llinell wych. Trefniant celfydd iawn.

Somnos sydd yn cael y lle blaenaf am drefniant cynnil, clyfrwch harmoni a pharch at yr alaw wreiddiol. Wrth ei sodlau, daw *Cysgadur* ac yna *Deryn*. Llongyfarchiadau calonnog i bawb a gystadlodd.

Tlws y Cerddor

Cyfansoddiad gwreiddiol ar gyfer cyfuniad o un llais a dau offeryn mewn arddull addas. Caniateir mwy nag un symudiad heb fod yn hwy nag wyth munud

---

BEIRNIADAETH MERVYN BURTCH A GERAINT LEWIS

Daeth naw cyfansoddiad i law yn cynrychioli amrediad eang o ran arddull. Dyma ofyniad diddorol ac ymarferol ei natur a bu'r ymateb ar y cyfan yn galonogol.

Y TRYDYDD DOSBARTH

Cantor: (Ef, hefyd, yw awdur y geiriau a osodwyd yma.) Mae 'Hannacha' yn ddarn dwys ei fwriad a ysbrydolwyd gan ymweliad â gwersyll-garchar Auschwitz. Hannacha Jacob oedd y plentyn ieuengaf a fu farw yno (ym 1943). Defnyddir dwy alaw werin sy'n berthnasol eu naws (un o Latfia a'r llall o Hwngari) ac y mae'r mynegi'n hynod ddidwyll. Gwaetha'r modd, mae'r gerddoriaeth braidd yn or-syml ac undonog o ran cynnwys (yn pwyso gormod ar y deunydd cynhenid, efallai) ac yn ystrydebol ei chymeriad. Rhy denau hefyd yw'r ysgrifennu i'r cello a'r piano sy'n cefnogi'r llais tenor ac anaml y mae'r tri yn gweu fel triawd effeithiol.

Sam: Dewisodd osod 'Tylluanod' anfarwol R. Williams Parry i gyfuniad o lais bas, piano ac obo. Nawr ac yn y man, mae'r ysgrifennu'n effeithiol ddigon ond ar y cyfan nid yw dyfnder y llais wedi ei gyfuno'n gelfydd gyda sŵn uwch yr obo. Traddodiadol yw tinc y gerddoriaeth ond heb ddangos unrhyw gymeriad personol nac ychwaith ymateb sensitif i awyrgylch unigryw'r gerdd. Tybed a yw *Sam* yn gyfarwydd â gosodiad digymar Dilys Elwyn-Edwards o'r un gerdd fel ail gân ei chylch enwog 'Caneuon y Tri Aderyn'? Os yw, yna beiddgar ar y naw yw ceisio troedio'r un llwybr ar ei hôl! Os na, gall ddysgu llawer fel cyfansoddwr wrth astudio un o gampweithiau cerddoriaeth Cymru.

Broanda: Cyflwynodd gylch i soprano, ffliwt a phiano dan y teitl 'Dyro i ni Dangnefedd'. Mae'r cyfansoddi'n llithrig bleserus (yn ormodol felly, o bosib) ac yn ddigon effeithiol (er braidd yn ddiddychymyg) wrth gyfuno'r llais a'r offerynnau. Defnyddiwyd rhyw fath o dechnoleg gyfrifiadurol i argraffu'r gerddoriaeth ac mae'n debygol hefyd i'r cyfrifiadur allweddellol gyfrannu nid yn unig at atgynhyrchu'r sain ym meddwl y cyfansoddwr (cyflwynwyd cryno-ddisg yn defnyddio'r cyfrwng) ond hyd yn oed at greu'r nodau eu hunain yn uniongyrchol. Gresyn hynny, oherwydd, o ganlyniad, mae'r nodiant ar bapur yn frith o gamgymeriadau gramadegol sy'n ein harwain i amau trylwyredd dealltwriaeth gerddorol y cyfansoddwr. Gall troi at gyfrifiadur i gyfansoddi esgor ar ddiogi creadigol ac ysgrifennu anllythrennog a dyna sy'n rhy amlwg yma, gwaetha'r modd. Ar yr un pryd, nid yw'r defnydd geiriau'n argyhoeddi 'chwaith. 'Offeren fer, rhy fyr' fyddai'r ffordd garedicaf i ddisgrifio'r detholiad geiriau ac, o'r herwydd, nid oes yma unrhyw synnwyr o'r ddefod litwrgaidd nac ychwaith amgyffred o ddyfnder y syniadaeth grefyddol yn ei hanfod. Anodd, felly, ydyw dychmygu cyd-destun priodol i berfformiad defnyddiol neu effeithiol.

YR AIL DDOSBARTH

Rhiannon: Gosododd gerdd am 'Gariad Mam' i lais soprano, clarinét a phiano. Dyma gynfas rhamantaidd iawn ei natur sy'n defnyddio cywair cymharol anghyffredin A meddalnod leiaf (ond yn gogwyddo at yr is-lywydd lleiaf) gan daenu arlliw moddawl cyfoethog dros y gerddoriaeth oherwydd y defnydd cyson o raddfa 'felodig' y cywair. Mae yma ddyfeisgarwch a dychymyg wrth blethu'r llais a'r offerynnau ond mae ambell adeg lle mae perygl o foddi'r llais gan natur or-gymhleth y cyfeiliant piano (h.y. heb newid rhai o'r marciau deinamig). Mae cysgod cyfansoddwr fel Brahms yn rhy amlwg yn y gerddoriaeth, efallai, ac mae'r diffyg amrywiaeth tonyddol yn ychwanegu at ymdeimlad o sefyll yn yr unfan.

Amen!: Gellid dyfalu mai'r un cyfansoddwr yw hwn â *Rhiannon*, gan eu bod ill dau yn gosod cerddi gan Catrin Lyall ac mae diwyg y cyflwyniadau'n debyg iawn i'w gilydd. Dyma gerdd sydd, hefyd, fel 'Cariad Mam', yn deimladwy ac emosiynol ac yn weddi y tro hwn 'Dros Ffoaduriaid Tsunami'. Eithaf tebyg hefyd yw'r teithi meddwl cerddorol er bod 'Gweddi' i lais bariton, piano a cello rywfaint yn fwy effeithiol ei rediad ac yn argyhoeddi mwy fel cyfansoddiad cryno. Mae'r iaith gerddorol yn dangos tipyn mwy o wreiddioldeb wrth wyro at ddigyweiredd ac y mae yma ymgais i greu amrywiaeth gwead sy'n cyfrannu at ymdeimlad derbyniol o ddrama.

Griff Mynydd: Wrth ddewis rhannau o bryddest arloesol E. Prosser Rhys, 'Atgof', mae'r cystadleuydd yn gosod ei gastell yn bwrpasol iawn yn y tywod. Dyma ddarn uchelgeisiol sy'n cyfuno llais soprano, clarinét a phiano. Mae edrych yn ôl ar Goron Eisteddfod Genedlaethol Pont-y-pŵl 1924 yn hynod briodol eleni ym Mlaenau Gwent a Blaenau'r Cymoedd ac yn ein hatgoffa o berlesmair geiriau'r bardd a feiddiodd ganu am swyn a synhwyredd rhyw yn ei holl bosibiliadau gwaharddedig mewn cyfnod pryd y gellid disgwyl efallai i feirniad (swyddogol) fel Gwili ddatgan i Prosser (neu *Dedalus*) farddoni am 'bechodau na ŵyr y Cymro cyffredin (mi obeithiaf) ddim amdanynt'. Mater arall yw hynny ond y mae cerddoriaeth *Griff Mynydd* yn ddiddorol iawn ac yn adlewyrchu ymwybyddiaeth ddiddorol o dueddiadau blaengar cerddoriaeth Awstria a'r Almaen yn negawdau cynta'r ugeinfed ganrif (cyfnod y gerdd, felly, yn fras) sy'n awgrymu'n syfrdanol y gagendor moesol a chelfyddydol oedd yn agored rhwng Cymru'r cyfnod ac unrhyw dueddiadau mwy cyfandirol eu natur. Digon effeithiol yw'r dychymyg offerynnol a lleisiol ar bapur – er, mae'n rhaid gofyn, pam defnyddio llais soprano yn hytrach na thenor i gyfleu geiriau gŵr ifanc? Nid oes unrhyw ennill amlwg yma o ran creu rhyw 'ddieithrwydd' rhywiol annelwig. Ond gellid dadlau, yn sicr, i'r cyfansoddwr gael ei dynnu i feddwl gormod am is-gynnwys y geiriau ar draul ystyried llif naturiol y farddoniaeth fel barddoniaeth sydd, felly, yn tanseilio crefft sylfaenol y bardd o'i glywed ar gân. O ganlyniad, ceir anghysondeb anffodus rhwng y testun a'r mynegiant ohono ac, ar yr un pryd, nid oes yma gymeriad cerddorol personol i gyfateb â chymeriad cryf a deniadol y bardd: yr argraff yw o gyfansoddwr yn gwisgo dillad 'modernaidd' y gorffennol canol-Ewropeaidd heb ddeall yn hollol paham. Anghofiodd, hefyd, osod un o eiriau brawddeg olaf ei ddetholiad o'r bryddest.

Y DOSBARTH CYNTAF

Gwdihw a *pili-pala*: O ran diwyg a chynnwys, cystal derbyn mai'r un cyfansoddwr yw'r ddau hyn – ac y mae'n gyfansoddwr hynod addawol sy'n llawn dychymyg a dyfeisgarwch. Dewisodd osod cerddi gan Syr John Morris-Jones yn y ddau gyfansoddiad. Creodd *Gwdihw* waith tri symudiad yn seiliedig ar 'Cwyn y Gwynt' i lais alto, fibraffon a'r cello, a chyflwynodd *pili-pala* ddau symudiad yn seiliedig ar 'Iâr fach yr haf' (sy'n gyfieithiad o waith Heine) a'r 'Gwylanod' i gyfuniad o lais soprano, ffliwt/ picolo a phiano. Mae'r cyfansoddwr sy'n llechu y tu cefn i'r ffugenwau uchod yn awchu am gyfansoddi ar raddfa sy'n gymharol newydd yng Nghymru o ran dyfeisgarwch offerynnol a lleisiol (yn enwedig felly wrth ddefnyddio'r iaith Gymraeg), ac y mae ganddo feistrolaeth tros yr adnoddau dan sylw (yn arbennig felly yn offerynnol) sy'n hynod dros ben. Tybed, mewn gwirionedd, faint o gyfle ymarferol sydd yn y sefyllfa sydd ohoni i fwynhau perfformiadau fydd yn hyderus ateb holl ofynion technegol y darnau? Ond yr hyn sydd mor galonogol yn y fath gyd-destun yw gweld cyfansoddwr sy'n anelu mor uchel ac yn barod i osod her i'w berfformwyr – a dim ond fel hyn, wedi'r cyfan, y daw tro ar fyd o ran ymestyn gorwelion, boed yn gyfansoddi, perfformio neu, yn hollbwysig, wrando. Yn arwynebol, gellid dadlau i'r cyfansoddwr dynnu geiriau enwog a thelynegol Syr John i bob cyfeiriad ar adegau a'u plygu y tu hwnt i'w rhediad naturiol. Ond, yn wahanol i eiddo *Griff Mynydd*, mae ei fwriad, a'r ffordd y cafodd ei wireddu, yn gynhenid gerddorol wrth wasanaethu'r geiriau ac yn llwyddo i chwistrellu bywyd creadigol newydd i gyfrwng cyfarwydd gyda ffresni diddorol a dawnus. Yr ydym felly am ei gymeradwyo i'r graddau uchaf bosib a'i annog i ddatblygu ei dalentau amlwg. Gallai wisgo Tlws y Cerddor yn haeddiannol.

Harri-Ifor: Ond mae gennym waith un cyfansoddwr arall sydd wedi gosod detholiad deheuig o Hen Benillion dan y teitl 'Syniadau ar Serch' i gyfuniad pwrpasol o lais bariton, ffidil a thelyn. Dyma gyfansoddwr sy'n hollol hunanfeddiannol wrth ddewis ei gyfryngau cerddorol ac yn deall yn reddfol sut i osod geiriau. Mae'r darn wedi ei saernïo'n ofalus i greu cyfres o bum symudiad sy'n adeiladu at gyfanwaith boddhaol. Defnyddia *Harri-Ifor* wahanol elfennau ei dechneg i blethu pob agwedd o'r gwaith yn hwylus at ei gilydd. Yn y lle cyntaf, golygai hynny drefnu'r geiriau'n greadigol fentrus gan feddwl am rediad y cerddi fel cylch. Dyma sy'n gyfrifol, felly, am y gallu dilynol i alluogi'r gerddoriaeth i ddatblygu'n organig ar draws y cyfanwaith yn hollol naturiol heb dynnu sylw anghelfydd at y ffaith – y gelfyddyd, hynny yw, sy'n celu celfyddyd. Wrth ystyried y modd y rhed y llais, bydd clust y gwrandäwr yn cynefino heb ymdrech gyda'r teulu tonyddol/ moddawl sy'n cysylltu pob symudiad. Gall yr offerynnau weu pob math o gefnogaeth sy'n gyfuniad o gyfeiliant penodol neu gefndir i adroddgan – ond bydd sylfaen y canu bob tro yn llwyddo i hoelio'r sylw er mwyn deall byrdwn y barddoni. Gellid dadlau, hyd yn oed, fod yma ymgais, sy'n argyhoeddi, i ail-greu'r syniad o fardd traddodiadol Cymreig fel datgeinydd i gyfeiliant awen fyrfyfyr ei offerynnau. Gogoniant y fath ddamcaniaeth yw rhyddid dychymyg o fewn rhigolau crefft celfyddyd. Mae nifer o gyffyrddiadau geiriol yma sy'n aml yn codi atsain uniongyrchol oddi wrth y ffidil neu'r delyn ond mewn ysbryd sy'n ategu'r llais yn hytrach na chreu cystadleuaeth. Dyma ganu siambr yng ngwir ystyr y syniad ac mae'n ennill Tlws y Cerddor eleni gyda chanmoliaeth uchel.

IEUENCTID

Cystadleuaeth i ddisgyblion ysgolion uwchradd a cholegau trydyddol
16-19 oed

Dau ddarn cyferbyniol i unrhyw gyfrwng a gymer rhwng 6 ac 8 munud i'w perfformio. Gellir cyflwyno naill ai ar ffurf sgôr, sgôr a thâp, neu dâp a nodiadau

---

BEIRNIADAETH ALUN GUY

Dau gynnig a ddaeth i law a'r ddau'n cyflwyno'r cyfansoddiadau ar sgôr a chryno-ddisg. Mae'r meddalwedd cyfrifiadurol cerddorol sydd ar gael yn golygu y gellir clywed y gerddoriaeth yn syth ac argraffu'r sgôr a lawrlwytho'r gwaith ar gryno-ddisg. Dyma'r *modus operandi* a ddefnyddir gan ein cyfansoddwyr ifainc yn yr ysgolion a'r colegau y dyddiau hyn.

Eilir: Cerddoriaeth ar gyfer golygfa ramantus mewn ffilm yw darn cyntaf y cystadleuydd hwn. Sgoriwyd y gwaith ar gyfer cyfuniad siambr offerynnol sy'n cynnwys ffidil 1 a 2, soddgrwth, ffliwt, gitâr fâs ac unawd piano. Rhydd yr agoriad araf gyfle i'r gerddoriaeth anadlu, fel petai, gan swyno'r gwrandäwr gyda chordiau cynnes. Cawn harmonïau hyfryd yn nilyniant cordiol disgynedig rhan y piano sy'n gweddu i naws gariadus y cyfansoddiad. Gwelir yma ymgais ddiffuant i greu rhamant yn y gerddoriaeth. Mae'r llinynnau'n cyflwyno motiffau deiatonig gwrthgyferbyniol, a'r ffliwtiau hwythau yn eu tro yn amlwg iawn ar y diweddebau.

Ail ddarn cyferbyniol *Eilir* yw 'Vivo Baroco'. Yma mae wedi dewis cyfuniad sy'n wahanol ac yn debycach i gyfnod clasurol Haydn, sef llinynnau, trymped, corn Ffrengig, obo a ffliwt. Mae'r testun *ritornello* ffiwgaidd yn ddeniadol ac yn gosod seiliau cadarn i'r cyfansoddiad. Cawn glywed y thema hon deirgwaith yn y llinynnau uchaf ac unwaith yn y chwythbrennau yn ystod yr atgan agoriadol. Mae'r sgorio'n fywiog ac yn amrywiol wrth ddefnyddio rhannau o'r testun agoriadol hwn. Cyfres o atganau gwrthgyferbyniol byr sydd yma lle gwelir y cyfansoddwr yn newid amseriad a gwead y gerddoriaeth yn fynych. Rwy'n hoffi triniaeth *Eilir* o'r testun *ritornello* yn yr atgan olaf lle mae'r motiffau'n cael cyfle i gyfuno â'i gilydd – diweddglo bywus sy'n debyg i'r hyn a wnaeth J. S. Bach yn ei gonsierti Brandenburg. Yn sicr, mae *Eilir* ar ei orau yn yr ail gyfansoddiad hwn.

Samuel L. G. Barnes: Mae'n gwbl amlwg i mi, ar ôl gweld a chlywed barrau agoriadol gwaith yr ymgeisydd hwn, fod yma gyfansoddwr sy'n deall ei gyfrwng i'r dim. Mae'r darn cyntaf, 'The Penguin Dance', ar gyfer ffliwt, clarinét, trombôn, bloc pren, marimba a soddgrwth. Dyma gyfuniad diddorol sy'n rhoi cyfle i'r offerynnau unawdol dderbyn ffocws y gerddoriaeth yn eu tro. Mae'r elfen rythmig mor heintus a'r sgorio'n wych. Rhaid dweud bod y rhan i'r marimba yn dechnegol heriol ac yn cynnig dimensiwn seinyddol newydd ac atyniadol i'r cyfansoddiad. Cawn newid rhythmau cyson a thrawsacennu deifiol drwy gydol y darn. Yn yr adran ganol mae natur y ddawns yn newid i guriad triphlyg fel *pastiche* o'r walts draddodiadol. Dyma enghraifft o hiwmor y cyfansoddwr wrth inni feddwl am y pengwyn yn dawnsio. Darn ardderchog yn llawn o ysgafnder rhythmig o'r alaw agoriadol ar y ffliwt hyd at ddiweddglo sydyn yn A leiaf.

Cyferbyniol iawn yw ail ddarn *Samuel L. G. Barnes*. Yn 'Mirroring mirrors', mae'r cyfansoddwr wedi sgorio'r gwaith ar gyfer cerddorfa symffonig lawn. Mae'r sgorio ar adegau'n hynod gyfoethog a thrwchus, yn enwedig yn y llinynnau. Rwy'n gwerthfawrogi'r modd y bu iddo gyferbynnu lliw a *timbres* y teuluoedd offerynnol yn y palet cerddorfaol creadigol. Rwy'n hoff iawn o'r harmonïau, yr atebion antiffonïaidd a'r newid acenion cyson sydd yng nghyfeiliant yr adran linynnol. Fel yr awgryma'r teitl, mae yma ailadrodd gyda motiffau rhythmig cromatig yn y chwythbrennau yn ogystal â'r pres. Ces fwynhad arbennig wrth wrando ar yr atgan ganol delynegol lle mae'r côr pres (gyda mudyddion) yn derbyn cyfeiliant *pizzicato pianissimo* y llinynnau – atgan gofiadwy. Dyma ddarn argraffiadus wedi'i lunio gan grefftwr hynod o dalentog. Mae'r diweddglo olaf yn llawn cyffro ac yn glo teilwng ar waith ardderchog.

Gwobrwyer *Samuel L. G. Barnes*.

ADRAN GWYDDONIAETH A THECHNOLEG

CYFANSODDI

Erthygl Wyddonol. Ysgrifennu erthygl Gymraeg sy'n ymwneud â phwnc gwyddonol ac yn addas i gynulleidfa eang. Croesewir y defnydd o dablau, diagramau a lluniau amrywiol. Gobeithir gweld cyhoeddi'r buddugol mewn cyfnodolyn Cymraeg. Disgwylir oddeutu 2000 o eiriau. Caniateir mwy nag un awdur

---

BEIRNIADAETH EIRLYS CAWDERY A DEWI LLWYD

Gofynnwyd am erthygl wyddonol, addas ar gyfer cynulleidfa eang, y byddai modd ei chyhoeddi mewn cyfnodolyn Cymraeg. O safbwynt gwyddoniaeth, cawsom erthyglau amrywiol yn trafod rhai problemau y mae'r byd yn mynd i orfod dygymod â hwy yn y degawdau nesaf. O safbwynt arddull, roeddem yn chwilio am iaith afaelgar a strwythur clir a fyddai'n sicrhau bod y pwnc yn cydio yn nychymyg darllenydd lleyg, tebyg iawn i un o'r ddau feirniad. Cawsom gryn bleser yn darllen y pedair erthygl a ddaeth i law. Dyma'r cynigion yn y drefn y cyflwynwyd hwy i ni:

Dyn eira: Mae 'Dyn, yr anifail' yn ymdrin â'r modd y mae dyn yn dibynnu ar nifer o elfennau hollbwysig (dwysedd-ddibyniaeth a dwysedd-annibynnol), a gwneir hynny drwy lunio cymhariaeth â chreaduriaid eraill fel chwilen yr ŷd a'r pâl. Mae gan ddyn sydd, wedi'r cwbl, 'ychydig uwch na'r anifeiliaid', y gallu i addasu i'w amgylchiadau er mwyn osgoi canlyniadau trychinebus. Yr her fwyaf yw bwydo poblogaeth y byd, a allai godi i naw biliwn erbyn canol y ganrif. Byddai rhagymadrodd gwell a chlo mwy effeithiol wedi bod o gymorth ac, o gofio teitl yr erthygl, efallai y dylid bod wedi trafod dyn cyn cyrraedd tudalen 4. Tybed, hefyd, a oedd ambell sylw gwrth-grefyddol yn gwbl berthnasol? Ond, ar y cyfan, roedd yr erthygl wedi ei hysgrifennu mewn iaith raenus ac yn hynod ddarllenadwy.

Marin: Yn ei erthygl afaelgar am 'Cyfaredd y Rhifau Cysefin', mae'r cystadleuydd yn profi nid yn unig ei fod yn fathemategydd brwd ond ei fod hefyd yn feistr ar y grefft o ddod â phwnc dyrys i sylw cynulleidfa eang. 'Be' ar wyneb y ddaear yw ffactor' yw ei gwestiwn agoriadol, cyn mynd ati i esbonio'n glir beth yw rhifau cysefin. Er ei fod yn nodi: 'i'r mathemategydd pur, mae angen gwybod er mwyn gwybod', mae'n dangos bod rhifau cysefin yn cyfrannu at warchod ein cyfrifon banc. Mae'n enghraifft syml, annisgwyl a phwysig, 'rhywbeth rhwydd i'w wneud ond bron yn amhosib ei ddadwneud'. Mae strwythur da i'r erthygl ond byddem wedi dymuno cael diweddglo cryfach. Yn sicr, dysgwyd rhywbeth newydd mewn dull hawdd ei dreulio.

Ael y bryn: Yn 'Inswlin – "Achubwr" y Clefyd Melys', cawn rywfaint o hanes y clefyd melys a'r dull o'i reoli. Efallai nad yw'r erthygl yn cyflawni'n llwyr yr hyn y mae'r teitl yn ei addo. Byddai eglurhad cynnar o'r modd y mae inswlin yn gweithio yn y corff wedi bod o fudd i ddarllenwyr heb fawr o wybodaeth am y cyflwr. Tybed hefyd a ddylid bod wedi pwysleisio wrth ddisgrifio Math 1 a Math 2 o glefyd y siwgr fod mwyafrif llethol y cleifion yn dioddef o Math 2 ac nid yw chwistrellu inswlin yn angenrheidiol yn y mwyafrif o'r rhain. Ni soniwyd ychwaith am bwysigrwydd mesur lefel y glwcos yn y gwaed yn gyson. Yn sicr, i leygwr mae'r ymdriniaeth ar brydiau'n anodd ei dilyn ac mae yma hefyd amryw o frychau iaith.

Dai Dŵr Twym: Cawsom erthygl ddifyr o dan y teitl 'Plaladdwyr – Cyfeillion mewn Cyfyngder' a oedd yn hawlio sylw o'r frawddeg gyntaf. Mae'r awdur yn rhestru'r gwahanol fathau o blaladdwyr ac yn trafod eu cryfderau a'u gwendidau amgylcheddol wrth i'r angen am fwyd gynyddu'n flynyddol. Gwnaeth ei ddadansoddiad gryn argraff ar un o'r ddau feirniad a oedd newydd ymweld â chyfandir Affrica ond teimlai'r llall fod ei ymdriniaeth yn aml yn rhy gymhleth i gynulleidfa eang. Er ei fod wedi cynnwys rhan o awdl Dic Jones, 'Y Cynhaeaf', braidd yn wan yw'r diweddglo.

Mae ein diolch yn fawr i'r pedwar ymgeisydd gan fod ôl gwaith manwl ar bob un o'r erthyglau. Yn ein tyb ni, er bod *Dai Dŵr Twym* yn haeddu cryn glod, yr ymgeisydd sy'n dod agosaf at fodloni gofynion y gystadleuaeth hon yw *Marin*, ac mae'n llawn haeddu'r wobr.